Acht Monate in der Hölle

Barbara O'Hare

Acht Monate
in der Hölle

Wie ich die Menschenversuche
in Aston Hall überlebte

Aus dem Englischen von
Bernhardt Liesen

Weltbild

Die englische Originalausgabe erschien 2017 unter dem Titel
The Hospital – How I survived the secret child experiments at Aston Hall
First published in the UK by BLINK Publishing,
an imprint of Bonnier Publishing Group.

Text-Copyright © Barbara O'Hare
Copyright der deutschsprachigen Ausgabe © 2017 by
Weltbild GmbH & Co. KG, Werner-von-Siemens-Str. 1, 86159 Augsburg
Übersetzung: Bernhard Liesen
Projektleitung und Redaktion: usb bücherbüro, Friedberg/Bayern
Umschlaggestaltung: Atelier Seidel, Teising
Covermotiv: © istockphoto/spfoto; Talshiar
Satz: Datagroup int. SRL, Timisoara
Druck und Bindung: GGP Media GmbH, Pößneck
Printed in the EU
978-3-8289-5715-2

2021   2020
Die letzte Jahreszahl gibt die aktuelle Lizenzausgabe an.

Einkaufen im Internet:
www.weltbild.de

Inhalt

Prolog

Montag, 9. Januar 1995

Rushhour, stockender Verkehr, ermüdendes Stop-and-go.

Bremsen, ein paar Meter im Schneckentempo, anhalten ...

Ich schalte die Heizung höher, die Fenster sind beschlagen. Da sind Schmierspuren, wo ich versucht habe, sie sauber zu reiben. Plötzlich wird es sehr warm. Ich plaudere mit der Freundin neben mir auf dem Beifahrersitz.

Unvorsichtige Teenager rennen zwischen den Autos über die Straße, und ich muss noch häufiger bremsen. In der Luft hängen Abgaswolken.

»Mach mal lauter, ich liebe diesen Song«, sagte meine Freundin, als im Autoradio das Intro von »Whatever« von Oasis ertönt.

Mit den Fingerspitzen schlage ich auf dem Lenkrad den Takt mit.

Gerade ist die Schule aus. Kleine Kinder in Schuluniformen umklammern die Hände ihrer Mütter und bauen sich mit ihnen am Rand der viel befahrenen Straße auf. Die Ampel springt auf Rot um. Ich bremse erneut und sehe sorglose, glückliche Kinder die Straße überqueren. Für den Rest des Tages haben sie frei. Meine Gedanken schweifen ab, während ich aus dem Fenster schaue. Plötzlich erblicke ich die Feuerwache, ein unauffälliges Gebäude aus rotem Backstein, mit einem hohen Schornstein und Fenstern mit weiß gestrichenen Holzrahmen, die exakt jenen von Aston Hall gleichen. Mein Herzschlag beschleunigt sich, mein Mund ist wie ausgetrocknet. Auf einen Schlag fühle ich mich zurückversetzt in das Krankenhaus. Da ist der Arzt, ich bin sein menschliches Versuchskaninchen, Objekt seines Experiments.

Ich spüre seinen heißen Atem auf meinem Hals, während ich versuche, den Kopf abzuwenden. Der Geruch von Äther steigt mir in die Nase. Ich bin gelähmt und hilflos. Ich sehe seine Hand und die Maske, die er mir fest aufs Gesicht drückt.

Sein Gewicht scheint mich zu erdrücken. Ich schnappe nach Luft und klammere mich verzweifelt an der kühlen Gummiauflage der Matratze fest. Es ist finster in dem Raum. Finster wie seine Seele.

Ich sitze hilflos in der Falle, vollgepumpt mit Medikamenten … Ein zwölfjähriges Mädchen, das darum bettelt, sterben zu dürfen …

1

Zigeunertochter

Ein unheimliches, düsteres Haus. Ich schaute aus einem Fenster, das auf einen Hof ging. Ein trostloser Streifen Rasen, verdorrtes Gras, umgeben von grauem Kopfsteinpflaster. Vor dem Fenster stand ein Kinderwagen, Marke Silver Cross, auf dessen Chrom sich das Sonnenlicht reflektierte.

»Komm schon, Barbara, klettere da rein«, sagte eine schlanke Blondine, die mit der Hand herumfuchtelte, um mich zur Eile anzutreiben.

Ich packte die Seite des Kinderwagens und hievte mich hinein, während die Frau den Wagen festhielt, damit er nicht zu sehr schaukelte. Ich kringelte mich zusammen, doch es half nicht. Ich war vier Jahre alt und zu groß, um in so einem Kinderwagen schlafen zu können. Ich setzte mich auf und schaute mich um.

»Bleib, wo du bist«, sagte die Frau, die sich meinem Vater zuwandte, dessen Gesicht ich nicht sehen konnte.

»Wir lassen sie einfach hier. Sie kommt schon allein klar.«

Ich lächle und schweige, weil ich es nicht wage, mich zu beschweren. Der viel zu enge Kinderwagen wird für diese Nacht mein Bett sein. Ich schließe die Augen und tue so, als würde ich schlafen. Ich höre Stimmen, das Geräusch der sich schließenden Zimmertür. Die Erwachsenen sind verschwunden, und plötzlich bin ich allein. Das Klackern der Absätze der Frau im Flur wird leiser, dann wird im Erdgeschoss eine Tür zugeschlagen. Von unten höre ich gedämpft die Stimmen meines Vaters und der Blondine. Ich kann sie nicht sehen, weiß aber, dass etwas geschieht und dass ich dabei unerwünscht bin.

Ich schloss die Augen und versuchte, mich an meine Mutter zu erinnern, doch es war so, als würde man versuchen, mit den Händen nach einer Wolke zu greifen. Ein Foto von ihr hatte ich nicht, und das Bild von ihr, das mein Gedächtnis bewahrt hatte, wurde immer verschwommener und löste sich irgendwann ganz auf. Dad hatte mir erzählt, meine Mutter habe mich als Baby verlassen. Er sagte, sie sei eine irische Zigeunerin mit knallrotem Haar, und als Tochter einer Zigeunerin sei ich eine Außenseiterin. Ich stellte sie mir als keltische Schönheit auf einem heißblütigen, galoppierenden Pferd vor, ihr rotes Haar flatterte im Wind. Ich betete, sie möge eines Tages zurückkommen, um mich zu holen, doch im Laufe der Zeit wurde mir klar, dass ich sie wahrscheinlich nie wiedersehen würde. Dad hatte gesagt, als sie mich im Stich gelassen habe, sei ich elf Monate alt gewesen und hätte noch gewickelt werden müssen. Sie habe ihren billigen Schmuck und Porzellan mitgenommen, mich aber zurückgelassen, als wäre ich nicht mehr wert als ein paar alte Lappen. Ständig blickte ich zur Tür, in der Hoffnung, sie würde doch zurückkommen.

Unterdessen waren statt ihr immer andere Frauen da. Für seine Umgebung war mein Vater ein echter Charmeur mit einem Faible für die Damenwelt. Er war groß und hatte dunkles Haar. Alle Welt sagte, er sei ein Doppelgänger von Elvis Presley, aber er war mein Vater, und ich kannte seine andere Seite. Er nutzte sein gutes Aussehen, um alle hübschen Frauen zu verführen, die seinen Weg kreuzten. Aber mit dieser Blondine jetzt war alles anders, denn sie blieb länger als ihre Vorgängerinnen. Sie hieß Marion. In unserem Haus gab es keine Teppiche und nur einen kleinen Gasofen im Vorderzimmer, doch mein Vater schien immer genug Geld zu haben, um mit Marion auszugehen. Mittlerweile war ich fünf und immer allein, wenn sie das Haus verließen, um den Abend im Pub zu verbringen.

Unser gemeindeeigenes Reihenhaus kostete wenig Miete und war ziemlich einfach. Drei Zimmer, eine braune Ledercouch im Erdgeschoss diente als Reservebett. Mein Zimmer war im hinteren Teil des Hauses und nur mit einem schmalen Bett und einem Kleiderschrank aus Nussbaumholz möbliert. Den ganzen Tag über musste ich dortbleiben, besonders, wenn Marion da war. Eines Nachmittags hörte ich die Haustür ins Schloss fallen und dann das Klackern ihrer hohen Absätze auf den hölzernen Bodendielen. Eine Duftwolke ihres Parfüms breitete sich im Haus aus, und dann schloss sich unten die Tür des Schlafzimmers meines Vaters. Gelächter, das Klirren von Gläsern. Schließlich kam Marion die Treppe hoch und trat in mein Zimmer. Sie hielt einen Karton in der Hand, in dem Eier verkauft werden, und gab ihn mir.

»Renn nicht ständig aufs Klo, ich hab keine Lust, immer die Spülung zu hören«, fuhr sie mich an. »Und bleib vom Fenster weg!«

Mein Vater kam mit der alten Trittleiter, stellte sie im Flur unter die Dachbodenluke, stieg hinauf und stieß die Luke auf. Ich starrte auf das schwarze Loch in der Decke.

Marion winkte mich zu sich. »Komm her, Barbara.« Ich konnte den Blick nicht abwenden von dem dunklen Loch, als ich zu ihr trat.

Sie zeigte darauf. »Sieh genau hin. Da oben wohnt ein Ungeheuer. Falls du dein Zimmer verlässt, während dein Vater und ich außer Haus sind, springt es nach unten und frisst dich auf.«

Ich schnappte nach Luft, blickte auf die offene Luke und wich erschrocken in mein Zimmer zurück.

»Keine Sorge«, fuhr Marion etwas versöhnlicher fort. »Solange du in deinem Zimmer bleibst und ein gutes Mädchen bist, hört dich das Ungeheuer nicht und lässt dich in Ruhe. Hast du das verstanden?«

Ich nickte, aber ich war verängstigt, und mein Herz klopfte wie wild.

»Also sei ein gutes Mädchen.« Sie strich mir durch mein blondes Haar. »Ich habe dir etwas zu essen mitgebracht.«

In der Hand hielt sie eine Milchflasche, die aber mit Wasser gefüllt war.

»Na los, mach den Karton auf.«

Ich gehorchte und sah zwei hart gekochte Eier. Die Schale war gesprungen, weil sie zu lange gekocht worden waren.

»Zwei Eier gegen den Hunger. Also sei brav und iss sie.« Sie reichte mir die Milchflasche. »Und hier ist etwas zu trinken.«

Sie verschwand, und ich blieb mit der Flasche und den beiden hart gekochten Eiern zurück. Kurz darauf fiel unten die Haustür ins Schloss, und ich war allein. Nur in Gesellschaft des Ungeheuers auf dem Dachboden. Verängstigt verkroch ich mich unter der dunkelgrünen Daunendecke auf meinem Bett. Meine Angst war so groß, dass ich es nicht wagte, auf die Toilette zu gehen, und ins Bett machte. Meine Kleidung und die Bettwäsche stanken nach Urin. Als die beiden zurückkamen, hörte ich Marions laute Stimme und ihr Gelächter, als sie unten anstießen und die Musik aufdrehten.

Seit diesem Tag lebte ich in ständiger Angst. Selbst wenn die Luke zum Dachboden geschlossen war, traute ich mich nicht aus meinem Zimmer. Es wurde beinahe zur täglichen Routine, mich allein mit dem Ungeheuer und zwei hart gekochten Eiern zurückzulassen. Am Wochenende gingen sie schon um die Mittagszeit aus und kamen erst zurück, wenn die Kneipe dichtmachte. Meine Einsamkeit und die Angst vor dem Monster waren unerträglich.

Ich zitterte unter der Bettdecke, weil ich mir sicher war, vom Dachboden her ein Ächzen gehört zu haben.

Das Monster hat sich aufgemacht, um mich zu holen.

Ich stellte mir dieses Ungeheuer als Wolf mit langen, scharfen Zähnen vor. Wieder ein Ächzen. Ich schloss die Augen und wickelte mich fester in die Bettdecke. Ich hörte meine Atemzüge und meinen Herzschlag.

Eines Tages, als Marion mir die Eier brachte, schien ihr mein vom Schlafmangel gezeichnetes Gesicht aufzufallen.

»Stimmt was nicht?«

»Es ist das Ungeheuer«, sagte ich weinend. »Ich habe solche Angst.«

Ein bösartiges Grinsen huschte über ihr Gesicht.

»Es wohnt nicht nur auf dem Dachboden, Barbara«, sagte sie und legte mir eine Hand auf die Schulter, als wäre sie besorgt. »Sondern auch in deinem Kleiderschrank.«

Ich schnappte nach Luft und blickte erschrocken zwischen Marion und dem Schrank hin und her.

»Aber du hast gesagt, das Monster wohnt auf dem Dachboden.«

Meine Hände waren vor Angst schweißnass.

»Nicht nur dort, sondern überall«, sagte sie mit einer dramatischen, weit ausholenden Geste. »Es beobachtet dich ständig, um zu sehen, ob du schön artig bist.«

Ich vergrub das Gesicht in den Händen und begann zu wimmern, aber Marion packte mein Kinn und hob es, damit ich sie anblickte.

»Willst du wissen, woran du erkennen kannst, ob das Ungeheuer in dem Kleiderschrank ist, Barbara?«

Ich schüttelte den Kopf.

Sie fuhr mit einem Finger über das gemaserte Holz des Schranks. »Seine langen Nägel hinterlassen diese Kratzspuren.«

Sie wusste, dass sie mich total verängstigt hatte, und verließ das Zimmer. Ich blieb allein mit dem Monster zurück und suchte einmal mehr Schutz unter der Bettdecke. So ging es neun Monate weiter. Wenn es dunkel wurde, konnte ich in meinem Zimmer nicht einmal Licht machen, denn mein Vater hatte die Glühbirne herausgeschraubt. Ich lag zitternd unter der Daunendecke und wartete darauf, dass Dad und Marion zurückkamen. Sobald sich die Haustür öffnete und kurz darauf Hits von Elvis Presley durchs Haus schallten, wusste ich, dass ich in Sicherheit war, denn mein Vater war wieder zu Hause. Der Plattenspieler lief weiter, und ich hörte, dass Dad und Marion unten tanzten. Es roch nach Alkohol und Zigarettenqualm, mein Vater war glücklich. Lange Tage und lange Nächte, bis Marion eines Tages mit einem Bündel im Arm auftauchte. Sie hatte einen wundervollen Sohn zur Welt gebracht, meinen Halbbruder Stephen, den ich von Anfang an vergötterte. Er war so klein und zart, dass ich ihn beschützen wollte. Bisher war ich ein Einzelkind gewesen, doch nun hatte ich jemanden, den ich lieben konnte. Aber Marion bestand darauf, dass ich mich Stephen und seinen Spielzeugen nicht nähern durfte.

15

Es wurde so schlimm, dass ich Stephen nicht einmal mehr anzublicken wagte vor lauter Angst, Ärger zu bekommen. Eines Tages entdeckte ich im Erdgeschoss ein wundervolles blaues Herz mit einem Kaninchen darauf, und wenn man an einem weißen Bändchen zog, erklang das Wiegenlied »Sleep little baby don't you cry«. Stephen lag in seinem Bettchen, aber ich wollte ihm dieses Herz zeigen. Ich warf einen Blick über die Schulter, um mich zu vergewissern, dass die Luft rein war, griff nach der Spieluhr und ging zu dem Bettchen.

»Sieh mal, was ich hier habe«, flüsterte ich.

Und dann stürmte auf einmal mein Vater in das Zimmer und sah, wie ich das Spielzeug über Stephens Kopf hielt.

»Gib her!« Er riss mir die Spieluhr aus der Hand und schrie so laut, das Stephen zu weinen begann. »Siehst du, was du angerichtet hast?«

Auch mir stiegen Tränen in die Augen.

»Es ... Es tut mir leid«, stammelte ich.

Er wollte nichts davon wissen.

»Ich hab dir gesagt, dass du nichts zu suchen hast in der Nähe des Babys. Halt dich von ihm fern!«

»Es tut mir leid ...«, wiederholte ich. Tränen strömten über meine Wangen.

»Was bist du?«, fragte er.

Ich schlug den Blick zu Boden, weil ich ihn nicht noch wütender machen wollte.

»Ich habe gefragt, was du bist?«

»Eine Zigeunertochter«, flüsterte ich.

»Genau, und Zigeunertöchter sind absolut unbrauchbar. Also, was bist du?«

»Zu nichts zu gebrauchen«, antwortete ich, ohne den Blick zu heben.

»Du sagst es. Geh nach oben, Zigeunerbrut, und halt dich von Stephen fern.«

Ich war schon aus dem Zimmer, bevor er den Satz beendet hatte, und nahm auf der Treppe zwei Stufen auf einmal.

Obwohl ich mich Stephen nicht nähern durfte, änderten sich mit seiner Ankunft die Dinge zum Besseren. Nun war Marion die liebende Mutter, und sie begann sogar, sich für mich zu interessieren. Nachdem sie mich zuerst fast völlig ignoriert hatte, bestand sie nun darauf, mir meine langen blonden Haare zu waschen.

»Wenn ich sie einfach so trocknen lasse, gibt das schöne Ringellöckchen.« Sie trat einen Schritt zurück, um ihr Werk zu begutachten. »Du siehst gar nicht so übel aus, auch wenn ich manchmal das Gegenteil behaupte.«

Ich war sehr stolz und dankbar, dass endlich jemand Interesse an mir zeigte.

Irgendwann begann mein Vater auf Ölbohrinseln zu arbeiten, wo er gutes Geld verdiente, aber er war nicht mehr zu Hause. Marion zog bei ihrer Schwester Lorraine ein, die ein paar Häuser die Straße hinab wohnte. Mein Vater hatte plötzlich reichlich Geld und schickte uns jede Woche Pakete. Oft enthielten sie schöne Kleider für mich, die ich aber nicht tragen durfte, weil sie nur für besondere Gelegenheiten aufbewahrt wurden.

Und dann traf eines Tages ein besonderes Päckchen in Lorraines Haus ein.

»Oh, sieh dir das an«, seufzte Marion, die ihre Schwester zu sich winkte.

Sie zog ein wundervolles blassblaues Kleid mit Spitzenbesatz und Petticoat aus dem Karton und hielt es hoch, damit Lorraine und ich es begutachten konnten. So ein schönes Kleidungsstück hatte ich noch nie gesehen. Ich wusste, dass mein Vater es für mich ausgesucht hatte, doch die beiden ließen es mich nicht einmal anprobieren. Eines Tages brachte Marion Stephen und mich zu Lorraine, damit sie auf uns aufpassen konnte. Lorraine hatte selber fünf Kinder, und das Haus platzte aus allen Nähten. Draußen war es warm, doch niemand wollte mit mir spielen, und ich langweilte mich zu Tode. Lorraine saß an einer alten Nähmaschine und flickte ein blaues Kleid. Der Anblick der sich auf und ab bewegenden Nadel faszinierte mich. Sie blickte auf und sah, dass ich sie aus einer Ecke des Zimmers beobachtete.

»Warum hängst du hier herum? Los, geh und kümmere dich um deinen Bruder. Er ist im Wohnzimmer.« Sie scheuchte mich mit einer verärgerten Handbewegung aus dem Raum.

Das ließ ich mir nicht zweimal sagen. Ich liebte es, mit Stephen zusammen zu sein, und nun, wo mein Vater auf der Ölbohrinsel arbeitete, schien Marion froh zu sein, wenn jemand ihr Baby unterhielt, selbst wenn ich es war.

»Und setz dich nicht auf meine Möbel!«, rief Lorraine mir nach. »Ich will keine dreckige Zigeunergöre auf meinem Sofa sehen. Setz dich auf den Boden. Da gehörst du hin.«

Ich gehorchte und ließ mich auf den dicken, samtweichen roten Teppich fallen und stützte mich mit den Händen hinter dem Rücken ab. Ich sah Stephen beim Spielen zu und wünschte mir, ihm seine Spielzeuge aus der Hand zu nehmen und sie ihm zu erklären, doch ich hatte zu viel Angst davor, erwischt zu werden. Lorraines Wohnzimmer war völlig anders als das in unserem Haus. Trotz ihrer fünf Kinder war es tadellos aufgeräumt. Auf dem Kaminsims standen Porzellanstatuetten, an den Wänden hingen teuer gerahmte Bilder. Und in der Mitte des Zimmers stand ein großer Schwarzweißfernseher. In den Sechzigerjahren des letzten Jahrhunderts besaß noch kaum jemand einen Fernseher, und so war er Lorraines ganzer Stolz. Plötzlich öffnete sich die Tür des Wohnzimmers, und Peter trat ein, einer von Lorraines Zwillingen. Er war groß und noch ein Teenager, hatte aber schon den Körperbau eines Mannes. Nachdem er die Tür geschlossen hatte, kam er auf mich zu. Ich war nervös, denn er mochte mich nicht. Was immer er wollte, ich wusste, dass ich Ärger bekommen würde.

Ich zeigte auf Stephen und sein Spielzeug. »Ich habe nichts angerührt.«

Er ignorierte es. Ich wandte mich ab, gelähmt vor Angst, weil ich nicht wusste, was er sagen oder tun würde. Plötzlich schoss ein stechender Schmerz meinen Arm hoch, und ich sah, dass er einen seiner schweren braunen Stiefel auf meine Hand gesetzt hatte. Die grobe Sohle schnitt in meine Haut, und ich begann zu schreien und zu betteln, er möge aufhören, aber er tat es nicht.

»Dreckige Zigeunerbrut.«

Der Schmerz war so schlimm, dass ich ihn erneut anbettelte, mich in Ruhe zu lassen.

»Was ist hier los?« Plötzlich stand Lorraine im Türrahmen, die meinen Aufschrei gehört haben musste, und dicht hinter ihr war Marion. Sie hob Stephen vom Boden auf und begutachtete ihn.

Sie warf mir einen aggressiven Blick zu. »Mein Gott, für einen Augenblick habe ich geglaubt, du hättest ihm etwas getan.«

Ich hatte solche Schmerzen, dass ich zunächst nicht begriff, was sie gesagt hatte, doch dann dämmerte es mir. Sie hatte befürchtet, ich hätte dem Baby etwas angetan.

Als er seine Mutter sah, hatte Peter sofort den Stiefel von meiner Hand zurückgezogen. Ich war mir sicher, dass Lorraine es gesehen hatte, und sie war wütend, aber nicht auf ihn, sondern auf mich. Meine Hand schmerzte höllisch. Es kam mir so vor, als müssten alle Finger gebrochen sein.

»Was ist hier los?«, wiederholte Lorraine

Sie warf Peter einen eisigen Blick zu, doch der zuckte nur die Achseln.

»Sieh mich nicht so an, ich bin gerade erst hier reingekommen ...«

Ich bekam kaum etwas mit von dem Wortwechsel, da der Schmerz immer noch so schlimm war, doch ich wusste, dass ich aufhören musste zu weinen. Aber ich konnte nichts dagegen tun. Meine Hand fühlte sich so an, als wäre sie von einem Autoreifen zerquetscht worden.

Lorraine packte verärgert meine Schulter. »Hör auf zu heulen!«, fuhr sie mich an. »Hörst du mich nicht? Ich habe gesagt, du sollst aufhören zu flennen!«

Ich wollte erzählen, was passiert war, bekam aber kein Wort heraus. Ohnehin hätte mir niemand geglaubt.

»Jetzt reicht's mir«, verkündete Lorraine. »Du machst zu viel Ärger. Steh auf, dann geht's ab nach Hause.«

Marion brachte mich zum Haus meines Vaters zurück, das nur ein paar Schritte entfernt war. Sie würde mich dort einschließen und mich mit meinen Schmerzen und dem Ungeheuer zurücklassen. Sie öffnete die Wohnzimmertür und bedeutete mir mit einer Geste, ich solle eintreten.

»Du bleibst hier und gibst keinen Mucks von dir. Und bleib vom Fenster weg. Was bei uns los ist, geht die Nachbarn nichts an.«

Damit knallte sie die Tür zu und war verschwunden.

Kurz darauf hörte ich die Haustür ins Schloss fallen. Einmal mehr war ich allein, doch diesmal würde mein

Vater nicht zurückkommen. Alkohol, Zigarettenrauch, Elvis Presley, das war lange vorbei. Außer mir und dem Ungeheuer im ersten Stock war niemand im Haus. Ich hatte Angst, meine Schluchzer könnten es aufwecken. Also weinte ich möglichst lautlos und machte mich so klein wie möglich. Die Stunden schleppten sich dahin, und ich hatte keine Spielzeuge, um mir die Zeit zu vertreiben. Ich setzte mich auf und studierte das Muster der Tapete. In dem Haus war es drückend heiß, doch es war mir verboten, das Fenster zu öffnen, um eine kühle Brise hineinzulassen. Stattdessen musste ich die weiter ansteigende Temperatur ertragen. Ich hatte entsetzlichen Durst und musste unbedingt etwas trinken. Schließlich öffnete ich die Tür, hielt ängstlich nach dem Ungeheuer Ausschau und verschwand blitzschnell in der Küche, wo ich gierig Leitungswasser trank. Als mein Durst gestillt war, kehrte ich sofort wieder in das sichere Wohnzimmer zurück und schloss die Tür. Ich lehnte mich mit dem Rücken dagegen, mein Herz hämmerte heftig. Ich blieb dort für den Rest des Tages und bis zum nächsten Morgen, als endlich Marion auftauchte.

»Komm mit, ich bring dich wieder zu Lorraine.«

Meine rechte Hand war stark angeschwollen, fast doppelt so groß wie sonst. Da ich kein Gewicht darauf verlagern konnte, hatte ich Probleme mit dem Aufstehen. Wider besseres Wissen hoffte ich, dass man mir vergeben hatte.

»Komm her, elende Zigeunergöre«, höhnte Lorraine, als ich durch die Hintertür trat.

Ich sah einen großen Karton auf dem Tisch und fragte mich, was sich darin befunden haben mochte. Ihr fiel auf, dass ich ihn anstarrte.

»Neugierig?« Sie tippte auf die Oberseite des Kartons. »Wir haben etwas damit vor.«

Ein paar Stunden später wurde den anderen Kindern am Küchentisch ein Teller mit Pommes frites vorgesetzt. Ich bekam nur ein Stück Brot, das ich auf der Stufe der Hintertür essen sollte. Es war nicht mit Butter bestrichen und trocken. Das Schlucken tat mir weh, doch ich wagte es nicht, mich zu beschweren, weil ich nicht erneut allein in unser Haus gebracht werden wollte. Während ich lustlos an dem Brot knabberte, blickte ich auf meinen angeschwollenen Bauch. Meine Arme und Beine waren spindeldürr, der Bauch aber aufgetrieben und hart. *Ich sehe nicht einmal so aus wie die anderen Kinder.* Ich bekam so wenig zu essen, dass es an ein Wunder grenzte, dass ich noch nicht verhungert war. Nachdem ich das Brot gegessen hatte, stand ich im Hof, als Marion mich in die Küche rief. Sie habe eine Überraschung für mich. Ich trat nervös ein, doch dann sah ich das wundervolle blaue Kleid, das mein Vater für mich geschickt hatte, über der Rückenlehne eines Küchenstuhls hängen.

Marion klopfte auf die Sitzfläche eines anderen Stuhls. »Komm her und setz dich.« Sie hielt Haarspangen und Lockenwickler in den Händen. Offenbar bemerkte sie meine Angst, denn sie fügte hinzu: »Wir machen dich richtig hübsch zurecht. Stimmt's, Lorraine?«

Sie warf ihrer Schwester einen seltsamen Blick zu, und die grinste. Mir war unbehaglich zumute.

»Komm her, du hast gehört, was sie gesagt hat«, rief Lorraine. »Setz dich!«

Der Ton ihrer Stimme klang ungemütlich, und ich gehorchte sofort.

Marion sagte, sie würde mir die Haare waschen, und dann dürfe ich das Kleid anziehen, das mein Vater mir geschenkt hatte. Ich war völlig verblüfft.

»Das gefällt dir doch, oder?«, fragte sie lächelnd.

An solche Zuvorkommenheit war ich nicht gewöhnt, und ich nickte dankbar.

Sie zog einen der Stühle an die Spüle heran und befahl mir, darauf zu steigen. Dann zog sie mir die dreckigen Kleidungsstücke aus und wusch mich von Kopf bis Fuß. Ich fühlte mich wie ein ganz anderer Mensch.

»Jetzt geht's dir schon besser, stimmt's?«

Ich blickte zu Lorraine hinüber. Sie saß am Küchentisch und zerschnitt mit einer Schere den Karton.

Marion wusch mir die Haare, dann kamen die Lockenwickler an die Reihe. Als sie getrocknet waren, gab sie mir ein hellblaues Haarband und half mir beim Anziehen des neuen Kleides. Ich blickte an mir herab und schnappte nach Luft. Noch nie hatte ich mich so gut gefühlt.

Marion trat einen Schritt zurück und wandte sich Lorraine zu. »Nun, was sagst du?«

»Sie sieht wundervoll aus«, antwortete Lorraine. »Wie ein Engel.«

Aus einem mir unbekannten Grund brachen die beiden Frauen in Gelächter aus. Ich war nur glücklich und konnte es nicht fassen, dass mal jemand gut zu mir war.

Haben sie vielleicht endlich begriffen, dass Peter mir auf die Hand getreten hat? Tue ich ihnen deswegen leid? Vielleicht werden sie sich jetzt genauso um mich kümmern wie um die anderen Kinder?

Lorraine durchwühlte eine Schublade des Küchenschranks.

»Wo hab ich die Dinger bloß?«

»Was für Dinger?«, fragte Marion, während sie mir Strümpfe anzog.

»Die Nadeln, mit denen die Windeln zusammengehalten werden.«

Ich fragte mich, wofür sie die brauchte.

Vielleicht für Stephen? Ich bin kein Baby mehr. Ja, dass muss es sein. Sie braucht die Nadeln für Stephen.

Aber ich hatte mich getäuscht.

»Halt still«, blaffte sie mich an, während sie an der Rückseite meines neuen Kleides riss. Dann spürte ich den Stich einer spitzen Nadel in meinem Rücken.

»Aua!«, wimmerte ich.

»Wenn du brav stillhältst, erstecke ich dich nicht.«

Wieder zerrte sie an meinem wundervollen Kleid und befestigte etwas daran. Als sie fertig war, trat sie zurück und lachte, während ich mich drehte und zu sehen versuchte, was sie gemacht hatte. Als ich es begriff, war ich völlig verwirrt. Sie hatte zwei Flügel aus Pappe an meinem Kleid angebracht.

»Du siehst wie ein Engel aus, und ein Engel braucht Flügel«, sagte sie kichernd.

Marion schlug eine Hand vor den Mund und kicherte ebenfalls, und es steigerte sich zu einem hysterischen Gelächter. Ich wusste nicht, was so lustig war, lachte aber mit, doch mein Lachen stachelte sie nur noch mehr an. Nachdem Lorraine sich halbwegs eingekriegt hatte, zog sie mich von dem Stuhl hoch.

»Hör zu, ich will, dass du mit dem hübschen Kleid und den brandneuen Flügeln die Straße hinauf und hinunter gehst.«

Ich drehte mich erneut. Irgendetwas war auf die Flügel geschrieben, doch ich konnte noch nicht lesen. Aber ich fühlte mich wundervoll in dem neuen Kleid und war nur zu glücklich, es den anderen Kindern zu zeigen. Ich stolzierte die Straße hinauf und hinab, wie man es mir gesagt hatte, und die Erwachsenen schauten mich entsetzt an. Die meisten anderen Kinder, die draußen spielten, waren in meinem Alter und konnten auch noch nicht lesen. Kichernd paradierte ich weiter, denn ich fühlte mich zum ersten Mal in meinem Leben als etwas Besonderes, doch je länger es dauerte, desto stärker wurde mir bewusst, dass etwas nicht stimmte. Die Mienen der Erwachsenen änderten sich, sobald sie gesehen hatten, was die beiden Frauen mit einem dicken schwarzen Filzstift auf die Flügel geschrieben hatten. Ich sollte es erst sehr viel später erfahren.

Sie mag aussehen wie ein Engel, ist aber der Teufel – spielt nicht mit ihr.

Von diesem Augenblick an war ich in der Nachbarschaft mit einem unauslöschlichen Makel behaftet. Ich war die Zigeunertochter und würde es immer bleiben. So sehr ich mich auch bemühte, ich würde es nie jemandem recht machen können.

2

Geplatzter Kindergeburtstag

Mit den Engelsflügeln hatten Marion und Lorraine sich alle Mühe gegeben, mich zu demütigen, doch es war ihnen nicht gelungen. Ich war so daran gewöhnt, wie der letzte Dreck behandelt zu werden, dass ich fast schon immun dagegen war. Lorraine passte tagsüber auf mich auf, weil mein Vater sie dafür bezahlte. Sie und Marion standen in der Haustür und warteten auf den Briefträger, denn Dad schickte ständig Geld. Natürlich war es für mich, Stephen und unseren Lebensunterhalt gedacht, doch was mich betraf, so sah ich nie viel davon. Die beiden Frauen rieben sich die Hände, während sie auf die nächste Sendung lauerten. Manchmal enttäuschte sie der Betrag, manchmal war er höher als erwartet. Dann machten sie sofort einen Einkaufsbummel, um sich und die Kinder zu beschenken, doch ich bekam nie etwas.

Eines Abends, als ich gerade ins Haus meines Vaters zurückkehren wollte, legte Lorraine mir eine knochige Hand auf die Schulter.

»Wir haben Besuch, der über Nacht bleibt«, verkündete sie.

Ich schaute sie mit einem leeren Blick an.

Will sie, dass ich den ganzen Tag über in dem anderen Haus bleibe?

»Wir haben hier nicht genug Platz«, fuhr sie fort. »Also werden die Zwillinge drüben bei dir bleiben müssen.«

In dem Augenblick trat Marion in die Küche.

»Hast du es ihr gesagt?«

Marion nickte.

»Gut.« Sie blickte mich an. »Ich gehe mit dir rüber und mache ein Bett.«

Da meine Matratze nach Urin stank, beschloss Marion, es sei am besten, wenn sie das große Ledersofa herrichtete, das als Gästebett diente.

»Das hätten wir«, sagte sie, als sie fertig war. »Genug Platz für alle.«

Sie sagte, ich solle mich sofort schlafen legen, die Jungs würden erst später kommen. Aber ich hatte keine Ahnung, dass sie direkt aus der Kneipe kamen. Sie stanken nach Bier und beließen es dabei, die Schuhe auszuziehen, bevor sie sich hinlegten. Peter und Paul waren achtzehn, und deshalb fand ich es beängstigend, ein Bett mit ihnen teilen zu müssen, wenn auch nur für ein paar Wochen. Peter legte sich auf der linken Seite neben mich, Paul auf der rechten. Ich war zwischen den beiden eingequetscht. Ich tat so, als würde ich schlafen, weil ich nicht wusste, was ich hätte sagen sollen. Peter hatte mir brutal auf die Hand getreten, und schon der bloße Gedanke daran, eine Nacht neben ihm verbringen zu müssen, machte mir Angst. Nach ein paar Minuten begann Paul zu schnarchen. Ich wagte es nicht, mich zu Peter umzudrehen. Doch dann spürte ich plötzlich sein Knie an meinem Rücken.

»Wach auf, Zigeunerin«, zischte er. »Ich will, dass du mir die Füße kratzt.«

Ich tat weiter so, als würde ich schlafen, doch Peter trat mich, bis ich mich schließlich umdrehte. Als ich es tat, sah ich nicht sein Gesicht, sondern seine Füße.

»Ich hab gesagt, du sollst mir die Füße kratzen.«

Ich war verwirrt.

Warum um Himmels willen soll ich ihm die Füße kratzen?

Ich war zu verängstigt, um Nein zu sagen, und so begann ich, ihm seinen Wunsch zu erfüllen.

»Nein, nicht so!«, blaffte er mich an. »Ich will, dass du mir die Fußsohlen kratzt.«

Ich gehorchte, doch da er mir mit demselben Fuß fast alle Knochen meiner rechten Hand gebrochen hatte, hätte ich mich am liebsten gerächt. Alles ging eine scheinbare Ewigkeit so weiter, und schließlich nickte ich ein, wurde aber sofort wieder aus dem Schlaf gerissen, weil er mir einen schmerzhaften Tritt gegen die Brust verpasste.

»Du hörst erst auf, wenn ich es sage.«

Irgendwann gingen seine schweren Atemzüge in ein lautes Schnarchen über. Endlich konnte ich aufhören. Peter war ein brutaler Despot. Natürlich war Marion mit Stephen in Lorraines Haus geblieben, obwohl es voller Besucher war. Ich musste das Bett weiter mit den Zwillingen teilen, bis ich eines Morgens abrupt aus dem Schlaf gerissen wurde. Die beiden Jungs waren bereits zur

Arbeit gegangen, als jemand die Vorhänge aufriss. Grelles Sonnenlicht strömte ins Zimmer und blendete mich. Ich sah die Silhouette einer Frau – Marion. Sie kam schnell zu mir und suchte meine Kleidungsstücke vom Fußboden auf.

»Komm, steh auf«, befahl sie laut.

Ich blinzelte.

»Na los, mach schon. Wir müssen das Haus aufräumen und putzen. Du kannst mir dabei helfen.«

Sie zog die Bettdecke weg.

Gähnend stand ich auf, aber ich war verwirrt. Bisher hatte Marion noch nie einen Gedanken daran verschwendet, das Haus in Ordnung zu bringen, und so fragte ich mich, was so wichtig sein mochte, dass sie es nun tun wollte. Ich sah zu, wie sie Sachen beiseite räumte und begann, Staub zu wischen.

Sie reichte mir eine Flasche mit einem Putzmittel. »Hier, kümmere dich um das Bad. Ich will es tadellos sauber sehen, sonst gibt's Ärger.«

Ich schrubbte und schrubbte und gab mir alle Mühe, da mir bewusst war, dass meine Leistung beurteilt werden würde. Die Toilette war ein Albtraum, auch der Boden der stählernen Badewanne war kaum sauber zu bekommen. Ich war erst fünf, und dafür waren meine Arme noch nicht lang genug. Dann stand Marion im Türrahmen und schimpfte mich verärgert aus.

»Gib her.« Sie riss mir den Putzlappen aus der Hand. »Wenn man will, dass es hier ordentlich aussieht, muss man alles selber machen.«

Ich wollte fragen, warum wir das Haus putzten, hatte aber zu viel Angst, sie noch wütender zu machen. Meine Frage wurde am folgenden Tag beantwortet, als Dad plötzlich vor Lorraines Haustür stand. Mein Vater war wieder da. Ich warf mich ihm in die Arme, und er drückte mich, doch wenn er auch froh war, mich wiederzusehen, leuchteten seine Augen erst wirklich, als er Stephen in den Armen hielt, ohne Zweifel sein Lieblingskind. Mit der Khakihose, dem weißen Hemd und den Turnschuhen erinnerte mich Dad an Elvis Presley in dem Film *Café Europa*. Natürlich schlang Marion die Arme um ihn, doch offensichtlich interessierte sie in erster Linie, mit wie viel Geld er zurückgekommen war. Für Stephen hatte er einen Karamell-Schokoriegel mitgebracht, der jetzt auf dem Kaminsims lag, doch es war ein so außergewöhnlich heißer Sommertag, dass ich befürchtete, er könnte schmelzen. Mir war klar, dass ich die Finger davon lassen musste, doch ich griff nach dem Schokoriegel und sah ihn mir genau an. Er war schwerer als vermutet und verströmte einen betörenden Duft, der mir verlockend in die Nase stieg. Ich war so hingerissen, dass ich die Schritte hinter mir nicht hörte. Und dann verpasste mir Dad eine so harte Ohrfeige, dass ich rückwärts auf das Sofa fiel.

»Ich wollte ihn nicht für mich nehmen, ehrlich …«, stammelte ich, doch es half nichts. In den Augen meines Vaters war ich eine dreckige Zigeunergöre und damit auch eine Diebin.

»Wie oft habe ich dir gesagt, du sollst nichts anrühren, was Stephen gehört …«

Die nächste Ohrfeige.

»Aber ich … Ich wollte nur …«

Ohrfeige Nummer drei.

Ich fiel von dem Sofa auf den Boden, und er thronte wie ein Riese über mir. Dann zog er mich auf die Beine und schleifte mich durch das Wohnzimmer Richtung Tür, wo ich mit dem Gesicht an den Rahmen stieß.

»Aus!«, schrie ich.

Mein Vater ignorierte es und zog mich weiter zum Fuß der Treppe.

»Geh nach oben, dreckige Zigeunerin.«

Mit meinem brennenden Gesicht rannte ich zu meinem Zimmer und knallte die Tür zu in der Hoffnung, dass er mir nicht folgte. Ich war so verängstigt, dass ich mich erst wieder am nächsten Morgen unten blicken ließ. Trotz meines geschwollenen Gesichts sagte niemand etwas dazu, doch ich bemerkte, dass Marion meinem Vater einen beunruhigten Blick zuwarf. Der aber hatte bereits alles vergessen. Wenn er mich bestraft hatte, war für ihn die Angelegenheit erledigt. Da spielte es keine Rolle, ob ich ein blaues Auge oder sonstige Blessuren hatte. Marion erzählte, dass ich in zwei Tagen eingeschult werden würde, und ich konnte meine Aufregung kaum im Zaum halten. Ich konnte es nicht abwarten, andere Kinder kennenzulernen und mit ihnen zu spielen, und ich hoffte, dass wir gut zueinander passen und dass sie mich wie ein ganz normales

Kind behandeln würden. Aber es sollte anders kommen. Zwei Tage später saßen Stephen und ich beim Frühstück, als er auf einmal zu kichern begann und seinen Brei mit dem Löffel auf den Boden kleckerte. Ich blickte zu Marion hinüber, weil ich damit rechnete, dass sie zu schimpfen beginnen würde, doch sie reagierte überhaupt nicht, weil sie tief in ihr Gespräch mit meinem Vater verstrickt war.

»Und was machen wir jetzt mit der Einschulung?«, hörte ich Marion fragen. Sie schaute nervös in meine Richtung, und ich schlug den Blick nieder, damit sie nicht glaubte, dass ich lauschte.

Mein Vater seufzte, trank einen Schluck Tee und zuckte nur die Achseln. »Keine Ahnung, ich weiß es nicht.«

Marion füllte den Kessel mit Wasser, setzte ihn auf und zündete eine Flamme des Gasherds an.

»Wir könnten sagen, sie habe sich an der Ecke eines Tisches den Kopf gestoßen«, schlug Marion vor.

»Ja.« Dad nickte. »Genau das sagen wir.«

Sie redeten über mich und mein verunstaltetes Gesicht. Nach dem Frühstück wusch Marion mich und zog mir saubere Kleidung an. Sie hatte sogar weiße Söckchen für mich besorgt. Ich war so aufgeregt, weil ich nun in die erste Klasse kam. Marion packte Stephen in den Kinderwagen, und wir gingen Richtung Schule. Das Lampenfieber machte mich immer aufgeregter. Plötzlich blickte Marion auf. Lorraine kam aus ihrem Haus gestürmt und rannte hinter uns her, doch als sie mich sah, wurde sie bleich und blieb wie angewurzelt stehen.

»Wohin willst du mit ihr?«

»Zur Schule. Barbara kommt heute in die erste Klasse.«

Lorraine blickte zwischen ihrer Schwester und mir hin und her. Dann packte sie Marions Arm, nahm sie beiseite und flüsterte ihr etwas ins Ohr.

»So wie ihr Gesicht aussieht, kannst du sie nicht einschulen lassen.«

»Kein Problem, ich sage, sie hätte sich den Kopf an der Ecke eines Tisches gestoßen.«

Aber Lorraine wollte nichts davon wissen und studierte besorgt mein malträtiertes Gesicht.

»Nein!«, antwortete sie, von Panik gepackt. »Mach kehrt und bring sie wieder nach Hause. Wenn du sie in diesem Zustand in die Schule bringst, hast du bald die Sozialfürsorge am Hals.«

Marions Miene verfinsterte sich. »Glaubst du wirklich?«

Lorraine nickte. »Ich bin mir sicher. Hör zu, kehr jetzt um mit ihr, bevor sie jemand sieht.«

Trotz meines Protests befolgte Marion ihren Rat.

Ich begann zu schluchzen. »Aber ich habe geglaubt, heute in die Schule zu kommen.«

»Nein. Du gehst jetzt auf dein Zimmer und bleibst dort, bis ich sage, dass du wieder rauskommen kannst.«

Es brach mir das Herz. Ich hörte, wie die Haustür zuschlug, und war einmal mehr allein. Wieder kamen mir die Tränen, denn ich verstand nicht, was ich falsch gemacht hatte. Etwa eine Stunde später hörte ich, dass die

Haustür aufgeschlossen wurde, und Marion rief mich nach unten.

»Hier, mach dich nützlich und hilf mir beim Auspacken der Einkäufe.«

Danach wollte ich gehen, doch sie rief mich in die Küche zurück. Da lag ein Haufen schmutziger Windeln. Marion zog einen Stuhl an die Spüle und klopfte auf die Sitzfläche.

»Steig da drauf und wasch die Dinger.«

Stephens Windeln stanken widerwärtig, und ich musste würgen, aber ich wagte es nicht, mich zu weigern. Stattdessen machte ich mich daran, die Windeln zu waschen. Es war eine ekelerregende Arbeit, doch schließlich hatte ich es geschafft. Ich gab mir alle Mühe, hatte aber nicht genug Kraft in den Armen, um die vom Wasser schweren Windeln hochzuheben und sie auszuwringen. Marion steckte den Kopf durch die Tür, um mir auf die Finger zu sehen, und wurde wütend, als sie die Sauerei mit den tropfenden Windeln sah.

»Du bist zu nichts zu gebrauchen! Hau ab, geh auf dein Zimmer.«

Etwa eine Woche später wurde ich abrupt aus dem Schlaf gerissen, als die Tür meines Zimmers so heftig aufgestoßen wurde, dass sie laut gegen die Wand knallte. Ich setzte mich erschrocken auf, denn ich glaubte, es sei das Ungeheuer, aber es war mein Vater, dessen Körper durch das Licht im Flur einen langen Schatten warf.

»Komm mit nach unten, Zigeunerin.«

Wieder gab es Ärger, und einmal mehr wusste ich nicht warum.

Ich sprang aus dem Bett und rannte hinter meinem aufgebrachten Vater her.

»Ab ins Wohnzimmer«, sagte er am Fuß der Treppe.

Das grelle Licht dort blendete mich, weil ich gerade erst aus dem Schlaf gerissen worden war. Ich zitterte und fragte mich erneut, was ich falsch gemacht haben sollte.

»Deine Mutter ist verschwunden.«

Ich war verwirrt. Natürlich war meine Mutter verschwunden. Sie hatte mich verlassen, als ich noch ein Baby gewesen war. Aber er redete gar nicht von meiner Mum, sondern von Marion.

»Sie hat Stephen mitgenommen, und es ist alles deine Schuld. Mit dir hält es niemand lange aus. Sag mir, was du bist.«

Ich war zu verängstigt, um ihm in die Augen zu blicken. Vielleicht hätte das alles noch schlimmer gemacht.

»Ich bin eine dreckige Zigeunergöre«, flüsterte ich.

»Sie hat ihn mitgenommen, meinen kleinen Jungen, und es ist deine Schuld«, wiederholte er. »Ich zeig's dir, schmierige Zigeunerbrut!«

Er wollte mich packen, doch ich war zu schnell. Das machte ihn noch wütender, und er rannte hinter mir her.

»Ins Badezimmer, sofort!«, befahl er.

Während ich in einer Ecke des Bades kauerte, steckte er den Stöpsel in den Abfluss der Wanne und drehte den Hahn auf.

»Leg dich da rein und schrubb dir den Dreck ab.«

Ich gehorchte, griff nach einer Bürste mit einem langen Griff und begann mich zu säubern.

»So ist's richtig. Fester, damit's auch wehtut.«

Ich war zu verängstigt, um zu widersprechen, und schrubbte so fest ich konnte. Irgendwann begann ich zu bluten.

Vielleicht kann ich so den Zigeunerdreck endgültig loswerden.

Das Blut lief an meinen Armen hinab und färbte das Badewasser rot.

»Sieh mal, Dad.« Ich zeigte ihm einen blutenden Arm. »Der Zigeunerdreck ist weg.«

Er zog mich aus der Badewanne und warf mich aufs Bett. Als ich am nächsten Morgen aufwachte, war er verschwunden. Dann hörte ich Schritte auf der Treppe und fragte mich, ob er zurückkommen würde. Jemand griff nach mir und zog dann erschrocken seine Hand zurück. Es war Paul, Lorraines Sohn. Er rannte nach unten und knallte die Haustür zu. Kurz darauf tauchte Marion auf und starrte mich entsetzt an.

»Oh mein Gott.« Sie hob mich hoch, trug mich ins Bad und wusch mir behutsam das getrocknete Blut von den Armen.

»Armes Kind«, flüsterte sie.

Sie zog mich an und nahm mich mit zu Lorraine.

»Das war's jetzt«, verkündete sie, sobald sie die Haustür geschlossen hatte. »Ich verlasse ihn. Endgültig. Ich will nichts mehr mit ihm zu tun haben.«

Marions finstere Stimmung erleichterte mich, denn nun war klar, dass nicht ich dafür verantwortlich war, und trotz ihrer Hartherzigkeit war selbst Lorraine entsetzt. Von dem Tag an, man muss es ihr lassen, bestand sie darauf, mich in ihrem Haus zu beaufsichtigen, auch dann, als Marion kurz darauf mit Stephen verschwand. Ich fühlte mich beschützt, doch das neue Gefühl der Sicherheit sollte nicht lange anhalten. Lorraine sagte, ich müsse mir ein Bett mit zwei anderen Kinder teilen, einem neunjährigen Mädchen und einem achtjährigen Jungen. Es waren ihre Kinder, und als eines von ihnen ins Bett machte, gab sie mir die Schuld und warf mich wieder raus. Ich musste ins Haus meines Vaters zurückkehren.

»Sieh nur, was ich alles für dich getan habe, und das ist der Dank dafür.«

Da Dad wieder auf einer Ölbohrinsel arbeitete, war ich völlig allein. Ich hasste es, von allen verlassen in dem großen, leeren Haus schlafen zu müssen. Morgens holte mich einer der Jungs ab und brachte mich zu Lorraine, die mir ein Stück Brot gab, doch ich musste immer wieder in das dunkle Haus zurückkehren.

Eines Tages saß ich im Wohnzimmer und hörte, wie jemand gegen die Haustür hämmerte und etwas rief. Da ich die Stimme nicht kannte, versteckte ich mich hinter einem Sessel, damit ich durch das Fenster nicht zu sehen war.

»Ich weiß, dass du da drin bist!«

Ich wagte es nicht, die Tür zu öffnen, weil es mir verboten worden war.

Dad schickte Lorraine weiter Geld für meinen Lebensunterhalt, doch sie gab mir gerade so viel zu essen, dass ich nicht verhungerte. Es kam mir so vor, als wäre es monatelang so weitergegangen. Ich ging immer noch nicht zur Schule und wusste nicht, wann es endlich so weit sein würde.

Eines Morgens saß ich im Wohnzimmer und blickte auf das Muster der Tapete, als sich die Haustür öffnete und wieder schloss. Ich hielt den Atem an, als ich Stimmen aus dem Flur hörte. Ich war verängstigt, doch meine vollkommene Vereinsamung ließ mich die Tür einen Spaltbreit öffnen und hindurchspähen.

»Da drin ist jemand«, sagte eine Frau.

Jemand zog die Tür ganz auf. Ich hob den Blick und sah eine große Blondine mit einer toupierten Hochfrisur, eine jüngere, dunkelhaarige Frau und einen älteren Mann. Fremde Menschen im Haus meines Vaters. Die ältere Frau trat einen Schritt vor.

»Wer bist du?«, fragte sie, während sie mich von Kopf bis Fuß musterte, von den verfilzten Haaren bis zu den schmutzigen Füßen.

Ich wollte etwas sagen, doch die jüngere Frau kniete nieder und ergriff meine Hand.

»Bist du ganz allein hier?«, fragte sie.

Ich nickte schüchtern und sah, wie sie das Gesicht sorgenvoll in Falten legte. Sie blickte zwischen dem älteren Paar und mir hin und her.

»Wie heißt du?«, fragte sie mich.

»Barbara.«

Sie zog ihre Jacke aus, krempelte die Ärmel ihrer Bluse hoch und streckte die Hand aus, damit ich mit ihr ging. »Das arme Kind muss erst mal richtig gewaschen werden.«

Ich folgte ihr, obwohl ich keine Ahnung hatte, wer diese Leute waren. Der Mann, der Liam hieß, ließ in der Küche Wasser in die Spüle laufen, und die ältere Frau – Edna – wusch mich und rieb mich dann mit einem alten Trockentuch ab.

Sie legte entsetzt eine Hand auf ihren Busen. »Noch nie habe ich ein so schmutziges Kind gesehen.«

Edna und Liam waren verheiratet, und die jüngere Frau, Susan, war ihre Tochter. Liam ging nach oben, um nach ein paar sauberen Kleidungsstücken für mich zu suchen. Als er zurückkam, warf Susan einen angewiderten Blick auf die Klamotten.

»Ich fahre mit ihr in die Stadt, um ihr ein paar neue Sachen zu kaufen«, erklärte sie.

Eine halbe Stunde später saß ich mit Susan in einem Bus. Sie erzählte mir, mein Vater habe ihnen sein Haus angeboten.

»Aber er hat nichts davon gesagt, dass du dort bist«, sagte sie lächelnd.

Ich erwiderte das Lächeln, wusste aber nicht, ob ich ihr vertrauen sollte, denn ich hatte die bittere Erfahrung gemacht, dass Menschen mich immer im Stich ließen. In dem Bus begann jemand zu rauchen, und es dauerte nicht lange, bis sich noch ein Fahrgast eine Zigarette anzündete. Da ich noch nie in einem Bus gefahren war, war es ein ungewohntes Gefühl, und durch den Tabakqualm wurde mir ganz übel. Glücklicherweise dauerte die Fahrt nicht lange. Kurz darauf stiegen wir aus und gingen die Hauptstraße hinab zum Markt. Susan hielt meine Hand und zog mich zu einem Stand, an dem Strümpfe und Unterwäsche verkauft wurden.

»Ich hätte gern sieben Schlüpfer und sieben Paar Socken«, sagte sie zu der Verkäuferin.

Abgesehen von dem blauen Kleid mit den angehefteten Engelsflügeln, das zu tragen ich gezwungen worden war, hatte nie jemand etwas Neues für mich gekauft, und ich war ganz aufgeregt.

Susan ließ mich in die Einkaufstüte blicken. »Das gehört alles dir.«

Ich war völlig konsterniert, weil ich so eine Güte nie gekannt hatte. Susan lächelte, drückte mir die braune Tüte in die Hand und führte mich zu dem Stand einer Schneiderin, die meine Maße nahm, weil ich zwei neue Kleider bekommen sollte.

»Wann kann ich sie abholen?«, fragte Susan.

»In einer knappen Woche.«

Danach besuchten wir ein Spielzeuggeschäft. Ich hatte immer nur die Spielzeuge anderer Kinder gesehen und wusste nicht, was ich sagen sollte, als Susan mir eine wundervolle kleine Puppe schenkte.

»Die gehört jetzt dir, Barbara. Wie die anderen Sachen.«

Ich hätte glücklich sein sollen, doch die Puppe, die Kleider und die Unterwäsche, das war einfach zu viel auf einmal. Eben hatte ich noch nichts besessen, und jetzt hatte sich alles von einem auf den anderen Tag geändert.

Susan bemerkte, dass mir unbehaglich zumute war. »Soll ich die Puppe auch in die Tüte stecken? Bist du damit einverstanden?«

Ich lächelte dankbar. Wir gingen zur Haltestelle zurück und fuhren mit dem nächsten Bus nach Hause. Während der Fahrt begann ich mich am Kopf zu kratzen.

»Juckt deine Kopfhaut?«, fragte Susan.

Ich nickte. Das ging schon seit Wochen so. Als wir ausgestiegen waren, besorgte Susan noch etwas in einer Apotheke. Sobald wir zu Hause waren, zog sie ihre Jacke aus und wühlte in meinen Haaren. Was sie da sah, ließ sie entsetzt zusammenzucken und nach Luft schnappen.

»Mein Gott, Läuse!«

Sie zog einen Kamm und die Flasche aus der Apotheke aus der Papiertüte und breitete ein paar alte Zeitungen auf dem Tisch aus. Dann setzte sie mir umgekehrt eine Schüssel auf den Kopf und schnitt darum herum die Haare ab. Ich sah meine blonden Haare auf die Zeitungen fallen. Als sie fertig war, kämmte mich Susan und rieb dann die Kopfhaut mit einer seltsamen Lotion ein, deren Geruch mich würgen ließ. Meine Augen tränten, aber ich beklagte mich nicht, weil ich mich zum ersten Mal seit Monaten sauber fühlte. Als sie die Lotion aus meinen Haaren gewaschen hatte, juckte die Kopfhaut nicht mehr.

Liam und Edna traten ein. Sie hielten Pinsel in den Händen.

»Das sieht schon besser aus«, sagte Liam lächelnd, als er meine neue Frisur sah. »Wir streichen jetzt die Wände, damit die genauso gut aussehen wie du.«

Ich war unaussprechlich glücklich, weil ich nicht mehr allein war und weil diese Fremden gut zu mir waren und sich um mich kümmern wollten. Damals wusste ich es nicht, aber Edna sah darin einen Weg, ein anständiges Einkommen zu erlangen. Mein Vater verdiente gut, und sie wusste, dass sie ihn um Geld bitten konnte, und außerdem versprach sie sich noch ein ordentliches Sümmchen vom Sozialamt, wenn sie die Rolle meiner Pflegemutter übernahm.

Kurz darauf rief sie mich zu sich.

»Komm her, ich muss dir was zeigen.«

Ich folgte ihr zur Hintertür und hinaus in den Garten, wo ein Haufen mit altem Hausrat aufgeschichtet worden war. Obenauf lagen meine alte Matratze und die Daunendecke. Ich war sprachlos.

»Sieh mal, was ich für dich getan habe«, sagte sie. »Wir werden den ganzen Mist wegschmeißen. Was sagst du dazu?«

Ich war mir nicht sicher, und so sagte ich den Satz, von dem ich wusste, dass er Erwachsene glücklich machte.

»Ich bin eine dreckige Zigeunergöre.«

Edna schaute mich entsetzt an.

»Ich bin nichts als eine dreckige Zigeunergöre«, wiederholte ich.

Ihre Miene machte mir Angst, aber sie war nicht wütend auf mich, sondern durcheinander. Sie ergriff meine Hand und zog mich zurück ins Haus. In der Küche setzten wir uns.

»Wie alt bist du, Barbara?«

Ich zuckte nur die Achseln, denn ich wusste es nicht.

»Wie oft hast du schon Geburtstag gefeiert?«

Wieder konnte ich nur die Achseln zucken. Mein Geburtstag war nie gefeiert worden.

Sie lehnte sich zurück. »Nun, wenn du eine Zigeunerin bist, weißt du wahrscheinlich deshalb nicht, wann du Geburtstag hast.«

Sie rief Susan.

»Was glaubst du, wie alt Barbara ist?«

Susan musterte mich eingehend.

»Ungefähr acht?«

Ich war groß für mein Alter, wusste aber mit Sicherheit, dass ich noch nicht acht war.

»Gehst du schon zur Schule?«

»Ich sollte, aber es ging nicht.«

»Die Briefe«, sagte Edna plötzlich. »Vor der Haustür lagen jede Menge Briefe. Liam hat sie mit reingenommen.«

Sie begannen Kuverts aufzureißen, bis sie ein Schreiben von der Schulbehörde fanden.

Susan tippte mit dem Zeigefinger darauf. »Sie ist fünf oder sechs. Hier steht, dass sie mit der Schule begonnen haben müsste.«

»Also gut.« Edna nahm meine Hand. »Wir schmeißen eine Party für dich.«

Ich begriff nicht, warum sie das für mich tun wollten.

Sie begannen mit den Nachbarn zu sprechen und erfuhren von Lorraine, dass ich im August Geburtstag hatte.

»Das ist nächste Woche! Wir feiern einen richtigen Kindergeburtstag!«

Die Vorbereitungen begannen, und alle Kinder in der Nachbarschaft erhielten eine Einladung, auch wenn man sie davor gewarnt hatte, mit mir zu spielen. Die ganze Aufmerksamkeit war mir unheimlich, weil ich nicht daran gewöhnt war. Am Ende der Woche suchte ich mit Susan die Schneiderin auf, um meine neuen Kleider abzuholen. Eines war blau und hatte einen Petticoat darunter. Am Tag des Kindergeburtstags rief Edna mich in ihr Schlafzimmer und gab mir eine große weiße Schachtel. Darin lag eine Porzellanpuppe mit dunkelbraunen Haaren.

»Pass gut darauf auf«, sagte Edna. »Sie hat eine Menge Geld gekostet.«

Ich war begeistert, aber nicht so sehr wie sie, als sie mich in dem wundervollen neuen blauen Kleid sah.

Sie seufzte. »Du siehst aus wie Shirley Temple.«

Ich wurde zum Spielen nach draußen geschickt, weil die Erwachsenen den Tisch decken wollten. Dort warteten bereits ein Mädchen und ein Junge auf den Beginn der Feier. Im hinteren Teil des Gartens gab es einen großen Brombeerbusch, und ich beschloss, Beeren zu pflücken für Edna und Susan, weil ich ihnen eine Freude machen wollte. Ich wollte ihnen zeigen, wie dankbar ich war. Ich pflückte die größten und reifsten Beeren, die ich finden konnte, und bald war mein Haar strubbelig, und ich hob den unteren Teil des Kleides an, um darin die Brombeeren ins Haus zu bringen. Als ich eintrat, brach die Hölle los.

»Mein Gott, seht euch die kleine Zigeunerin an!«, rief Susan entsetzt.

Sie hatten sich so viel Mühe gegeben, um mich richtig herauszuputzen, und glaubten nun, dass alles umsonst gewesen war. Susan sah rot, packte meinen Hals und verprügelte mich mit einem Drahtbügel. Als zusätzliche Bestrafung wurde die Geburtstagfeier abgesagt, und die anderen Kinder wurden nach Hause geschickt. Vielleicht hätte ich traurig oder sogar wütend sein wollen, aber ich war es nicht, weil ich ja nicht wusste, was mir entging.

3

Die Puppe

Endlich kam ich in die Schule. Am ersten Tag brachte mich Susan hin, weil Edna zu einer starken Trinkerin geworden war. Der Alkohol hatte einen anderen, finsteren Charakter aus ihr gemacht.

Zu der Zeit begann ich Probleme mit den Augen zu bekommen. Eines davon reagierte zu träge, und zu der Zeit – in den frühen Sechzigerjahren des letzten Jahrhunderts – sah man darin ein Symptom dafür, dass ein Kind auch im Kopf ein bisschen langsam war – eine völlig unsinnige Annahme. Die Puppe, die Edna mir zum Geburtstag geschenkt hatte, war groß und hatte das Gesicht und die Kleidung eines richtigen Babys. Sie war das einzige große Spielzeug, das ich besaß, und deshalb beschloss ich eines Tages, sie in die Schule mitzunehmen und sie den anderen Kindern zu zeigen. Auf dem Schulweg begegnete ich einem älteren Jungen, dem die Puppe sofort auffiel.

»Was haben wir denn da?«, fragte er.

Ich schlang die Arme schützend um meinen wertvollen Besitz.

»Eine Puppe.«

»Eine Puppe? Scheint mir eine ziemlich teure Puppe zu sein. Lass mal sehen.« Er riss sie mir aus den Armen.

»Nein! Gib sie mir zurück.«

Ich konnte nichts tun, denn er war viel größer als ich.

»Kann deine Puppe fliegen?«, fragte er.

Ich schüttelte den Kopf.

»Doch, kann sie.«

Er holte mit dem Arm aus und schleuderte die Puppe hoch durch die Luft. Sie landete mit einem dumpfen Geräusch auf dem Dach der Schule.

»Ich hab's doch gesagt«, höhnte er, als er lachend davonging.

Edna würde mich umbringen. Sie hatte gesagt, ich solle gut auf die Puppe achtgeben, und ich hatte sie aus dem Haus geschmuggelt. Nun lag sie auf dem Dach der Schule. Einen oder zwei Tage später, als Edna mein Zimmer aufräumte, fiel ihr auf, dass die Puppe verschwunden war.

Sie packte schmerzhaft meinen Arm. »Wo ist sie?«

Ich begann zu schluchzen und erzählte ihr von dem Jungen, der sie auf das Dach geworfen hatte.

»Ich habe dir gesagt, dass du gut darauf aufpassen sollst.«

Ednas Sohn Trevor kam zu Besuch, und sie schickte ihn mit einer Leiter zu der Schule, damit er die Puppe holte. Als er mit ihr zurückkam und sie mir in die Hand drückte, sah ich entsetzt, dass im Kopf der Puppe ein großes Loch klaffte. Als Edna es ebenfalls bemerkte, schlug sie mich, und je länger es dauerte, desto heftiger flehte ich sie an, sie möge aufhören.

Sie zeigte auf mein Auge. »Du bist völlig zurückgeblieben. Ich habe keine Ahnung, warum ich dir so ein schönes Geschenk gemacht habe, denn du hattest es nicht verdient. Geh jetzt auf dein Zimmer, ich will dich nicht mehr sehen.«

Der Hass in ihren Augen ängstigte mich. Anfangs hatte ich ihr vertraut, weil sie gut zu mir gewesen war, doch die Wut dieser Trinkerin war nur noch unheimlich.

Liam war Bauarbeiter und hatte Arbeit beim Bau einer neuen Autobahn gefunden. Obwohl die beiden einen Fernseher und ein Auto besaßen, war Edna nie zufrieden. Wie viel Geld er auch nach Hause brachte, es war nie genug. Sie lieh sich Geld, um ihre extravaganten Bedürfnisse zu befriedigen.

Kurz darauf, an einem sehr heißen Tag, ging ich nach draußen, obwohl alle Türen und Fenster offen standen. Ich setzte mich auf die Stufe vor der Haustür und vertrieb mir die Zeit mit einem Spiel, bei dem ich einen Ball in die Luft warf und so viele Steine wie möglich aufklaubte, bevor ich ihn wieder auffing. Das nahm mich so in Anspruch, dass es etwas dauerte, bis ich den großen, schlanken Mann auf der anderen Straßenseite sah, der einen kleinen Jungen huckepack trug. Es war mein Vater mit Stephen. Ich war neidisch, als ich sah und hörte, wie sie zusammen lachten. Ich wusste nicht einmal, dass er zurückgekommen war, und jetzt spielte er den Bilderbuchpapa, als hätte er nur ein Kind. Er schaute zu mir hinüber, wandte den Blick aber schnell wieder ab und begann zu singen:

»*Walk tall, walk straight, and look the world right in the eye.*«

Ich war entschlossen wie nie zuvor, meine leibliche Mutter zu finden.

Ein paar Tage später spielte ich wieder draußen, als mich eine ältere Frau ansprach, die sich als Mrs Watson vorstellte und einen Wagen voller Zeitungen vor sich herschob. Ich hatte sie schon oft gesehen, und in der Nachbarschaft hielt man sie für ein bisschen seltsam.

»Wie heißt du?«, fragte sie mich.

»Barbara.« Ich konnte den Blick nicht abwenden von dem Haufen Zeitungen. Ich zeigte darauf. »Wofür brauchen Sie die?«

»Die Zeitungen?« Sie klopfte mit einer Hand darauf. »Darin steht alles, was ich wissen muss, und ich lese sie, damit ich nichts vergesse. All diese Geschichten und Fotos, sie helfen mir, mein Gedächtnis zu trainieren.«

Gern wäre ich dem Beispiel von Mrs Watson gefolgt, damit auch meine Erinnerung nicht verblasste. Ich würde das Bild meiner Mutter lebendig halten und sie nie vergessen.

Kurz darauf zog ich mit Edna und Liam um. Sie wollten in der Nähe eine Imbissbude übernehmen, und darüber befand sich eine kleine Wohnung, die mit dem Geschäft vermietet wurde. Ich musste mir ein Zimmer mit Susan teilen, doch es machte mir nichts aus, denn Susan hatte sich in einen netten jungen Mann namens Rex verliebt und war sowieso nie zu Hause. In der Schule kam ich mittlerweile gut klar. Ich durfte sogar den Pfadfinderinnen beitreten, und wenn ich meine Zeit nicht mit denen verbrachte, saß ich gewöhnlich in der Küche hinter dem Imbiss und schälte Zwiebeln, die eingelegt und verkauft wurden. Zum ersten Mal seit langer Zeit war ich glücklich. Bis zu dem Tag, als Marion in dem Imbiss auftauchte.

»Hier.« Sie drückte Edna einen verwirrt wirkenden Stephen in die Arme. »Du musst ihn mir für eine Weile abnehmen.«

Stephen war kein Baby mehr, sondern vier Jahre alt und für mich praktisch ein Fremder. Zuerst verstand ich nicht, warum Edna so erfreut zu sein schien, ihn bei sich aufzunehmen, doch dann begriff ich, dass mein Vater ihr jetzt doppelt so viel Geld schicken würde, da sie sich um uns beide kümmerte. Ich fand das Zusammenleben mit meinem Bruder schwierig, denn ich war eifersüchtig auf sein enges Verhältnis zu meinem Dad. Doch obwohl ich erst acht war, wusste ich, dass ich meinen Bruder beschützen musste.

Als ich eines Tages aus der Schule kam, saß Liam vorne in dem Imbiss und schälte Kartoffeln.

»Hallo, Barbara.« Sein gütiges Gesicht strahlte, als er mich sah. Er zog ein Geldstück aus der Hosentasche. »Sei ein gutes Mädchen und hol mir eine Zeitung. Das Wechselgeld kannst du behalten, mein Schatz.« Er legte einen Finger auf die Lippen, um mir zu bedeuten, dass Edna nichts davon wissen durfte.

Ich rannte los und war gerade um die Ecke gebogen, als ich wie angewurzelt stehen blieb. Da war ein Mann, der mir vage bekannt vorkam, doch ich wusste nicht, wo ich ihn gesehen hatte. Aber irgendwoher kannte ich ihn, da war ich mir sicher. Ich wurde von Angst gepackt und wollte nur noch weg. Der Mann blickte zu mir hinüber, doch da rannte ich schon die Straße hinab so schnell mich meine Beine trugen. Ich wagte es nicht, mich umzublicken, weil ich befürchtete, er könnte mir folgen. Keuchend bog ich um die Ecke und stieß mit dem Fischhändler zusammen, der gerade seine tägliche Lieferung in dem Imbiss abgeben wollte.

»Wo brennt's denn, meine Kleine?«

Ich war so verängstigt, dass ich nicht stehen blieb und sofort in den Imbiss stürmte. Liam und Edna standen hinter der Theke und blickten mich irritiert an.

»Was ist los?«

Ich war völlig außer Atem. »Da ist ein Mann …«, stotterte ich.

»Jemand muss versuchen, sie sich zu schnappen«, unterbrach der Fischhändler. Bevor ich noch etwas sagen konnte, stürmten Liam und er bereits nach draußen, um nach meinem »Entführer« zu suchen.

Edna war immer noch damit beschäftigt, mich zu beruhigen, als Susan auftauchte.

»Geh mit ihr nach oben«, sagte Edna.

Susan brachte mich auf unser Zimmer, wo wir Stunden damit verbrachten, ein Puppenhaus zu basteln. Als

Susan mich später ins Bett brachte, fiel mir ein, wer dieser Mann gewesen war – mein Vater. Vor meinem inneren Auge sah ich überdeutlich sein Gesicht. Bis zu dem Augenblick war mir nicht bewusst gewesen, wie sehr ich mich vor ihm geängstigt hatte, seit ich gesehen hatte, wie er mit Stephen den Vorzeigepapa spielte. Ich hatte alle Erinnerungen an ihn verdrängt, und dann kam alles zurück. Für einen Augenblick war sein Bild mit dem eingebildeten Dachboden-Monster meiner frühen Kindheit verschmolzen, und ich hatte meinen eigenen Vater nicht sofort wiedererkannt. Nach jenem Tag gab ich mir besondere Mühe, für meinen kleinen Bruder die beste Schwester überhaupt zu sein.

So blieb es fast ein Jahr, und dann verkündete Edna, dass wir erneut umziehen würden.

»Der Imbiss und ihr beiden, es wird mir alles zu viel«, erklärte sie.

Kurz darauf wurden Kartons gepackt, und der Umzug ging über die Bühne. Glücklicherweise hatten Edna und Liam ein Haus gemietet, das nur fünf Minuten Fußweg von dem Imbiss entfernt war, und so musste ich die Schule nicht wechseln.

Weihnachten stand vor der Tür, und es wurde kalt. Abends saß Edna vor dem Kamin und suchte in einem Katalog nach Geschenken.

»Sieh mal, für dich habe ich das, das und das bestellt.«

Sie zeigte auf einen Hochstuhl für meine Puppe, dann auf ein Spielzeugbügeleisen und das dazu passende Bügelbrett. Ich konnte es nicht fassen, dass ich diese wundervollen Spielzeuge zu Weihnachten bekommen sollte. Ein paar Tage später kam ich halb verhungert aus der Schule zurück. Eigentlich musste ich bis zum Abendessen warten, doch ich sah die Weintrauben in der Fruchtschale und warf einen Blick über die Schulter.

Es wird ihr nicht auffallen, dachte ich, während ich mir eine süße Traube in den Mund schob und verzückt die Augen schloss.

»Du hast also Hunger?«, rief plötzlich Edna aus der Küche.

»Ich … Ich …«

Sie kam mit einer Alkoholfahne herbeigeeilt und schleuderte mir etwas ins Gesicht – ein rohes Ei.

»Ich zeig's dir, elende Zigeunerbrut!«

Sie schickte mich auf mein Zimmer, rief mich aber nach einer Stunde wieder nach unten. Ich fragte mich, welche Strafe auf mich wartete und war überrascht, als sie mich darum bat, ein Brot zu holen.

»Aber geh nicht zu dem Laden an der Ecke, sondern zu dem Bäcker ein paar Straßen weiter.«

Ich nahm das Geld und verschwand. Als ich zurückkam, schien sich ihre Stimmung gebessert zu haben.

»Wenn du möchtest, kannst du am Kanal spielen, aber du darfst dich nur bis zur Brücke entfernen. Haben wir uns verstanden?«

Ich nickte, denn ich war froh, Edna und ihren unberechenbaren Stimmungsschwankungen zu entkommen.

Am Kanal angekommen, sah ich etwas im Wasser treiben. Ich reckte den Hals, um besser sehen zu können, und erkannte, was es war – der Hochstuhl für meine Puppe.

Was hat der im Kanal zu suchen?

Und dann sah ich auch die Puppe mit dem Gesicht nach unten im Wasser treiben, neben dem Bügelbrett und dem Spielzeugbügeleisen. Alle meine Weihnachtsgeschenke waren irgendwie in dem Kanal gelandet. Ich war am Boden zerstört.

Mir traten Tränen in die Augen. Ich rannte nach Hause, weil ich es Edna erzählen musste. Sie würde wissen, was zu tun war. Sobald ich ihr mitgeteilt hatte, was ich gesehen hatte, verfinsterte sich ihre Miene.

»Was hast du getan?«

Ich schnappte nach Luft und schüttelte den Kopf. »Nein, nein, du hast mich falsch verstanden«, sagte ich in einem Versuch, sie zu beruhigen. »Nicht ich habe die Sachen in den Kanal geworfen. Sie trieben schon im Wasser, als ich …«

Es war sinnlos, Edna hörte mir nicht zu. Sie holte mit der rechten Hand aus und verpasste mir eine schmerzhafte Ohrfeige.

»Und das nach allem, was ich für dich getan habe!«

»Nein, nein, ich war es nicht!«

Aber sie ohrfeigte und schlug mich weiter, bis ich wie ein Häufchen Elend zitternd auf dem Küchenboden lag. Und sie hörte immer noch nicht auf. Jetzt war mir klar, dass Edna meine Spielzeuge in den Kanal geworfen hatte. Sie schob mir die Schuld in die Schuhe, um einen Vorwand zu haben, mich verprügeln zu können. Als sie schließlich genug hatte, verbannte sie mich auf mein Zimmer und sagte, ich müsse ohne Abendessen ins Bett gehen. Ich hatte seit Stunden nichts gegessen, und am nächsten Morgen war ich halb verhungert. Ich öffnete die Tür meines Zimmers einen Spaltbreit und spähte in den Flur. Alle schliefen noch. Ich schlich leise in die Küche hinunter, sah mich nach etwas Essbarem um. entdeckte das frische Brot und schnitt mir eine Scheibe ab. Dann ging ich zum Kühlschrank, um Butter zu holen. Das Brot roch und schmeckte wundervoll, und ich hätte am liebsten noch eine Scheibe gegessen, wollte das Schicksal aber nicht herausfordern. Nachdem ich die letzten Krümel verputzt hatte, steckte ich das Brot wieder in die braune Papiertüte und blickte mich prüfend um. Glücklicherweise hatte ich keine Spuren hinterlassen. Ich ging wieder in mein Schlafzimmer hinauf, schloss die Tür und legte mich hin. Ich musste wieder eingeschlafen sein und wurde abrupt wach, als Edna mich unsanft aus dem Bett zerrte.

»Du hattest also Hunger?«, schrie sie wütend.

Es war offensichtlich, dass sie wusste, was ich getan hatte.

»Du hältst dich wohl für clever, was? Nun, du irrst dich.« Sie verpasste mir eine Ohrfeige. »Du hast vergessen, die Butter wieder in den Kühlschrank zu stellen.«

Die nächste Ohrfeige.

»Mach dich für die Schule fertig!«

Als ich mich mit zitternden Händen angezogen hatte, ging ich nach unten, wo Stephen beim Frühstück saß. Er zuckte zusammen, als Edna meinen Teller auf den Tisch knallte. Ich war erleichtert, als ich sah, dass ich ein richtiges warmes englisches Frühstück bekam – Eier mit Speck, Wurst, Bohnen. Der Duft ließ mir das Wasser im Mund zusammenlaufen.

»Hau rein«, sagte Edna.

Ich griff nach Messer und Gabel, und in dem Moment griff sie nach dem Teller und knallte ihn mir ins Gesicht.

»Halb verhungert, was? Ich zeig's dir!«

Wimmernd wischte ich mir das Ei und den Rest aus dem Gesicht und aus den Haaren. Edda warf den Teller auf die Spüle.

»Hau ab und wasch dich!«

Ich rannte ins Bad, und als ich endlich sauber war, war ich zu spät dran für die Schule, und ich hatte schon jetzt einen blauen Flecken auf der linken Wange, wo mich der Teller getroffen hatte. Edna packte mich und ging mit mir zum Arzt.

»Sie hat einen entzündeten Zahn«, log sie. »Deshalb ist ihr Gesicht so geschwollen.«

Er glaubte ihr, wie alle anderen. Edna war eine geachtete Frau, mit einem netten Mann, einem Haus, Fernseher und Auto.

Warum sollte sie einem Kind etwas antun?

Stephen bekam ein Dreirad zu Weihnachten, ich hatte nicht so viel Glück. Meine Geschenke trieben im Kanal, und ich musste mich mit einer kleinen Puppe begnügen. Es war ein elender Tag, an dem mir klar wurde, dass ich Edna abgrundtief hasste. Damals wusste ich es nicht, doch es sollte noch schlimmer kommen.

4

Verlorene Kinder

Es dauerte nicht lange, bis wir erneut umzogen, diesmal in ein größeres Haus. Obwohl ich schon neun war, erinnere ich mich kaum an diesen Tag. Wenn ich zurückdenke, sehe ich nur den großen weißen Möbelwagen vor dem Haus, der von etlichen Männern entladen wurde. Edna wollte uns nicht um sich haben, und so wurden Stephen und ich zum Spielen in den neuen Garten geschickt. Im Gegensatz zu dem letzten Haus hatte dieses ein großes Grundstück. Es gab einen pinkfarbenen Rosenstrauch, einen Laubengang und im hinteren Teil des Gartens einen alten Luftschutzbunker, in dem Stephen und ich uns während dieses ersten Tages die ganze Zeit immer neue Abenteuer ausdachten. Hin und wieder tauchte Edna aus der Hintertür auf und rief mich, damit ich ihr half, einen Karton in den ersten Stock zu schleppen. Aber meistens ließ sie uns in Ruhe, und als sie mir zum Mittagessen einen Teller mit Sandwiches gab, schöpfte ich etwas Hoffnung.

Vielleicht ändern sich die Dinge doch zum Besseren?

Das Haus war alt, wenn auch nicht so alt wie das letzte. Das Wohnzimmer wurde mit einem Kohleofen geheizt. Die Küche war im hinteren Teil des Hauses, genau wie das Badezimmer. Hinter dem Haus gab es ein kleines Tor, durch das man auf eine Seitengasse gelangte. Die Zäune waren so niedrig, dass jeder in den Garten hineinsehen konnte. Ich erblickte eine Gruppe von Kindern am Zaun. Ich lächelte ihnen zu, und sie kamen zu mir, um mich zu begrüßen.

»Willst du mit uns spielen?«, fragte der älteste Junge.

Ich nickte, dankbar, dass sie bereit waren, uns in ihre Bande aufzunehmen. Ich hoffte auf einen Neubeginn. Hier wusste niemand, dass ich eine Zigeunerin war. Alle glaubten, ich sei so wie alle anderen. Der Anführer der siebenköpfigen Bande hieß Jamie.

»Sehen wir uns morgen?«, fragte er.

»Ja«, antwortete ich lächelnd. Ein neues Haus und neue Freunde, ich war happy.

Nach diesem Umzug musste ich allerdings eine andere Schule besuchen, doch ich machte mir keine Sorgen, da ich ja schon neue Freunde hatte.

»Ich kann's nicht abwarten, diese Bude zu streichen«, sagte Liam, der den Pinsel schon in der Hand hatte.

Stephen und ich mussten uns ein Zimmer teilen, durch dessen Fenster man einen Blick in den Garten hatte. Liam hatte ein Etagenbett auseinandergenommen, sodass jetzt zwei einzelne Betten zu beiden Seiten des Fensters standen. Am Ende unserer neuen Straße gab es ein Pub, und es dauerte nicht lange, bis Edna und Liam dort Stammkunden waren. Das ganze Wochenende tranken sie dort, von Freitag- bis Sonntagabend, und sie kamen erst nach Hause, wenn die Kneipe dicht-machte.

Glücklicherweise schien sich Ednas Stimmung ein bisschen aufgehellt zu haben, und ich durfte zum ersten Mal Hosen und mein Haar offen tragen, wenn ich draußen spielte. Sie schimpfte nicht einmal, wenn ich auf Bäume kletterte, Fußball spielte oder mit den Jungs Höhlen baute. Doch je mehr sie trank, desto stärker kam wieder ihre alte Persönlichkeit zum Vorschein, und es dauerte nicht lange, bis sie begann, Stephen und mich als eine Last zu sehen. Wenn wir draußen spielten, konnte uns etwas passieren, und wenn sie auf uns aufpassen wollte, konnte sie nicht die ganze Zeit im Pub sitzen. Schon war es vorbei mit unserer neuen Freiheit, denn sie schloss uns im Haus ein. Meine Vergangenheit holte mich ein. Ich saß in der Finsternis und hoffte, dass mich das Ungeheuer verschonen würde. Für Stephen war es nicht ganz so schlimm, weil ich bei ihm war, aber er wurde permanent vom Hunger gequält. In der Küche mopste ich Plätzchen für ihn, wenn Edna gerade nicht hinschaute.

»Und bleib vom Fenster weg«, warnte sie mich, als sie uns den ersten Abend allein ließ.

Das hätte sie nicht sagen müssen, denn ich wusste es. Es war schwierig, aber ich tat mein Bestes, um Stephen zu unterhalten. Wir spielten, bis es dunkel war und wir die Hände vor unseren Gesichtern nicht mehr sehen konnten. Manchmal rief Edna mich spätnachts nach unten und forderte mich auf, von meinen Leiden vor jener Zeit zu reden, als sie mich »gerettet« hatte.

»Was für ein Glück für dich, dass du mich hast«, lallte sie. Sie war so betrunken, dass sie sich kaum auf den Beinen halten konnte. »Und lass dir noch etwas sagen. Mit mir hast du einen guten Gott angebetet. Ich war immer nur gut zu dir. Deine Mutter wollte dich nicht.«

Mir wurde ganz übel. Edna log. Sie war nicht gut, sondern sadistisch. Aber ich sagte nichts. Während sie weiter darüber schwadronierte, was für ein wundervoller Mensch sie sei, musste ich an meine im Kanal treibenden Spielzeuge denken.

Eines Abends, ich lag schon im Bett, hörte ich die Haustür ins Schloss fallen. Edna und Liam waren aus dem Pub zurück.

»Komm sofort runter, Barbara«, rief Edna mit schleppender Stimme.

Ich quälte mich aus dem Bett und ging nach unten, wo Edna sich einmal mehr kaum auf den Beinen halten konnte.

»Habe ich dich nicht immer gut behandelt?«, lallte sie. »Sag's mir.«

Die Antwort war klar, doch ich konnte nicht die Wahrheit sagen, weil sie mich dann geschlagen hätte.

»Ja, hast du«, murmelte ich.

»Warum bestiehlst du mich dann? Na los, antworte.«

Ich schlug den Blick zu Boden. Sie hatte bemerkt, dass Plätzchen verschwunden waren. Ich wusste nicht, was ich tun sollte, doch mir blieb keine Zeit zum Überlegen, denn sie sprang auf mich zu und ohrfeigte mich hart.

»Du kannst von Glück sagen, dass du es mit mir zu tun hast und nicht mit deinem Dad. Ich tue dies alles nur, weil es zu deinem Besten ist. Ich muss dich bestrafen, damit du dazulernst. Hast du verstanden?«

Nein, ich verstand es nicht. Überhaupt nicht.

»Also, wer hat die Plätzchen geklaut? Du oder Stephen?«

Mein Herz klopfte heftig. Verzweifelt versuchte ich, mir eine Antwort einfallen zu lassen. Ich wollte nicht, dass Stephen Ärger bekam, hatte aber auch keine Lust, mich wieder verprügeln zu lassen. Mein Schweigen machte sie nur noch wütender.

»Komm schon, spuck's aus. Und sag die Wahrheit, sonst lege ich dich übers Knie.« Sie ließ sich in ihren Lieblingssessel vor dem Kamin fallen.

Liam saß auf dem Sofa und warf mir einen flehenden Blick zu. Er wollte, dass ich die Wahrheit sagte, damit wieder Frieden einkehrte.

»Ich war's. Ich habe die Plätzchen genommen, weil ich hungrig war.«

»Ich wusste es!«, rief sie.

Sie sprang auf, packte mich an den Haaren, zerrte mich zu sich und legte mich übers Knie. Sie verprügelte mich so heftig, dass mein Hintern und meine Beine höllisch schmerzten, und als sie sich abreagiert hatte, befahl sie mir, auf mein Zimmer zu gehen.

»Hier muss sich einiges ändern, mein Mädchen«, rief sie mir nach, als ich die Treppe hinaufstieg.

Eines Tages saß ich in ihrem Lieblingssessel, als sie das Zimmer betrat. Sie ließ ein paar Handtücher fallen und begann zu schreien. Ich sprang auf, aber es war zu spät.

»Komm her!«, schrie sie. Wieder zerrte sie mich an den Haaren zu sich.

Die Haustür öffnete sich, und Liam trat ein.

»Um Himmels willen, Edna, lass das arme Mädchen in Ruhe. Genug ist genug!«

Aber Edna ließ sich nicht aufhalten. Die Prügel schienen kein Ende zu nehmen. Danach stieß sie mich brutal, und ich fiel zu Boden.

»Ab ins Bett! Sofort!«

Als ich nach oben rannte, bemerkte ich, dass Stephen hinter mir war – er hatte alles gesehen und konnte es nicht fassen. Ich kroch ins Bett und suchte die Position, in der mein Körper am wenigsten wehtat. Als ich aufwachte, überkam mich Angst, und ich begann zu weinen. Ich liebte meine neue Schule und das neue Haus und wollte einen neuen Anfang machen. Alles hatte sich geändert, meistens zum Besseren. Eigentlich alles – abgesehen von Edna. Für die Außenwelt war sie eine Heilige, die selbstlos zwei verlorene Kinder aufgenommen und sie so vor einem elenden Dasein bewahrt hatte. Wenn sie doch nur die Wahrheit gekannt hätten. Demgegenüber war Liam ein anständiger, hart arbeitender Mann. Er lehrte mich boxen, damit ich mich in der Schule gegen tyrannische Jungs verteidigen konnte.

»So ist's richtig, schütze dein Gesicht. Lass die Fäuste oben und deinen Gegner für keinen Moment aus den Augen.«

Wenn Liam freitags von der Arbeit zurückkam, brachte er für Stephen und mich einen Riegel mit Pfefferminzschokolade mit. Und samstags gab er uns Geld fürs Schwimmbad. Stephen war ein guter Junge, aber schüchtern und zu klein für sein Alter. Somit war er das perfekte Opfer für größere Jungs, und eines Tages, als wir auf dem Weg zum Schwimmbad waren, tauchten zwei von ihnen vor uns auf.

»Wo wollt ihr hin?«, fragte der größere der beiden, der Stephen sofort schubste.

»Zum Schwimmbad.«

Der Typ streckte die Hand aus. »Wenn ihr ins Schwimmbad wollt, müsst ihr Geld für den Eintritt haben. Los, her damit.«

Als ich mich weigerte, stießen sie Stephen zu Boden und traten ihn. Ich wollte sie wegziehen, aber sie waren zu zweit, und ich konnte meinen Halbbruder nicht beschützen. Als sie ihn schließlich in Ruhe ließen, hatte er eine blutige Nase. Als ich das sah, gab ich den Jungs das Geld, und nahm Stephen in den Arm.

»Nächsten und übernächsten Samstag kommen wir wieder«, sagte einer der beiden zu mir. »Es ist besser für euch, wenn du das Geld für uns dabeihast.«

Sie verschwanden lachend und zählten im Gehen das Geld. Aber sie hatten keine Ahnung, dass ich wusste, wo sie wohnten, und ich schwor Rache. An dem Tag waren Edna und Liam im Pub, wie immer am Wochenende. Glücklicherweise hatten sie die Haustür nicht abgeschlossen. Wir traten ein, und ich begann, mich um Stephens Blessuren zu kümmern.

»Aua!« Er zuckte zusammen.

»Halt still, sonst kann ich deine blutige Nase nicht säubern. Edna wird verrückt spielen, wenn sie dich sieht.«

Am nächsten Tag wurden Stephen und ich für die Kirche fein gemacht. Edna und Liam gingen nie zum Gottesdienst, aber sie hatten Lorraine gebeten, uns im Auge zu behalten.

»Sie wird es mir sagen, wenn ihr euch nicht benehmt«, warnte Edna, als wir das Haus durch die Hintertür verließen.

Mein Herz klopfte heftig, denn ich hatte andere Pläne.

Edna hatte mir ein wundervolles grünes Kleid und ein dazu passendes Cape angezogen, aber natürlich nur, um vor den Nachbarn anzugeben.

Sobald Edna uns nicht mehr sehen konnte, bog ich um eine Ecke und sagte zu Stephen, er solle mir folgen.

»Aber das ist nicht der Weg zur Kirche. Wohin wollen wir?«

Ich packte seine Hand. »Komm einfach mit.«

Wir bogen erneut ab und gingen Richtung Park, wo ich Stephen zu den Schaukeln brachte und zu ihm sagte, er solle dort auf mich warten.

»Hast du gehört, du musst hierbleiben. Es wird nicht lange dauern, dann bin ich wieder da.«

»Aber wo willst du hin?«, fragte er.

»Mach dir darum keine Gedanken. Warte hier. Ich bin bald wieder zurück.«

Ich verließ den Park, ging die Straße hinab und bog in eine Seitengasse ab, wo die beiden Schläger in einander gegenüberliegenden Häusern wohnten. Ich nahm mein Cape ab, legte es auf den Boden und begann es mit den größten und scharfkantigsten Steinen zu füllen, die ich finden konnte. Danach kletterte ich hinter einem der Häuser auf einen Baum, was wegen des schweren Capes ziemlich mühsam war, aber ich schaffte es. Dann nahm ich einen Stein und schleuderte ihn gegen die hölzerne Hintertür. Im Haus begann ein Hund laut zu bellen. Kurz darauf öffnete sich die Tür, und eine Frau streckte den Kopf hinaus, doch da sie niemanden sah in ihrem Garten, verschwand sie wieder. Ich warf den nächsten Stein. Diesmal tauchte der Schläger auf, und ich bombardierte ihn mit Steinen. Er hob die Hände vors Gesicht und schrie nach seinem Kumpel, damit der ihm zu Hilfe kam.

»Keith!«

Der andere Junge kam aus seinem Haus gestürmt, und nun hatte ich sie beide im Visier. Ich bewarf sie so lange, bis mir die Steine ausgegangen waren. Die beiden hoben die Steine auf, mit denen ich sie beworfen hatte, und attackierten mich. Erst jetzt wurde mir bewusst, dass ich

68

keine Fluchtroute hatte. Ein Stein traf mich über dem rechten Auge und riss die Haut auf. Sofort tropfte Blut auf mein bestes Kleid. Ich weiß nicht mehr, wie ich es geschafft habe, von dem Baum herunterzukommen und zu flüchten. Durch den Adrenalinschub konnte ich schneller rennen, als ich es jemals für möglich gehalten hätte. Sobald ich durch die Hintertür in unser Haus stürmte, begann Edna zu schreien.

»Was zum Teufel …?«

Sie packte mich und zog mich zur Spüle.

»Zieh sofort das Kleid aus!«

Ich gehorchte. Sie stieß mich zur Seite, hob das Kleid auf und begann hektisch, an den Blutflecken zu schrubben.

»Dein Sonntagskleid. Was hast du jetzt wieder angestellt?«

Ich wusste nicht, was ich sagen sollte, weil ich wusste, dass sie mich wieder schlagen würde. In dem Moment trat Liam ein, und als er mein Gesicht sah, rannte er ins Bad, um ein Handtuch zu holen. Er wickelte es mir um den Kopf, um die Blutung zu stoppen.

»Das ist ein Fall für einen Arzt«, sagte er zu Edna, die immer noch mit dem blutigen Kleid zugange war. »Los, mach den Herd aus. Wir müssen Barbara in die Notaufnahme des Krankenhauses bringen.«

Er verfrachtete mich auf die Rückbank seines neuen Autos – eines roten Ford Zephyr –, während Edna auf den Beifahrersitz sprang. Der Wagen hatte beigefarbene

Ledersitze, und Liam hatte Handtücher darauf gelegt, damit ich sie nicht mit Blut besudelte. Auf dem Weg zum Krankenhaus holten wir Stephen im Park ab, und der Arzt nähte meine Wunde mit fünf Stichen. Edna war immer noch wütend, weil mein Kleid ruiniert war.

»Hast du dich gestritten?«, fragte sie.

Ich erzählte ihr alles, ließ aber aus, dass ich begonnen hatte, mit Steinen zu werfen. Edna schäumte vor Wut und wollte wissen, wo die beiden Jungs wohnten. Als wir dort ankamen, hämmerte sie gegen die Haustür. Ich verkroch mich hinter ihr.

»Ihr Sohn hat Barbara mit Steinen beworfen«, sagte sie zu der Mutter des Jungen, während sie mit dem Finger auf mich zeigte. »Sie hatte ihr Sonntagskleid an, weil sie in die Kirche wollte, und jetzt ist es hinüber. Es hat mich ein Vermögen gekostet, und Sie werden mir den Kaufpreis erstatten.«

Die Frau verschränkte die Arme vor der Brust. »Dann hat sie es Ihnen also nicht erzählt?«

Ich schluckte.

»Was erzählt?«, fragte Edna.

»Dass sie angefangen hat. Sie hat den ersten Stein geworfen.«

Edna blickte zwischen mir und der Frau hin und her, weigerte sich aber, ihr zu glauben.

»Nein, das ist nicht wahr. Das waren dieser Hooligan von Ihrem Sohn und sein Kumpel. Die sind die Unruhestifter.«

Die Frau brach in Gelächter aus. »Wenn das wahr ist, warum hängt dann noch ihr Cape in dem Baum?«

Es stimmte. Mein grünes Cape hing an einem Ast und flatterte im Wind. Ich hatte es so eilig gehabt, dass ich vergessen hatte, es mitzunehmen. Ich glaubte, mein Herz müsste stehen bleiben.

»Sie hat den ersten Stein geworfen«, wiederholte die Frau. »Wenn jemand einen Grund hat, sich zu beschweren, dann ich. Sehen Sie sich meine Hintertür an.«

Da waren wirklich ein paar Macken zu sehen.

Edna war außer sich vor Wut, weil ich sie vor der Frau blamiert hatte.

Sie packte mich und zog mich hinter sich her nach Hause, wo mein ruiniertes Kleid über der Rückenlehne eines Stuhles hing. Ich wusste, dass ich geliefert war, denn die Blutflecken würden nie wieder rausgehen.

»Ab ins Bett! Sofort!«

Ich rannte nach oben und zog mir die Decke über den Kopf. Etwa eine Stunde später brachte Edna Stephen ins Bett. Ich lag immer noch zitternd unter Decke, riskierte aber einen Blick und sah, dass sie meine Schuhe vom Boden aufhob.

»Um dich kümmere ich mich später, dreckige kleine Hure. Was hattest du bei diesen Jungs zu suchen? Du hättest in der Kirche sein sollen!«

Als sie verschwunden war, bemerkte ich, dass Stephen mich verwirrt anblickte. Ich legte einen Finger auf die Lippen, um ihm zu bedeuten, dass er schweigen sollte.

Von unten hörte ich Schritte, dann die Haustür. Edna und Liam waren auf dem Weg ins Pub, und Stephen kroch zu mir ins Bett, wie meistens, wenn wir allein waren.

Wir fielen beide in einen tiefen Schlaf. Stunden später wurde ich durch laute Stimmen geweckt. Edna und Liam stritten sich, wie so oft, doch heute schien es besonders schlimm zu sein. Edna sagte etwas, das ich nicht verstand. Ich setzte mich auf und spitzte die Ohren.

»Ich muss es wissen«, hörte ich sie sagen.

Liams Antwort konnte ich nicht verstehen.

»Und ich werde es wissen, glaub's mir«, fuhr sie fort. »Ich werde es herausbekommen.«

Ich fragte mich, wovon sie redete, und die Stimmen wurden lauter. Stephen begann zu zittern und schlang die Arme um mich. Wir hatten beide großen Hunger, wagten es aber nicht, um Essen zu bitten, weil wir wussten, dass das alles nur noch schlimmer machen würde. Plötzlich hörte ich Schritte auf der Treppe.

»Ich komme!«, schrie Edna.

Auch ich begann zu zittern und drückte Stephen fest an mich. Da Edna betrunken war, würde bestimmt etwas Schlimmes passieren. Mir war klar, dass ich wieder Prügel bekommen würde. Edna öffnete die Tür, und aus dem Flur fiel Licht in das Schlafzimmer. Sie schnappte nach Luft, als sie Stephen in meinen Armen sah.

»Du kleine Hure!«, schrie sie wütend. »Komm sofort in mein Schlafzimmer.«

Ich geriet in Panik, als Edna kehrtmachte und wieder nach unten ging. Ich wusste nicht, was ich in ihrem Zimmer sollte, wagte es aber nicht, mich ihrem Befehl zu widersetzen.

Stephen streckte weinend die Arme nach mir aus.

»Mach dir keine Sorgen, alles wird gut«, sagte ich zu ihm. »Bleib hier und sei still.«

Ich trat in den Flur, ging in Ednas dunkles Zimmer und fragte mich, was mich erwartete. Wieder Schritte auf der Treppe, Edna kam zurück. Mein Herz schlug wie wild, das Blut rauschte in meinen Ohren. Die Tür öffnete sich, und das von draußen hereinfallende Licht blendete mich.

»Leg dich aufs Bett!«

Ich gehorchte. In ihrer Hand sah ich etwas Metallisches aufblitzen. Eine innere Stimme sagte mir, dass ich weglaufen sollte, doch da presste sie mich schon mit dem Rücken auf das Bett und zog mir den Schlüpfer aus.

»Mach die Beine breit!«

Ich begann zu weinen, gehorchte aber trotzdem. Ich hatte Angst, fühlte mich gedemütigt. Tränen rannen über meine Wangen. Ich versuchte herauszufinden, was sie mit mir machen würde. Als sie näher kam, hob ich den Kopf und sah in dem Licht aus dem Flur, dass sie einen Löffel in der Hand hielt.

»Was hast du getan?«, fuhr sie mich an, während sie meine Beine Fest auf die Matratze drückte. »Mit deinem Bruder?«

Der Alkoholgestank und der Geruch ihres grässlichen Parfüms ließen es mir übel werden. Sie presste meine Beine weiter auseinander, und dann spürte ich kaltes, hartes Metall, als sie den Löffel in meine Vagina bohrte. Der Schmerz ließ mich zusammenzucken, und ich schloss die Augen.

»Was hast du gemacht mit Stephen?«

»Nichts.«

Sie glaubte mir nicht.

»Was ist mit diesen beiden Jungen, auf die du die Steine geworfen hast. Was hast du mit denen gemacht?«

»Nichts«, wiederholte ich, und erneut wollte sie mir nicht glauben. Sie schob den großen Löffel tiefer in meine Scheide. Es kam mir so vor, als versuchte sie ihn als Spiegel zu benutzen, um in mich hineinzublicken. Ich wusste nicht, was ich tun sollte. Und auch nicht, was ich falsch gemacht hatte. Ich hatte immer noch Kopfschmerzen vom Vernähen der Wunde über meinem Auge, aber Edna hörte nicht auf und begann den Löffel zu drehen.

Plötzlich wurde es dunkler, weil jemand im Türrahmen auftauchte. Edna drehte sich um.

»Was zum Teufel machst du da?«, blaffte Liam sie an. »Hör sofort auf damit.«

Sie wandte sich wieder mir zu. »Nein! Ich muss es wissen und kann es nur so herausfinden.«

Aber Liam gab nicht nach. »Hör sofort auf, oder ich verlasse dich. Mein Gott, sie ist noch ein Kind. Was denkst du dir dabei? Du bist krank. Ich melde beim Sozialamt, was du getan hast.«

Edna seufzte und zog den Löffel zurück.

»Steh auf, Barbara«, sagte Liam.

Ich war so verängstigt, dass ich völlig benommen auf der Bettkante sitzen blieb. Ich dachte an Stephen, sehnte mich verzweifelt danach, ihn in den Armen zu halten.

Völlig geschockt brach ich in Tränen aus.

Liam streckte die Hand aus. »Komm zu mir«, sagte er leise.

Zitternd ergriff ich seine Hand, doch ich konnte den Blick immer noch nicht von Edna und dem Löffel abwenden. Liam zog mich zu sich und strich mir zärtlich über den Kopf.

»Komm, meine Kleine, geh ins Bett«, flüsterte er. »Es ist vorbei, und ich verspreche dir, dass es nicht wieder passieren wird.«

Er hob meinen Kopf, um mich anzuschauen. Damals war ich mir nicht sicher, doch heute glaube ich, dass Tränen in seinen Augen standen.

Ich ging in mein Zimmer zurück, schloss die Tür und kroch zu Stephen unter die Bettdecke. Er hatte mich schreien gehört. Ich konnte das Bild von Edna mit dem Löffel nicht aus meinem Kopf verbannen. Ich drückte Stephen fest an mich.

Was ist, wenn sie ihm auch etwas antut?

Wir mussten Edna entkommen, mussten beide mit unserer leiblichen Mutter zusammen sein. Mir war klar, dass Liam uns beschützen würde, doch er war die Woche über nicht da. Es gab nur eine Möglichkeit. Ich musste mit Stephen fliehen. Ich schmiedete einen Plan, beschloss aber, bis zum nächsten Sonntag mit dessen Umsetzung zu warten, da Edna und Liam dann im Pub sein würden. Während der nächsten Tage stibitzte ich Lebensmittel und wickelte sie in ein altes Tischtuch. Dann bat ich Jamie von unserer Bande, mir dabei zu helfen, Liams Leiter zu tragen.

»Wo stellen wir sie hin?«, fragte er.

»Da drüben.«

Edna würde annehmen, dass Liam sie dorthin gestellt hatte.

»Ich möchte, dass du am Sonntag vorbeikommst.«

»Warum?«

»Um uns bei der Flucht zu helfen.«

Am Sonntag war ich schrecklich nervös. Ich lauschte, und endlich hörte ich die Haustür ins Schloss fallen. Edna und Liam machten sich auf den Weg zum Pub. Ich blickte aus dem Fenster, um nach Jamie Ausschau zu halten. Kurz darauf tauchte er auf, mit ein paar anderen Jungs im Schlepptau. Ich öffnete das Fenster, und die Jungs holten die Leiter und lehnten sie gegen das Fensterbrett. Ich sagte zu Stephen, er solle als Erster die Leiter hinabklettern.

»Muss das sein?«

»Ja, auf uns wartet ein Abenteuer«, sagte ich lächelnd, um ihn neugierig zu machen.

Es bedurfte noch weiterer Überzeugungsarbeit, doch schließlich stieg er die Leiter hinab.

»Hey, wo bleibst du?«, rief Jamie mir zu.

Ich wickelte das alte Tischtuch mit den Lebensmitteln darin um meine Hüften. Schließlich stand auch ich am Fuß der Leiter, aber Stephen und ich waren barfuß, weil Edna unsere Schuhe versteckt hatte. Trotzdem blieb uns keine andere Wahl, als zu fliehen. Jetzt oder nie.

Ich bedankte mich bei Jamie und winkte den anderen zum Abschied zu. Stephen und ich gingen die Straße hinab, permanent nach Edna Ausschau haltend.

»Sieh mal, da drüben.« Ich zeigte auf eine Baustelle. »Wir könnten uns in einem der Häuser verstecken.«

Die Neubauten waren noch nicht fertig und das ideale Versteck. Ich entdeckte in einer Ecke einen Sandhaufen und begann mit Stephen Burgen zu bauen. Dann fand ich eine weggeworfene Limonadenflasche, spülte sie aus und füllte sie mit Wasser. Ich schaute mich um und sah ein Paar Gummistiefel, die mir aber viel zu groß waren. Trotzdem probierte ich sie an, doch es war zu schwierig, darin zu laufen. Es blieb uns nichts anderes übrig, als barfuß weiterzugehen. Ich sagte mir, ich sei Stephens Mutter und würde es bleiben, bis wir seine richtige Mum finden würden. Ich hätte alles getan, um zu verhindern, dass er zu Edna zurückgebracht wurde. Bald wurde es dunkel, und wir versteckten uns im Portal einer Kirche. In dem Rohbau hatte ich die Jacke eines Arbeiters gefunden, die ich um uns wickelte, damit wir nicht froren. Es war schwierig, aber wir überstanden die nächsten paar Tage, indem wir die Milch von den Türschwellen fremder Leute stahlen. Ich wusste es nicht, aber die Polizei suchte bereits nach uns. Es war die Zeit der Moors Murders, und zwei vermisste Kinder versetzten die Öffentlichkeit in Panik. Wir saßen in einem Park, mit den Füßen im kühlen Wasser eines Brunnens, als plötzlich ein Polizist auftauchte.

»Heißt du Barbara?«

Ich packte Stephens Hand und wollte mit ihm weglaufen, doch es war zu spät. Der Bobby verfrachtete uns auf die Rückbank seines Streifenwagens und brachte uns zu Ednas Haus. Da unser Verschwinden Schlagzeilen gemacht hatte, warteten dort Journalisten, die mit uns reden und Fotos machen wollten. Das allerdings wollte der Polizist nicht, und deshalb parkte er um die Ecke und rief einen Kollegen herbei. Der stieg kurz darauf aus seinem Streifenwagen und gab uns zwei graue Decken.

»Hier, bedeckt damit eure Gesichter.«

»Aber wir haben nichts Schlimmes getan«, sagte ich.

»Nein, nur haben wir uns alle große Sorgen gemacht um euch«, antwortete er, während er Stephen die Decke über den Kopf zog.

Wegen der Decke konnte ich die Fotografen nicht sehen, aber ich hörte das Klicken der Auslöser ihrer Kameras, als sie ihre Bilder der beiden entlaufenen Kinder schossen. Edna war wütend und hätte mich am liebsten gleich wieder verprügelt, doch wegen der Reporter und der Polizisten war es unmöglich. Während der nächsten paar Tage blieben wir dort, doch es war immer ein Polizist im Haus. Ich kehrte nicht wieder in meine Schule zurück. Edna bekam hasserfüllte anonyme Briefe, weil sie uns misshandelt hatte. Die Leute hatten begriffen, dass wir ausgerissen waren, weil wir Angst vor ihr hatten. Ihr guter Ruf war dahin. Man fand heraus, dass sie nicht nur beim Sozialamt, sondern auch bei meinem Vater abkassiert hatte. Und bevor herauskam, was sie mir alles angetan hatte, erzählte sie den Polizisten, ich hätte nackte Männer gezeichnet, womit sie sich aus der Schusslinie bringen wollte. Kurz darauf wurde Stephen zu unserem Vater gebracht, und ich kam in ein Kinderheim. Vielleicht hätte ich auf meinen Halbbruder neidisch sein sollen, doch tatsächlich war ich erleichtert, dass Stephen nun vor Edna in Sicherheit war. Und auch ich war glücklich, ihr zu entkommen, weil ich mich nun auf die Suche nach meiner leiblichen Mutter machen konnte.

5

Der Arzt

Eines Nachmittags geriet ich in dem Kinderheim mit einem Jungen in Streit, der mich einen »Bastard« nannte.

Ich hatte das Wort schon mal gehört, wusste aber nicht, was es bedeutete.

»Du weißt nicht, was das heißt, stimmt's?«, krähte er.

Ich war erst elf, wusste es wirklich nicht und fragte die Lehrerin.

»Das ist jemand, der keinen Vater hat«, sagte sie.

Ich zuckte die Achseln. Einen Vater hatte ich definitiv, aber keine Mutter. Oder ich hatte natürlich eine, wusste jedoch nicht, wo sie war. War ich deshalb ein »Bastard«?

Am schlimmsten in dem Heim waren die Wochenenden, weil dann die anderen Kinder von ihren Eltern nach Hause geholt wurden. Ich betete, meine Mutter möge plötzlich auftauchen, doch es war vergeblich. Ich versuchte mich davon zu überzeugen, dass sie mich als Baby nicht verlassen, sondern dass man mich ihr weggenommen hatte. Als ich an einem dieser Tage meine Schuluniform zusammenlegte, heckte ich einen Plan aus. Am nächsten Tag besuchte ich nicht die Schule in Coventry, sondern nahm einen Bus nach Nuneaton in Leicestershire. Als Schülerin hatte ich eine Dauerkarte, mit der ich in den Midlands umsonst fahren konnte. Ich war entschlossen, das auszunutzen. Der Überlandbus war grellgelb, und ich stieg ein. Einen konkreten Plan hatte ich nicht. Meine Wahl war nur deshalb auf Nuneaton gefallen, weil ich irgendwo anfangen musste. Ich hatte kein Bild von meiner Mutter im Kopf und wusste nur, dass sie rote Haare hatte. Also hielt ich nach rothaarigen Frauen Ausschau, und als eine vorbeikam, folgte ich ihr. Sie bemerkte es, drehte sich um und beäugte mich misstrauisch.

»Folgst du mir?«

Ich nickte.

»Warum? Hast du dich verlaufen?«

Ich schüttelte den Kopf. »Nein. Ich suche meine Mutter, kenne aber nicht ihren Namen.«

Die Frau blickte mich überrascht an.

»Ich lebe in einem Kinderheim«, fuhr ich fort. »Ich heiße Barbara.«

Ihre Miene wurde nachsichtiger, und sie legte mir eine Hand auf die Schulter.

»Tut mir leid, Barbara, aber ich bin nicht deine Mutter.«

Damit ließ sie mich stehen, doch nach ein paar Schritten drehte sie sich noch einmal um. »Aber ich hoffe, dass du sie finden wirst.«

Ich hielt weiter nach rothaarigen Frauen Ausschau, und kurz darauf sah ich wieder eine. Sie hielt zwei Einkaufstüten in den Händen, die zu schwer für sie zu sein schienen. Ich überquerte die Straße und folgte ihr zu einer Siedlung. Es war offensichtlich, dass sie auf dem Heimweg war, und ich wollte wissen, wo sie – meine Mutter – lebte. Als sie durch den Vorgarten ging und den Schlüssel aus der Tasche zog, bemerkte sie mich.

»Hallo«, murmelte ich.

»Hallo«, erwiderte sie mit einem herzlichen Lächeln.

Das war sie. Ich wusste es und konnte mein Glück nicht fassen. Endlich hatte ich sie gefunden!

»Ich heiße Barbara und bin auf der Suche nach meiner Mutter«, rief ich vom Tor des Vorgartens.

Die Frau wirkte erstaunt, und plötzlich war ich mir nicht mehr so sicher.

»Ich … Ich suche meine Mutter und denke, dass Sie es sind.«

Sie dachte einen Moment nach und schloss die Haustür auf. »Würdest du gerne mit reinkommen?«, fragte sie.

Ich rannte den Plattenweg hinab und trat ein. Sie brachte mir ein Glas Orangensaft und ein Stück Kuchen.

»Setz dich auf das Sofa und lass es dir schmecken.«

Ich blieb für den Rest des Nachmittags und erzählte ihr alles über mein Leben.

»Aber du weißt, dass nicht ich deine Mutter bin, oder?«, fragte sie schließlich.

Ich wusste es, doch das hieß nicht, dass ich nicht gern bei ihr geblieben wäre.

»Aber Sie könnten es sein«, sagte ich.

Die Frau – sie war Ende dreißig – erklärte, sie sei verheiratet, habe aber keine Kinder.

»Wollten Sie keine?«, fragte ich, während ich mich dem zweiten Stück Kuchen zuwandte.

Sie wirkte traurig und schlug den Blick zu Boden. »Doch, ich hätte gern Kinder bekommen, ein kleines Mädchen wie dich, doch es war mir nicht vergönnt.«

Ich redete mir ein, dass sie mich adoptieren würde, wenn ich nur lange genug sitzen blieb. Aber meine Hoffnung wurde schnell zunichtegemacht.

»Dir ist doch klar, dass ich gleich die Polizei anrufen muss? Bestimmt sucht sie nach dir. Viele Menschen werden sich Sorgen um dich machen.«

Ich schüttelte den Kopf. »Bestimmt nicht.«

»Hör zu.« Sie tätschelte mein Knie. »Wenn die Polizei sagt, dass ich dich bei mir behalten darf, werde ich es tun. Was sagst du dazu?«

Ich lächelte. Diese Frau war nicht meine Mutter, sehnte sich aber nach einem Kind, und ich war ein mutterloses Kind. Es schien die perfekte Lösung zu sein.

Eine halbe Stunde später trafen zwei uniformierte Polizisten ein und ließen sich von der Frau erzählen, was passiert war.

»Wenn sie ein Zuhause braucht, wäre ich glücklich, sie hierbehalten zu können«, sagte sie.

Der ältere Polizist schüttelte den Kopf. »Tut mir leid, aber so läuft das nicht. Wir müssen Barbara so schnell wie möglich in das Kinderheim zurückbringen. Vielen Dank, dass Sie uns angerufen haben.«

Es schien ihr das Herz zu brechen, als die Polizisten mich zur Tür brachten, und sie nahm mich zum Abschied in den Arm und drückte mich fest an sich. Als sie mich losließ, sah ich, dass ihr Tränen in den Augen standen.

»Du hast mich heute sehr glücklich gemacht.«

Sie drückte mir eine druckfrische Fünf-Pfund-Note in die Hand. So viel Geld hatte ich nie besessen.

»Ich hoffe, dass du deine Mutter finden wirst«, sagte sie und gab mir einen Kuss auf die Stirn.

Nun hatte ich etwas Geld, und ich war permanent unterwegs, um meine Mutter zu suchen. Mrs Baker, die Leiterin des Kinderheims, hatte bald genug von meinen Eskapaden. Als ich mich kurz darauf mit einem anderen Mädchen stritt, brachte das das Fass zum Überlaufen.

Sie bestellte mich in ihr Büro. »Du kannst nicht bei uns bleiben«, erklärte sie.

Ich sah, dass sie ein Schriftstück unterschrieb und es in eine Akte legte.

»Wohin wird man mich bringen?«

»An einen Ort, wo man dich im Auge behalten wird.«

Es dauerte nur ein paar Tage, bis ich in eine Besserungsanstalt namens The Cedars gebracht wurde, die in einem großen Gebäude aus der Viktorianischen Zeit untergebracht war. Eine asphaltierte Auffahrt führte zu einem überdachten, mit Terrakottafliesen ausgelegten Vorbau.

Links davon fiel mir ein großes Gewächshaus auf. Der Sozialarbeiter, der mich gefahren hatte, führte mich in das Gebäude, und ich blickte mich erstaunt in der imposanten Eingangshalle um. Rechts, neben dem Büro der Heimleiterin, war eine beeindruckende Treppe. Der Sozialarbeiter sagte, ich solle mich setzen und warten, bis Mrs Brown Zeit für mich habe. Er verschwand in dem Büro, und kurz darauf kam er mit der Heimleiterin wieder heraus. Nachdem der Sozialarbeiter sich von mir verabschiedet hatte, bat Mrs Brown mich herein. Ihr Büro war in einem Wintergarten mit seltenen exotischen Pflanzen untergebracht.

»Hallo, Barbara, willkommen in The Cedars«, sagte die Heimleiterin. »Dies wird dein neues Zuhause sein, bis du gelernt hast, dich anständig zu benehmen. Eine unserer Angestellten wird dich herumführen, dir den Schlafsaal zeigen und dich mit der Hausordnung vertraut machen.«

Ich nickte und errötete, als ich die dicke braune Akte auf ihrem Schreibtisch sah. Bestimmt wusste sie alles über mich.

»Um eines gleich klarzustellen, mit Ausreißerinnen verstehen wir keinen Spaß. Außerdem ist dies eine geschlossene Anstalt, und du würdest nicht weit kommen.« Sie musterte mich von Kopf bis Fuß. »Ein Arzt wird dich gleich untersuchen und überprüfen, ob du Läuse und Flöhe hast.«

Ich verzog das Gesicht.

Wovon redet die?

Sie lehnte sich zurück und schaute mich an, als könnte sie es nicht fassen, dass ich immer noch da war.

»Das war's«, sagte sie und zeigte auf die Tür. Ich wollte gehen, doch sie rief mich noch einmal zurück.

»Noch eines, Barbara.« Ihre stahlgrauen Augen bedachten mich über die Gläser ihrer Brille hinweg mit einem durchbohrenden Blick. »Ich will dich nicht noch einmal in meinem Büro sehen. Habe ich mich deutlich ausgedrückt?«

»Ja«, flüsterte ich kaum hörbar.

Ich griff nach der Tasche mit meiner armseligen Habe – ein paar Kleidungsstücke zum Wechseln – und ging zur »Krankenstation«, wo eine Schwester meine Haare auf Läuse und Flöhe untersuchte.

»Du bist sauber«, verkündete sie und setzte sich an ihren Schreibtisch, um etwas auf einer Karte mit meinem Namen zu notieren.

Ich glaubte, das sei es gewesen, und stand auf.

»Nein«, sagte sie. »Du bist noch nicht fertig. Zieh dich aus, auch die Unterwäsche, und leg dich da auf das Bett. Der Arzt wird gleich hier sein.«

Das Metallbett war sehr unbequem. Ich spürte, wie sich die Sprungfedern der Matratze in meinen Rücken bohrten. Der Arzt war ein großer, dünner Mann in einem weißen Kittel. Er hatte eine Glatze, scharf geschnittene Gesichtszüge und trug eine Brille. Er betastete meinen Bauch und hörte dann mit dem Stethoskop mein

Herz und meine Lungen ab. Offenbar war alles in Ordnung, denn ich durfte mich wieder anziehen. Anschließend zeigte mir eine Angestellte mit einer Gehschiene den Schlafsaal mit zehn Metallbetten, die jenem glichen, auf dem ich gerade gelegen hatte.

»Das da ist deins«, sagte die Frau und ging.

Mein Bett stand auf der rechten Seite, vor einem Fenster und in der Nähe der Tür. Die Fenster des Schlafsaals gingen auf den hinteren Garten hinaus, der Rasen war von wundervollen alten Bäumen umgeben. Kurz darauf wurden mir die Klassenzimmer, die Waschküche und der Keller gezeigt. Dort holte ich meine Schuluniform ab – weiße Bluse, brauner Rock, schwarze Schnürschuhe –, zusammen mit einem Mädchen, das ein paar Jahre älter war. Ich zuckte zusammen, als sie einen Büstenhalter bekam und ich ein Unterhemd.

»Ich will auch einen BH«, sagte ich trotzig.

Die Angestellte musterte meinen dürren Körper. »Was willst du damit?«, fragte sie kichernd, und stieß ihrer Kollegin einen Ellbogen in die Rippen. »Keine Möpse, kein BH.«

Ich blickte auf meine flache Brust. »Aber ich will einen BH, genau wie das andere Mädchen.«

Die Frau beugte sich vor und schaute mir direkt in die Augen. »Wir haben keinen, der dir passt. Also kriegst du das Unterhemd.«

»Aber ich will einen BH.«

»Schon klar, aber wenn ich dir einen gebe, der viel zu groß ist, ist das nur unkomfortabel.«

Ihr Gerede interessierte mich nicht. Ich brauchte den BH, weil ich wusste, dass sich in dem Unterhemd alle über mich lustig machen würden

»Ich *will* einen BH«, beharrte ich.

Die Frau blickte ihre Kollegin an.

»Gib ihr einen«, sagte die. »Morgen wird sie sich wünschen, sich für das Unterhemd entschieden zu haben.«

Aber ich war glücklich, denn ich hatte die erste Schlacht gewonnen.

Ich nahm meine Sachen und ging zurück zum Schlafsaal, um mich umzuziehen. Als ich den schmutzig weißen Büstenhalter anlegte, blickte ich seufzend auf die leeren Körbchen, aber ich ertrug es, dass der BH immer rauf und runter rutschte und auf meiner Haut scheuerte.

»Du kannst ein Unterhemd haben, wenn dir das lieber ist«, sagte eine Schwestern, die sich gerade in dem Schlafsaal zu schaffen machte.

»Nein, dieser BH wird dazu beitragen, dass meine Titten schneller wachsen.«

Sie verkniff sich ein Lachen, als ich mit hoch erhobenem Haupt den Schlafsaal verließ.

Ein paar Tage später beschloss ich auszureißen, und ich vertraute meinen Plan einem Mädchen namens Denise an.

»Bist du dabei?«

Denise nickte. »Wenn ich meinen Teddybär mitnehmen kann.«

Schließlich nahm auch ich meinen mit. Ich hatte vor, die Schulpause am nächsten Morgen für die Flucht zu nutzen. Als sich die Möglichkeit bot, unauffällig zu verschwinden, packte ich die Hand des anderen Mädchens, und wir rannten zur Hinterseite des Gebäudes, wo die Mauer nur einen Meter hoch war. Ich war groß für mein Alter und half Denise, die ich dann über die Mauer zog. Wir standen auf einer Weide mit Schafen und rannten, so schnell uns unsere Beine trugen. Irgendwann rutschte Denise aus und landete im Kot der Schafe.

»Sieh dir das an«, jammerte sie.

»Halt die Klappe und renn weiter.«

Bald hatten wir die Hauptstraße erreicht und versuchten ein Auto anzuhalten. Kurz darauf bremste ein dunkelblauer Wagen.

»Wo wollt ihr beiden hin?«, fragte der Mann hinter dem Steuer.

»Zum Haus unserer Oma«, log ich.

Er nickte und sagte, wir sollten einsteigen.

»Ich bring euch hin.«

Ich grinste, doch dann sah ich das Funkgerät. Der Polizist in Zivil drehte sich um und starrte uns an. »Ich denke, es wird am besten sein, wenn ich euch wieder zurückbringe. Meint ihr nicht auch?«

Er fuhr los, und ich war völlig entmutigt. Nach nur ein paar Stunden in Freiheit mussten wir jetzt wieder in die Besserungsanstalt zurück. Als wir vorfuhren, wartete Mrs Brown schon auf uns.

»Danke, Officer«, sagte sie zu dem Polizisten.

Betrübt sah ich, wie eine Angestellte Denise wegführte, und ich wurde in einen kleinen Raum mit dunkelgrün gepolsterten Wänden gebracht, der ein bisschen wie eine Gummizelle wirkte. Auf dem Boden lag eine Matratze, eine Lampe gab es nicht. Nur durch den Spalt unter der Tür sickerte etwas Licht aus dem Flur.

»Klopf an die Tür, wenn du auf die Toilette musst«, sagte die Frau, bevor sie mich einschloss.

Am nächsten Morgen wurde ich in den Schlafsaal zurückgebracht. Denise habe ich nie wiedergesehen. Ein paar Tage später sagte mir Mrs Brown, ein Arzt käme, um mich zu untersuchen.

»Aber ich bin bereits ärztlich untersucht worden«, sagte ich.

»Ja, aber diesmal kommt Dr. Milner. Er ist ein sehr wichtiger Mann, also benimm dich anständig.«

Ich dachte nicht weiter darüber nach, bis mir später am Morgen mitgeteilt wurde, ich solle mich auf der Krankenstation melden.

»Warte hier«, befahl mir eine Schwester.

Das Zimmer war im ersten Stock, direkt über der Eingangshalle, und nur mit einem Metallbett und einem Aktenschrank möbliert.

Ich saß mit baumelnden Beinen auf der Bettkante und dachte darüber nach, wie gut mir ein eigenes Zimmer gefallen würde, und während ich noch vor mich hin träumte, öffnete sich die Tür, und ein grauhaariger Mann mit Brille trat ein. Vermutlich war er erst fünfundvierzig oder fünfzig, doch auf ein zwölfjähriges Mädchen wirkte er wie ein Greis.

»Guten Tag, ich bin Dr. Milner«, sagte er in einem strengen Ton.

Er trat zu mir, ergriff meine Hände und tat dann etwas äußerst Merkwürdiges – er begann sie zu streicheln. Ich war verlegen. Damit hatte ich nicht gerechnet.

»Zeig mir deine Fingernägel«, sagte er.

Ich zuckte zusammen, als er mit den Fingerspitzen über meine fuhr.

Warum will er meine Nägel sehen?, fragte ich mich. *Wird er mich auffordern, sie zu säubern?*

»Oh«, sagte er. Seine Miene änderte sich. »Es sieht so aus, als würdest du Nägel kauen. Du bist sehr nervös, mein armes Kind.«

Ich schaute auf meine Nägel und schüttelte den Kopf. Ich verstand nicht, was er wollte, denn ich hatte im Leben noch keine Fingernägel gekaut. Als er sich vorbeugte, drohte sein Bauch die Knöpfe seines beigefarbenen Hemdes zu sprengen. Er trug eine Kordhose und ein braunes Tweedjackett mit Wildlederbesatz an den Ellbogen. Für mich sah er nicht wie ein Arzt aus, eher wie ein Geografielehrer. Aber seine Stimme war streng, und auch wenn ich keine Nägel kaute, widersprach ich ihm nicht, denn ich wollte nicht in den an eine Gummizelle erinnernden Raum zurückgebracht werden.

»Oh, mein armes, armes Kind«, murmelte er, während er weiter über meine Hände strich.

Ich fühlte mich unbehaglich und wollte meine Hände wegziehen, um sie unter die Oberschenkel zu schieben, wo er sie nicht erreichen konnte. Ich blickte auf meine Fingernägel.

Sehen die etwa so aus, als würde ich darauf herumbeißen?

Nein. Sie waren schmutzig, doch das war's. Ich blickte auf die Hände des Arztes. Seine Nägel waren perfekt gefeilt, wie die einer Frau. Seine Haut war weich, viel weicher als die meines Vaters. Zu weich für einen Mann.

»Du hast offensichtlich ein Problem mit den Nerven.« Er schaute mir in die Augen, und ich wich seinem Blick aus. Ich glaubte, in diesem Zimmer in der Falle zu sitzen.

Nach einer Weile fand ich meine Stimme wieder.

»Ich kaue keine Nägel«, sagte ich bestimmt.

Der Arzt hörte auf, mich zu streicheln, und hob eine Hand, um mir zu bedeuten, ich solle schweigen.

»Oh doch, das tust du«, sagte er in einem Ton, der mich davor warnte, ihm zu widersprechen.

Ich schwieg. Es war sinnlos, etwas zu sagen, weil es mich nur in Schwierigkeiten bringen würde. Dr. Milner tätschelte meine Hände.

»Würdest du gern in unser Krankenhaus kommen?«

Krankenhaus. Ich war nicht krank, was also sollte ich dort?

»Dort wird man sich um dich kümmern«, fuhr er fort.

Es war seltsam, weil wir beide wussten, dass mir nichts fehlte. Doch je länger ich darüber nachdachte, in einem großen Krankenhausbett zu schlafen statt auf einer dieser kleinen Metallpritschen, desto besser gefiel mir die Vorstellung. Obwohl ich Krankenhäuser nur aus dem Fernsehen kannte, schienen sie mir freundliche Orte voller netter Schwestern zu sein, die sich um die Patienten kümmerten. Wenn ich zu ihnen gehörte, würde ich flauschige Pantoffeln tragen und jede Menge Weintrauben naschen, statt in dieser Besserungsanstalt eingesperrt zu sein. Man würde sich um mich kümmern und mich und die anderen Patienten unterhalten.

Ich wäre nicht in einer geschlossenen Anstalt wie hier, dachte ich. *Wenn ich es wollte, konnte ich jederzeit gehen. Ich würde einfach sagen, es gehe mir besser. Dann würde ich meine Mutter finden und mit ihr zusammenleben.*

»In Ordnung.« Ich lächelte den Arzt an. »Ich denke, das würde mir gefallen.«

»Wundervoll!«

Obwohl ich zugestimmt hatte, musste ich versuchen, ein unangenehmes Gefühl abzuschütteln und mich auf das Positive konzentrieren. Krankenhaus, das würde für mich gleichbedeutend mit Freiheit sein.

Er schob eine Hand in die Jackentasche, zog ein Fläschchen hervor und schüttelte zwei weiße Tabletten auf seinen Handteller. Dann ging er zum Waschbecken, füllte ein Glas mit Wasser und reichte es mir zusammen mit den Tabletten.

»Hier«, sagte er. »Ich möchte, dass du dreimal täglich zwei von diesen Tabletten schluckst. Nach dem Frühstück, dem Mittag- und dem Abendessen. Es ist sehr wichtig, dass du sie regelmäßig nimmst.«

Ich runzelte verwirrt die Stirn. »Warum geben Sie mir Pillen?«

»Weil du auf den Nägeln kaust. Nimm jetzt die beiden Tabletten. Morgen wird Mrs Brown sie dir geben.«

Ich hatte im Leben noch keine Tabletten genommen, spülte sie aber mit einem großen Schluck Wasser hinunter.

»Sehr gut!«, sagte Dr. Milner. Er ging zur Tür und drehte sich dort noch einmal um. »Wie gesagt, du musst die Tabletten jeden Tag nehmen. Wenn du es nicht tust, hast du ein ernsthaftes Problem. Haben wir uns verstanden?«

Ich nickte.

»Gut. Du wirst schon bald in unser Krankenhaus gebracht werden. Ich werde alles arrangieren. Du musst dich nur noch etwas gedulden.«

Ich schaute auf die Wanduhr. Der Arzt war noch keine zehn Minuten bei mir, hatte mir aber schon Pillen verabreicht und mich ins Krankenhaus überwiesen, obwohl es dafür überhaupt keinen Grund gab.

6

Aus den Augen, aus dem Sinn

In der Besserungsanstalt The Cedars glich ein Morgen dem anderen. Wir standen auf, wuschen uns, bekamen Frühstück und besuchten den Unterricht, der ebenfalls in dem verschlossenen Hauptgebäude erteilt wurde. Doch für mich hatte sich etwas geändert, denn ich musste mit einem halben Dutzend anderer Mädchen auf Mrs Brown warten, die beaufsichtigte, dass wir die von Dr. Milner verschriebenen Tabletten schluckten. Danach machte sie einen Haken hinter unsere Namen. Mrs Brown war eine große, übergewichtige Frau mit streng hochgesteckten schwarzen Haaren. Ich weiß nicht, ob es an ihrer äußeren Erscheinung lag, aber sie schüchterte mich ein. Sie suchte auf ihrer Liste meinen Namen, schüttelte zwei Tabletten aus dem braunen Fläschchen und reichte sie mir mit einem Glas Wasser. Obwohl ich zu ängstlich war, um die Pillen nicht zu schlucken, musste ich danach den Mund öffnen und die Zunge heben, damit sie sich vergewissern konnte.

»Das war's«, sagte sie und machte den Haken hinter meinen Namen. Sie blickte über meine Schulter und winkte das nächste Mädchen herbei.

Ich wusste nicht, in welcher Woche ich in das Krankenhaus kommen würde, doch es würde an einem Montag passieren, da dann immer die Anrufe kamen. Das Telefon klingelte früh, gewöhnlich schon vor dem Frühstück, das wir um acht Uhr bekamen. Wenn wir es hörten, wussten wir, dass später an diesem Morgen wieder jemand abgeholt werden würde. Die Wochen vergingen, und ich begann zu bezweifeln, ob ich jemals an die Reihe kommen würde. Weihnachten kam, ohne dass etwas passiert wäre. Wir öffneten unsere Geschenke – ein paar Toilettenartikel für jedes Mädchen –, und ich fragte mich entmutigt, was das neue Jahr bringen würde.

Ich würde weiter Dr. Milner sehen. Er kam oft vorbei, um Mrs Brown zu besuchen. Von draußen sah ich sie in dem Wintergarten sitzen und aus Porzellantassen Tee trinken. Wegen der vielen Pflanzen konnte man sie leicht unbemerkt beobachten. Wir wussten immer, wann Dr. Milner da war, weil dann eine der Angestellten Gebäck servierte. Eines Tages traf ich den Arzt vor dem Büro der Heimleiterin im Korridor.

Dr. Milner blieb stehen. »Guten Tag. Wie fühlst du dich heute?«

Ich war mir nicht sicher, was ich antworten sollte, aber er sollte nicht denken, dass es mir gut ging, denn schließlich wollte ich in das Krankenhaus.

Alles ist besser als das hier, dachte ich.

»Nicht gut«, antwortete ich in der Hoffnung, dass das die Dinge beschleunigen würde.

Der Arzt blickte mich an. »Nun, bald wird es dir besser gehen, weil du in unser Krankenhaus kommen wirst.«

Es kann mir nicht schnell genug gehen.

Ein paar Wochen später stand ich in der Warteschlange, um mir die Tabletten geben zu lassen, als ich in Mrs Browns Büro das Telefon klingeln hörte. Kurz darauf erschien sie, und ich blickte sie erwartungsvoll an, doch sie sagte nichts. Ich war entmutigt und sah meine Hoffnung schwinden. Kurz darauf war ich an der Reihe. Mrs Brown gab mir die Tabletten, und ich schluckte sie und öffnete den Mund, damit sie sich vergewissern konnte.

»Für dich fällt der Unterricht heute aus, Barbara«, murmelte sie.

Ich schaute sie an und wartete auf eine Erklärung, während sie den Haken hinter meinen Namen machte. Sie hob den Kopf und drehte geistesabwesend den Stift zwischen den Fingern.

»Du brauchst nicht zum Unterricht gehen, weil du heute ins Krankenhaus kommst.«

Ja!, dachte ich. *Noch heute. Endlich komm ich hier raus!*

Es war das Jahr 1971 und ein besonders kalter Morgen Mitte Januar. Es kam mir so vor, als würden Weihnachten und mein Geburtstag auf einen Tag fallen, denn nun war der große Augenblick da. Nach dem Frühstück saß ich in der Eingangshalle und reckte den Hals. Draußen fuhr ein roter Mini vor, und zwei Sozialarbeiter stiegen aus, ein Mann und eine Frau. Sie traten ein, und eine Angestellte zeigte auf mich. Sie nahm mir meine Tasche aus der Hand und warf einen Blick hinein. Viel war nicht darin, nur ein paar Kleidungsstücke zum Wechseln und eine Zahnbürste.

»Ich hatte keine Seife mehr«, sagte ich.

»Keine Sorge, dort wird es dir an nichts fehlen.«

Ich war glücklich, die Besserungsanstalt für immer verlassen zu können. Draußen war es bitterkalt, als ich in das Auto stieg. Die Sonne stand niedrig und konnte nichts ausrichten gegen den hart gefrorenen Boden. Der Mann schob den Schlüssel ins Zündschloss und ließ den Motor an. Ich saß allein auf der Rückbank und dachte, dass die beiden noch sehr jung aussehen. Sie schienen Ende zwanzig zu sein und hatten diese Fahrt schon zahllose Male gemacht. Wir fuhren die gewundene Straße zum Tor hinunter und bogen auf die Hauptstraße ab. Ich warf keinen Blick zurück. Warum auch, ich war nur erleichtert, dass es vorbei war. Die beiden Sozialarbeiter unterhielten sich leise, und einmal drehte sich die Frau um, um zu sehen, ob ich lauschte. So war es, doch ich tat so, als würde ich desinteressiert aus dem Fenster blicken. Sobald sie sich wieder umgedreht hatte, wandte ich mich von dem Fenster ab und sah die dicke braune Akte in ihrem Schoß, die von Gummibändern zusammengehalten wurde, damit keine Papiere herausfielen. Wahrscheinlich stand da schlechthin alles über mich drin. Obwohl die Frau leise sprach, verstand ich, was sie sagte.

»Es geht immer weiter«, sagte sie mit einem Seufzer, während sie mit den Fingern auf der Akte trommelte.

Der Mann schaute sie kurz an. »Weißt du was, Eleanor? Mir gefällt diese Geschichte nicht, nichts daran. Eines Tages wird jemand dafür bezahlen müssen. Man wird Fragen stellen. Denk an meine Worte.«

Ich hatte alles genau verstanden.

Die Frau wandte sich ihm zu. »Ja, du hast recht. Es werden Fragen gestellt werden müssen.«

Merkwürdig, dachte ich. *Was soll das heißen?*

Ich schwor mir, mir die Worte genau einzuprägen, und habe sie nie vergessen.

Während der nächsten halben Stunde unterhielten sie sich weiter, doch jetzt kam es mir so vor, als würden sie eine Art Geheimsprache verwenden, die nur sie verstanden. Mir war klar, dass sie wegen mir in diesen Jargon verfallen waren. Schließlich setzte der Mann den Blinker, bog nach links ab und fuhr durch ein paar Tore Richtung Krankenhaus. Dann sah ich ein blaues Schild.

Psychiatrische Klinik Aston Hall

Mein Herzschlag beschleunigte sich, und ich wurde von Panik gepackt. Ich drehte mich um, aber das Schild war schon zu weit weg.

Habe ich mich getäuscht? Stand da wirklich psychiatrische Klinik?

»Warum bringen Sie mich in eine psychiatrische Klinik?«, fragte ich.

Die Frau warf ihrem Kollegen einen Blick zu und drehte sich dann zu mir um. »Nein, wir bringen dich nicht dorthin«, antwortete sie. »Wir bringen dich zu ei-

nem anderen Teil des Krankenhauses, nicht in die Psychiatrie.«

Ich seufzte erleichtert und lehnte mich zurück, und
doch blieb ein unbehagliches Gefühl zurück.

*Warum steht auf dem Schild Psychiatrische Klinik, wenn
es keine ist?*

Als der Wagen vor einem Gebäude hielt, das jenen
glich, an denen wir vorbeigekommen waren, sagte mir
mein Bauchgefühl, dass ich versuchen sollte, die Flucht
zu ergreifen.

Ich schaute auf das Gebäude, und mir fielen die Fenster auf. Sie standen offen, aber nur ein paar Zentimeter.
Es schien mir, als würden sie sich nicht ganz öffnen lassen. Ich hatte ein mulmiges Gefühl. Erst das Schild und
nun diese Fenster. Auf den ersten Blick sah alles nicht anders aus als in der Besserungsanstalt. Das nächste Gefängnis, auch wenn es angeblich ein Krankenhaus war.

»Komm mit, Barbara«, sagte die Sozialarbeiterin gewollt fröhlich. Sie klappte den Sitz nach vorne, damit ich
aussteigen konnte. Dann nahm sie meine Hand, aber
nicht aus Zuneigung, sondern damit ich nicht weglief.
Ich atmete tief durch. Rechts von uns war eine blaue Tür.
Wir gingen darauf zu, und der Mann klingelte. Kurz
darauf drehte sich ein Schlüssel im Schloss, und die Tür
öffnete sich. Eine Krankenschwester mit einem dicken
Schlüsselbund am Gürtel stand im Türrahmen.

Warum hat eine Schwester so viele Schlüssel?, dachte ich.
Und warum war die Tür abgeschlossen?

Ohne dass es mir richtig bewusst war, stellte ich die Frage.

Die Schwester schaute mich einen Moment an. »Wir wollen nicht, dass Leute weglaufen und dass ihnen etwas passiert«, sagte sie eher streng als freundlich. »Wir haben hier ein paar sehr kranke Menschen.«

Ich nickte, um zu zeigen, dass ich verstanden hatte, doch tatsächlich hatte ich nichts verstanden.

Als wir eintraten, fiel mir die große Stille auf. Für ein Kinderkrankenhaus war es unheimlich still. *Viel zu still.* Die Sozialarbeiterin brach das Schweigen.

»Das ist Barbara O'Hare«, sagte sie kalt und geschäftsmäßig. »Sie kommt aus der Besserungsanstalt The Cedars.«

Sie reichte der Schwester meine Akte. Die Sozialarbeiter verabschiedeten sich und verschwanden. Schweigend blickte ich mich um. Rechts war eine hellblaue Treppe, und ich fragte mich, ob sie zu den Stationen des Krankenhauses führte, doch bevor ich fragen konnte, riss mich die Schwester aus meinen Gedanken.

Sie zeigte auf einen einzelnen Stuhl am Ende eines langen Korridors. »Setz dich«, befahl sie. Ich gehorchte. Sie ging mit meiner Akte den Korridor hinab und blieb vor einer Tür stehen, vermutlich einer Bürotür. Sie klopfte und wurde hereingebeten. Ich saß da und versuchte zu erraten, wie es weitergehen würde. Plötzlich tauchte die Schwester wieder auf und winkte mich zu sich.

»Der Arzt hat jetzt Zeit für dich«, sagte sie.

Ich trat durch die offene Tür in das nur mit einem Schreibtisch und einem Aktenschrank eingerichtete Büro. Der Arzt füllte mit einem Kolbenfüllfederhalter ein Formular aus. Die Schwester verschwand und schloss die Tür. Jetzt war ich allein in dem Raum. Plötzlich fühlte ich mich sehr klein und allein. Und ich wusste nicht, warum ich hier war. Ich hatte den Mann sofort erkannt – es war Dr. Milner, der in der Besserungsanstalt meine Hand gestreichelt hatte. Diesmal war er nicht so freundlich. Er blickte kaum auf, als ich vor seinem Schreibtisch auftauchte.

»Kein Abendessen heute. Behandlung.« Eine ungeduldige Handbewegung bedeutete mir, dass darüber nicht verhandelt wurde.

Die Schwester kam zurück und führte mich aus dem Raum. Ich folgte ihr den Flur hinab zum Schlafsaal. Auf dem Weg dorthin schloss sie ein paar Türen auf und wieder ab.

Sie zeigte auf das erste Bett auf der rechten Seite. »Das ist deins. Leg deine Sachen in den Schrank da.«

Ich gehorchte. Ich wollte fragen, was für eine Behandlung mich erwartete, doch ihre Miene hielt mich davon ab. Schließlich folgte ich ihr die Treppe hinab. Sie führte mich zu einem Raum neben dem Büro des Arztes. Sie schloss die Tür auf, und wir betraten eine Art Gemeinschaftsraum. Viele Mädchen liefen umher oder saßen in einer Ecke vor einem Schwarzweißfernseher. Niemand schien mich zu bemerken. Im Gegensatz zu der Besserungsanstalt plauderte hier niemand. Man hörte nur die Stimmen der Schauspieler aus dem Fernseher. Es lief mir kalt den Rücken hinab. Ich hätte nicht sagen können warum, aber etwas stimmte hier nicht. Im hinteren Teil des Raumes sah ich eine Reihe von Tischen. Der Fernseher lief im vorderen Teil, davor standen ein paar alte Stühle. Ich ging hin und setzte mich. Die Schwester hatte den Raum verlassen, kam aber schnell wieder zurück, mit einem braunen Fläschchen in der Hand. Sie zog einen Löffel hervor und füllte ihn mit einer sirupartigen braunen Flüssigkeit.

Sie hielt den Löffel vor meinen Mund. »Hier, schluck das.«

Ich kniff die Lippen zusammen, doch sie ließ nicht locker.

»Aber ich habe heute schon meine Tabletten genommen«, protestierte ich in der Hoffnung, dass sie ihre Meinung ändern würde.

»Leg dich nicht mit mir an«, sagte sie gereizt und presste den Löffel hart gegen meine Lippen.

Ich wusste, dass Widerstand zwecklos war, und schluckte die Medizin. Dann gab sie mir eine einzelne Tablette, die identisch zu sein schien mit denen, die ich bisher bekommen hatte.

»Aber warum, bin ich krank?« Ich fragte mich, warum ich noch eine Pille schlucken sollte.

Die Schwester antwortete nicht, und ich versuchte es erneut.

»Was stimmt nicht mit mir? Warum bin ich im Krankenhaus?«

Ich begann mir Sorgen zu machen, vielleicht wirklich krank zu sein. Niemand wollte es mir sagen. Die Schwester antwortete nicht auf meine Fragen.

»Setz dich und warte«, sagte sie. »Der Arzt kommt gleich.«

Damit verschwand sie, wobei sie die Tür hinter sich abschloss.

Ich saß da und schaute zu den anderen Mädchen hinüber, von denen mich keines eines Blickes würdigte. Es kam mir so vor, als wäre ich unsichtbar. Viele von den anderen schauten starr vor sich hin, den Blick ins Leere gerichtet. Ich wurde von Angst gepackt. Irgendetwas stimmte nicht, nichts hier war normal. Ich saß da und wartete, wagte es nicht, etwas zu sagen. Plötzlich wurde ich sehr müde. Meine Lider wurden schwer, und es bedurfte einer großen Willensanstrengung, um sie offen zu halten. Ich wollte aufrecht dasitzen, doch mein Kopf sank auf die Brust.

Warum bin ich so müde? Was für ein Medikament war das?

Diese und andere Gedanken gingen mir durch den Kopf, als ich vor meinen Füßen zwei glänzende schwarze Schuhe sah. Ich hob den Blick. Weiße Baumwollsöckchen und lange nackte Beine, die einer Frau von Ende vierzig gehörten, die direkt vor mir stand. Obwohl sehr viel älter als die anderen, war sie gekleidet, als wäre sie noch ein kleines Mädchen – blaue Bluse, rosafarbene Strickjacke, weißer Rock, ein großer weißer Haarreifen.

»Hallo, würdest du gern tanzen?«

Ich schüttelte den Kopf. Ich fühlte mich so seltsam, dass ich mir nicht sicher war, ob ich die Frage vielleicht nur im Traum gehört hatte.

Die Frau hatte etliche Zahnlücken, und ihr graues Haar war verfilzt.

»Tanzen?«, fragte ich schläfrig.

Meine eigene Stimme schockierte mich. Sie klang wie die der betrunkenen Edna.

»Ja.« Die Frau lachte und drehte eine Pirouette. »Ich bin Stepptänzerin und früher im ganzen Land aufgetreten. Ich war ein großer Star.«

Sie warf die Hände in die Luft, als würde sie noch auf einer Bühne stehen. Trotz meiner jungen Jahre begriff ich, dass diese Frau ziemlich verrückt war, und doch war ich dankbar dafür, dass jemand mit mir sprach.

»Wie heißen Sie?«, fragte ich mit schleppender Stimme.

»Jane.«

»Ich bin Barbara.«

Jane plapperte weiter, während ich mich bemühte, die Augen offen zu halten. Mein Kopf war schwer, und ich muss wieder eingeschlafen sein. Ich wusste nicht, wie lange ich geschlafen hatte, aber als ich aufwachte, schüttelte eine Schwester sanft meinen Arm. Jane war verschwunden.

»Komm mit«, sagte sie. »Der Arzt wartet auf dich.«

Ich blickte mich um. Jane saß mit den anderen Mädchen an einem langen Tisch. Alle aßen schweigend und starrten dabei ins Leere. Man hörte nur das Klappern des Bestecks. Ich blickte auf die Wanduhr. Fünf Uhr. Diese Schwester war anders als ihre Vorgängerin. Sie trug eine andere Haube. Ich hatte keine Ahnung, ob das etwas mit ihrem Rang zu tun hatte. Sie half mir beim Aufstehen. Ich war immer noch wackelig auf den Beinen und folgte ihr mit unsicheren Schritten die Treppe hinauf in ein Badezimmer.

»Zieh dich aus«, befahl sie. »Du musst baden.«

In dem Raum war es kalt, und mir war seltsam zumute. Ich hatte nicht die geringste Lust, mich vor einer völlig Fremden auszuziehen, auch wenn sie Krankenschwester war. Ich blickte mich um. Zwei Badewannen, seltsame Gegenstände, die es vermutlich nur in einem Krankenhaus gab.

»Mach schon, beeil dich«, blaffte sie mich an.

Ich gehorchte, ließ mir aber Zeit, weil ich hoffte, dass sie mich allein lassen würde. Eine vergebliche Hoffnung. Als sie den viel zu großen Büstenhalter sah, begann sie zu lachen.

Sie zeigte darauf. »Warum trägst du einen BH?«, fragte sie grinsend.

»Weil ich nicht will, dass die anderen sich über mich lustig machen.«

Ich sagte das, ohne weiter darüber nachzudenken, aber es war die Wahrheit.

Ich fühlte mich schutzlos und wollte nicht eingesperrt sein in diesem Krankenhaus, wo sich die Schwestern wie Gefängniswärterinnen aufführten.

Es war nur wenig Wasser in der Wanne und roch nach einem Desinfektionsmittel. Die Frau gab mir ein Stück grüne Seife und sagte, ich solle mich schnell waschen.

»Wir wollen den Arzt nicht warten lassen«, sagte sie, während sie ein Handtuch aus einem Schrank nahm.

Ihre Worte ließen mich mehr frösteln als das nur lauwarme Badewasser.

Was hat der Arzt mit mir vor? Was für eine Behandlung ist das?

Als ich mich gewaschen hatte, half mir die Frau aus der Wanne und trocknete mich ab.

»Beeil dich, ich muss dich noch wiegen.«

Ich trat auf die Waage, und sie notierte mein Gewicht. Dann bat sie mich, die Arme auszustrecken, zog mir einen zu großen, alten grauen Kittel über und band ihn am Rücken zu. Der Stoff war dick und kratzig.

»Kann ich meine Unterwäsche wieder anziehen?«

Sie ignorierte die Frage. Ich hätte heulen können, weil ich mich so entblößt fühlte.

»Darf ich bitte meine Unterwäsche wieder anziehen?«, bettelte ich. »Warum muss ich dieses Ding tragen?«

»Weil Dr. Milner es so will«, blaffte sie mich an, während sie wütend hinter meinem Rücken die letzten beiden Stoffstreifen verschnürte. Ich konnte kaum noch die Arme bewegen.

»Los, komm mit.«

Wir verließen das Bad und gingen zu einer gegenüberliegenden Tür, vor der ein Wagen stand. Darauf lagen eine
Spritze, eine Verbandsrolle und mehrere weiße Tütchen.

»Vorwärts.« Sie stieß mich in den Raum.

Ich blickte mich um und sah nur eine Gummimatratze
auf dem Boden. Keine Kissen, keine Bettwäsche. Durch
ein kleines Fenster sickerte etwas Tageslicht. Sofort
schloss die Schwester die Läden.

Sie zeigte auf die Matratze. »Leg dich hin.«

Ich gehorchte. Sie ging nach draußen und kam mit
dem Wagen zurück. Sie griff nach dem Verbandsstoff, der
so aussah, als wäre er schon häufig benutzt worden.

Sie beugte sich über mich. »Kreuze die Hände.«

Sie kniete sich hin und band meine Hände fest zusammen. Mein Herz klopfte so heftig, dass ich mir sicher
war, sie müsste es hören.

»Bitte nicht«, flehte ich. »Ich beiße nicht auf den Nägeln. Das habe ich noch nie getan. Sie müssen das nicht
tun. Sie müssen mich nicht fesseln.«

»Halt den Mund!«, fuhr sie mich an. »Der Arzt wird
dich hören, und du willst ihn doch nicht verärgern,
oder?«

Ich schüttelte den Kopf. Falls nötig, würde ich mich
wehren.

»Ist mir völlig egal!«, schrie ich und wollte nach ihr treten, doch meine Beine waren von dem Medikament so
schwer, dass mein Widerstandsgeist schnell erlosch.

Nachdem meine Hände gefesselt waren, setzte sich die Schwester auf das hintere Ende der Matratze.

»Öffne und schließe deine Hand. Hier, ich zeig's dir.«

Die Fesseln saßen so fest, dass sie die Blutzirkulation abschnitten.

»Es tut weh«, murmelte ich, doch sie ignorierte es. Sie rieb mit einem Finger über meinen Arm und griff nach der Spritze. Ich hatte noch nie eine bekommen und war verängstigt.

»Das ist nicht nötig«, sagte ich, von Panik gepackt. Ich wich zurück. »Ich bin nicht krank und will nach The Cedars zurückgebracht werden.«

Sie ignorierte es.

»Du solltest dich besser beruhigen, sonst endet alles mit einer Elektroschockbehandlung.«

Aber ich war verängstigt und wütend – wütend, weil man mich hereingelegt hatte. Tränen rannen über meine Wangen, als ich sie anflehte, mir keine Spritze zu geben. Dann spürte ich einen scharfen Schmerz, als die Nadel in meinen Arm eindrang. Ich schaute die Schwester an, doch sie wirkte völlig geistesabwesend und hatte nicht das geringste Interesse an mir. Ihre kalte und verschlossene Miene ängstigte mich fast zu Tode. Für einen kurzen Moment fragte ich mich wirklich, ob die Injektion mich umbringen würde. Fast hoffte ich es, denn dann hätte ich keine Angst mehr gehabt. Mein Oberkörper fiel rückwärts auf die Matratze. Ich saß in der Falle, konnte mich nicht bewegen. Reglos lag ich da. Mir blieb nichts als

Warten. Die Gummiräder des Wagens quietschten, als die Schwester ihn zur Tür schob. Sie sprach mit jemandem, denn ich nicht sehen konnte.

»In Ordnung, Herr Doktor, sie gehört Ihnen.«

Ich schnappte nach Luft. Dr. Milner war da.

Auch wenn ich keinen Muskel mehr bewegen konnte, bekam ich voll mit, was los war. Der Arzt trat ein, unter einen Arm waren drei Kissen geklemmt. Statt seines üblichen Tweedjacketts trug er einen kurzen weißen Arztkittel. Seine Silhouette zeichnete sich ab vor dem Hintergrund des Lichtes im Flur – die einzige Lichtquelle, denn in dem Raum gab es keine. Er legte die Kissen neben die Matratze und setzte sich darauf. Ich spürte seinen heißen Atem auf meiner Haut. Ich hielt die Luft an, weil ich den Geruch nicht einatmen wollte. Er drückte mir eine Drahtmaske aufs Gesicht. Dann legte er etwas Weißes über meinen Mund. Der weiche Stoff kitzelte auf meiner Haut. Dann war er auf einmal nass, und eine übel riechende Flüssigkeit tröpfelte auf mein Gesicht.

Plötzlich wurde alles schwarz. Ich weiß nicht, wie lange ich bewusstlos war, doch als ich wieder zu mir kam, hörte ich Dr. Milners Stimme. Er stellte mir eine Frage nach der anderen.

»Wie heißt du? Wie alt bist du?«

Doch bevor ich antworten konnte, schüttete er mehr von der Flüssigkeit auf die Maske.

Tröpfel, tröpfel, tröpfel.

Wieder verlor ich das Bewusstsein, doch als ich diesmal aufwachte, lag ich auf der Seite, Der Arzt war so nah, dass ich seinen Atem roch.

»Wie alt ist dein Bruder?«

Ich öffnete den Mund, weil ich antworten wollte.

Dann spürte ich erneut die kühle Flüssigkeit auf meinem Gesicht, und einmal mehr wurde alles schwarz. Ich kam wieder zu mir, und jetzt hatte er mich zur Wand gedreht. Die nächste Frage, und sobald ich antworten wollte, wurde mehr von der Flüssigkeit auf die Maske getröpfelt.

Als ich das nächste Mal wach wurde, lag ich auf dem Rücken. Jetzt war da noch eine Silhouette, ein zweiter Mann. Plötzlich flammte ein Blitzlicht auf, und ich sah die Kamera in seinen Händen. Der Kittel war bis zur Hüfte hochgeschoben, sodass meine Genitalien bloß lagen, und der Auslöser der Kamera surrte wieder und wieder. Das grelle Blitzlicht tat meinen Augen weh, doch ich konnte mich weder bewegen noch schreien.

Wieder Finsternis. Die nächste Frage, doch keine Zeit, um sie zu beantworten. Ich hatte einen chemischen Geruch in der Nase, als ich erneut in Bewusstlosigkeit versank. Aufwachen, jetzt lag ich auf dem Bauch. Dann spürte ich einen Einstich in einer Hinterbacke – die nächste Injektion. Alles versank in Schwärze, und als ich dann die Augen wieder öffnete, lag ich in dem Schlafsaal in meinem Bett. Ich fühlte mich groggy, mein Mund war völlig ausgetrocknet. Als ich laut um ein Glas Wasser bat, wurde mir klar, dass ich allein war. Alle Betten waren ordentlich gemacht, darüber waren blaue Tagesdecken gebreitet. Mein ganzer Körper schmerzte, als hätte man mich überall getreten, und meine Handgelenke taten weh von der Fessel. Ich versuchte mich aufzusetzen, war aber so schwach, dass es eine Weile dauerte, bis es mir gelang. Als ich es geschafft hatte, schoss ein scharfer stechender Schmerz meinen Körper hinauf, der seinen Ursprung zwischen den Beinen hatte. Der Schmerz kam so überraschend und unerwartet, dass es mir den Atem verschlug. Und zwischen den Beinen spürte ich Feuchtigkeit, als hätte ich ins Bett gemacht. Ich errötete vor Beschämung, doch als ich das Bettlaken abtastete, war es trocken. Etwas stimmte nicht.

Eine Schwester erschien.

»Oh, du bist ja wach«, sagte sie.

Ich wollte sie ansehen, doch mein Kopf war schwer, und vor meinen Augen drehte sich alles.

»Du musst bis nach dem Essen im Bett liegen bleiben«, sagte sie, während sie die Kissen aufschüttelte. »Aber ich gehe in die Küche und hole dir ein paar Marmeladenbrote.«

Sie verschwand, und ich war wieder allein in dem Schlafsaal. Kurz darauf kam sie mit einem Tablett zurück und stellte es auf meinen Schoß. Darauf lagen neben den Broten die beiden üblichen Tabletten, und daneben stand ein Pappbecher mit dem ekelhaften braunen Sirup.

Sie reichte mir ein Glas Wasser. »Na los, nimm die Tabletten.«

Ich spülte sie mit dem Wasser hinunter und trank dann die grauenhafte bräunliche Arznei. Ich wollte nicht, doch mein Kampfgeist war erloschen. Stattdessen aß ich die Marmeladenbrote und trank das Wasser. Ich musste auf die Toilette, aber auf dem Weg dorthin wurde mir schwindelig, und ich musste mich festhalten. Ich hatte immer noch ein seltsames Gefühl zwischen den Beinen, so als wäre etwas in meine Scheide geschoben worden. Nichts schien mehr zu stimmen mit meinem Körper. Als Nächstes bekam ich Magenkrämpfe. Obwohl die Toilette nur ein paar Meter entfernt war, kam mir die Distanz wie drei Meilen vor. Wieder tauchte die Schwester auf.

»Was machst du da? Leg dich sofort wieder ins Bett!«

»Aber ich muss auf die Toilette.«

»Leg dich wieder hin, ich bringe dir eine Bettpfanne.«

Damit verschwand sie wieder. Ich hatte keine Ahnung, was eine Bettpfanne war oder wie lange sie weg sein würde, also quälte ich mich weiter Richtung Toilette. Es dauerte eine Weile, aber ich schaffte es. Nachdem ich uriniert hatte, zog ich Klopapier von der Rolle und wischte mir die Vagina ab. Und da sah ich es – Blut. Kein Zweifel, ich blutete dort unten. Jemand hatte mir in jenem Raum etwas angetan. Mein Urin biss wie Säure auf der wunden Haut. Es war, als hätte man mich mit einer Lötlampe innerlich verbrannt. Ich betätigte die Spülung, und als ich die Toilette verließ, stand die Schwester vor der Tür, mit entrüstet vor der Brust verschränkten Armen.

»Bleib im Bett, bis dir jemand sagt, dass du aufstehen kannst«, fuhr sie mich an.

Mittlerweile begannen die Medikamente zu wirken. Meine Lider wurden schwer, und nach ein paar Augenblicken schlief ich tief. Mein letzter Gedanke war, dass dies kein normales Krankenhaus sein konnte.

7

Das Krankenhaus

Ich wurde wach, als mir jemand behutsam auf die Schulter tippte.

Eine andere Schwester. Diese hatte glänzende schwarze Haare. »Dann wollen wir mal aufstehen«, sagte sie munter.

Ihre Stimme war so freundlich, dass ich für einen Augenblick vergaß, wo ich war. Aber der Schlafsaal des Krankenhauses ließ sich nicht lange ignorieren.

»Komm schon.« Sie streckte die Hand aus. »Zeit für deine Tabletten.«

Kaum hatte ich mich aufgesetzt, da zwang sie mir schon gewaltsam die Pillen in den Mund. Ich musste würgen.

»Hier.« Sie reichte mir ein Glas Wasser, und ich trank dankbar einen Schluck. Dann sah ich den Pappbecher in ihrer Hand, zu einem Viertel gefüllt mit der ekelhaften, sirupartigen Arznei, die ich nur mit einer großen Willensanstrengung herunterbekam.

»Na also, es geht doch. Zeit aufzustehen. Du kannst runtergehen und mit den anderen essen.«

Sie nahm ein paar Kleidungsstücke aus dem Schrank neben dem Bett.

»Los jetzt, zieh dich an.«

Obwohl ich benommen war von den Medikamenten, hätte ich am liebsten vor Dankbarkeit geheult, als ich meine Unterwäsche sah, denn ich hatte mich so entblößt gefühlt. Ich setzte mich auf die Bettkante und begann mich anzuziehen. Der weiche Stoff fühlte sich angenehm an auf meiner Haut. Aber meine Handgelenke, welche die Schwester gefesselt hatte, schmerzten so stark, dass ich Mühe hatte, die Unterwäsche anzuziehen. Ich stand auf, um den Schlüpfer hochzuziehen, und da sah ich den Blutfleck auf dem Bettlaken. Ich schaute auf meine Handgelenke. Kein Blut, auch nicht an den Armen oder Beinen. Ich sah die Schwester im hinteren Teil des Schlafsaals und rief sie herbei.

»Können Sie sich mal meinen Rücken ansehen?«, fragte ich sie. »Ich muss irgendwo bluten.«

Sie tat mir den Gefallen.

»Ich sehe nichts.« Ihre Stimme klang verwirrt. »Wie kommst du darauf, dass du blutest?«

»Wegen des Flecks da auf dem Bettlaken.«

»Der ist alt und bei der Wäsche nicht rausgegangen.«

Ich wusste, dass das nicht stimmte.

»Aber da war Blut, als ich auf der Toilette war und mich da unten abgewischt habe. Da war Blut. Ich habe es gesehen.«

»Schluss jetzt mit dem Unsinn. Zieh dich endlich an und geh nach unten.«

Damit verschwand sie. Ich stand da und fragte mich, warum ich Blut verlor. Und auch, warum die Schwester mir nicht geglaubt hatte. Ich tastete den Flecken auf dem Laken ab, und meine Fingerspitzen waren rot. Das Blut war noch nicht getrocknet. Ich wollte die Schwester zurückrufen, um es ihr zu zeigen, aber sie war nicht mehr zu sehen. Ich zog mich weiter an, doch so sehr ich es auch versuchte, ich schaffte es einfach nicht, meine Bluse zuzuknöpfen. Schließlich tauchte die Schwester wieder auf, und sie seufzte tief, als sie sah, dass ich immer noch nicht angezogen war.

»Ich kann die Bluse nicht zuknöpfen«, erklärte ich. »Meine Handgelenke tun so weh.«

Sie drehte meine Arme, um sie zu betrachten. Druckspuren von der Fessel, dunkel verfärbte Haut. Ich schaute auf. Sie wirkte beunruhigt, sagte aber nichts. Aber ihr Verhalten mir gegenüber änderte sich.

»Komm her, lass dir helfen.« Sie knöpfte die Bluse zu.

Dann half sie mir, die Strümpfe anzuziehen. Mein Haar war in Unordnung, doch als ich es bürsten wollte, taten meine Handgelenke wieder höllisch weh. Ich gab mein Bestes und schaute fragend die Schwester an.

»Du siehst gut genug aus«, befand sie. »Komm jetzt, ich hab gleich Feierabend. Es wird Zeit, dass ich dich nach unten bringe.«

Auf wackeligen Beinen folgte ich ihr in den Flur. Ich erstarrte innerlich, als wir erst an der Toilette und dann an dem Behandlungszimmer vorbeikamen. Die Tür war geschlossen, doch ich wusste, was darin geschah. Mein Herzschlag beschleunigte sich, meine Hände waren schweißnass. Mein Instinkt riet mir, nach unten zu rennen, die Eingangstür aufzureißen und so schnell wie möglich so weit wie möglich davonzurennen. Aber hier waren alle Türen abgeschlossen, es gab keinen Ausweg. Ich folgte der Schwester, welche die letzte Tür aufschloss und mich in den Gemeinschaftsraum schubste, in dem sich Dutzende anderer Mädchen aufhielten. Ich war groß für mein Alter, doch sie schienen alle ein paar Jahre älter zu sein. Ich fühlte mich befangen und fehl am Platz. Ich kannte niemanden, und niemand schien Interesse zu haben, mich kennenzulernen. Die Ausnahme war Jane, die Stepptänzerin. Einige Mädchen saßen vor dem Fernseher, andere starrten aus dem großen Fenster, doch niemand sagte etwas. In dem Kinderheim oder der Besserungsanstalt hätten alle einen Neuankömmling umringt. Sie hätten wissen wollen, wie man hieß und woher man kam. Hier stellte niemand Fragen. Alle schienen gefangen zu sein in ihrer eigenen Innenwelt. Im hinteren Teil des Raums spielten zwei Mädchen Karten, doch auch ihre Mienen waren leer. Sie waren körperlich anwesend, aber in Gedanken woanders. Jane kam mit einem breiten Grinsen auf mich zu und entblößte dabei ihre Zahnlücken. Ich erwiderte das Lächeln, dankbar, dass wenigstens sie sich darüber freute, mich zu sehen.

Plötzlich fühlte ich mich sehr müde und setzte mich auf einen Stuhl. Aus dem Augenwinkel sah ich am anderen Ende des Raumes eine Schwester, die ein Tablett mit Besteck auf den Esstisch knallte. Dann klatschte sie in die Hände.

»Anwesenheitskontrolle!«, rief sie.

Ich fragte mich, was um alles auf der Welt jetzt los war. Hier gab es doch sowieso kein Entkommen. Die Mädchen ließen sich geduldig zählen, und dann trat eine kleine Gruppe von ihnen an das Fenster, das auf die Auffahrt ging, über die ich am Vortag mit den beiden Sozialarbeitern gefahren war. Es schien so, als würden sie auf jemanden warten. Das Schweigen in dem Raum setzte mir zu, weil ich nicht daran gewöhnt war. Ich war gewöhnt an fluchende, streitende Mädchen, an Lärm und Wutausbrüche, doch dies war eine fremde Welt.

Jemand kauerte sich neben meinem Stuhl nieder, ein etwa vierzehnjähriges Mädchen mit dunklen Haaren.

»Bist du neu hier auf Laburnum Ward?«, flüsterte sie.

»Laburnum Ward?«, wiederholte ich.

»Ja, so heißt die Station hier.«

Ich nickte seufzend. »Ja, ich bin neu.«

Das Mädchen richtete sich auf und setzte sich auf die Armlehne meines Stuhls. Ich war misstrauisch, weil ich nicht wusste, wer sie war oder was sie von mir wollte.

»Wie heißt du?«

»Barbara. Und du?«

»Christine.«

Sie blickte sich um, um sich zu vergewissern, dass die Luft rein war. »Wurdest du schon behandelt?«, fragte sie.

Ich wurde bleich.

Warum ahnt sie es?

Ich antwortete nicht sofort.

»Ja«, sagte ich schließlich.

Christine lächelte und tätschelte liebevoll meine Hand. Sofort fühlte ich mich besser. Wir unterhielten uns, und dann brach vor dem Fenster Unruhe aus.

»Da kommt er«, sagte jemand verängstigt.

»Ja«, pflichtete ein anderes Mädchen bei. »Das ist sein Auto.«

In dem Raum brach Panik aus.

»Hoffentlich trifft es nicht wieder mich«, sagte ein Mädchen mit brechender Stimme.

»Oder mich.«

Ich hörte ein leises Schluchzen, drehte mich um und sah ein weinendes Mädchen, das sich mit dem Ärmel die Tränen abwischte. Ihre völlige Verängstigung war unübersehbar.

»Hoffentlich bin nicht wieder ich an der Reihe«, sagte Christiane.

Auch ich wurde von Angst gepackt, und mir wurde so übel, dass ich glaubte, mich an Ort und Stelle übergeben zu müssen, denn eines war nun klar – diese Mädchen hatten alle seitens des Arztes die gleiche »Behandlung« erfahren wie ich. Es begann mit den Händen, und bald zitterte ich am ganzen Körper. All das war ein Albtraum. Die Mädchen am Fenster wichen erschrocken zurück. Das Licht der Scheinwerfer des Autos fiel in den Raum und auf die verängstigten Gesichter der Mädchen, die in den hintersten Ecken Zuflucht suchten. Dr. Milner war zurück.

»Was ist denn los?«, fragte ich Christine.

»Später, da kommt jemand.«

Ein Schlüssel drehte sich im Schloss, und die Schwester, die zuvor die Mädchen gezählt hatte, trat ein. Wieder klatschte sie in die Hände.

»Schon gut, Mädels, beruhigt euch.«

Es wurde still, und ich hörte draußen eine Autotür zuschlagen. Alle blickten sich ängstlich an. Es musste etwas mit dem Arzt zu tun haben.

»Bist du auch schon behandelt worden?«, fragte ich Christine flüsternd.

»Ja.« Sie schaute mich traurig an und schlug dann den Blick zu Boden. »Etwa sieben Mal.«

Ich schnappte nach Luft. »Sieben Mal?«

Christine nickte.

»Wie lange bist du schon hier?«

»Ungefähr ein Jahr. Vorher war ich in einer Besserungsanstalt namens The Cedars in Derby.«

»Wie ich«, sagte ich entmutigt.

Sieben Mal in einem Jahr.

Mach dir keine Sorgen, sagte ich mir. *Sobald mein Vater erfährt, wo ich bin, holt er mich hier raus. Er wird diesen dummen Arzt zusammenschlagen.*

Mein Vater war meine einzige Hoffnung. Außer ihm hatte ich niemanden. Aber er war nicht da, arbeitete wieder auf einer Ölbohrinsel. Er würde erst in drei Monaten zurückkommen, und ich hatte ihn schon etwa ein halbes Jahr nicht mehr gesehen.

Aber er wird kommen. Um mich hier rauszuholen. Es muss so sein.

Als ich mich umblickte, fiel mir ein kleines Fenster in der Wand neben der Tür auf – das Fenster des Schwesternzimmers. Christine erzählte mir, wir würden von dort aus beobachtet, und manchmal würden Medikamente durch das Fenster gereicht. Davor hing auf der Innenseite eine Musselingardine, sodass es fast unmöglich war zu sehen, was sich dahinter abspielte.

Plötzlich standen alle Mädchen reglos da, wie zu Marmorstatuen erstarrt. Selbst Jane hörte auf zu tanzen und Pirouetten zu drehen.

»Was ist los?«, fragte ich.

»Pst.« Christine legte einen Finger auf die Lippen. »Milner ist da. Sag nichts. Du kannst nicht wollen, dass seine Wahl auf dich fällt. Also halt einfach die Klappe.«

Ich starrte auf meine Hände. Sie zitterten.

Natürlich. Durch das kleine Fenster des Schwesternzimmers schaut Milner, wenn er sich sein nächstes Opfer aussucht.

Ich folgte dem Beispiel der anderen Mädchen und verhielt mich so unauffällig wie möglich. Alles erinnerte an ein absurdes Spiel. Niemand regte sich. Es war still wie in einer Leichenhalle. Eine Hand hob auf der Innenseite des Fensters die Gardine an. Eine Männerhand, nicht die einer Schwester. Dann schaute jemand in den Raum, und als ich die grauen Haare und das dunkle Brillengestell sah, wusste ich, dass es Milner war. Mein Herzschlag beschleunigte sich. Er hielt nach seinem nächsten Opfer Ausschau. Die Panik ringsum war mit den Händen zu greifen. Das Fenster öffnete sich. Der Arzt blickte in die Runde, schloss es wieder und ließ die Gardine herab. Seine Entscheidung war gefallen. Ich konnte nur hoffen und beten, dass es nicht wieder mich treffen würde. Noch immer herrschte totales Schweigen.

Eine Schwester trat ein und zeigte auf ein blondes, etwa dreizehnjähriges Mädchen. »Emily Thompson«, sagte sie.

»Nein!«, kreischte Emily. »Bitte nicht!«

Die Schwester wollte sie packen, doch das Mädchen reagierte schnell und klammerte sich an einem Stuhl fest, als ginge es um das nackte Überleben.

»Nein, ich komme nicht mit!«, schrie sie.

»Komm schon, Emily, beruhige dich. Der Arzt wartet, um dich zu behandeln.«

»Aber ich will nicht!«

Die Schwester verlor die Geduld und versuchte, das Mädchen loszureißen, doch das klammerte sich weiter an dem Stuhl fest.

»Komm jetzt. Mach nicht alles schlimmer.«

»Bitte, bitte …«, bettelte Emily.

Wieder wurde die Gardine angehoben, wieder schaute Milner durch die Scheibe. Sein Anblick verschlug mir den Atem, und ich schaute schnell weg. Er durfte nicht sehen, dass ich ihn anstarrte. Wenn er es bemerkte, würde er vielleicht seine Meinung ändern und sich für mich entscheiden.

Emily jammerte und weinte, als zwei Schwestern sie aus dem Raum führten. Auch als die Tür sich geschlossen hatte, hörten wir aus dem Flur noch ihr lautes Schluchzen. Hier geschahen schlimme Dinge, und es traf »ungezogene Kinder«. Aber es kümmerte keinen, weil niemand uns wollte. Ich wurde aus meinen Gedanken gerissen, als die Schwester in die Hände klatschte und es in dem Raum wieder laut wurde.

»Also los, Mädels. Essenszeit.«

Alle setzten sich an den langen Tisch, als wäre während der letzten fünf Minuten nichts passiert. Christine und ich fanden keine zwei freien Plätze nebeneinander, und ich war verlegen, weil ich nicht wusste, ob ich mich hinsetzen sollte. Ich sah den leeren Stuhl, doch dort hätte ich direkt mit dem Rücken zu dem Fenster des Schwesternzimmers gesessen. Wenn Milner zurückkam, hätte ich ihn deshalb nicht gesehen. Das machte mich nervös, denn ich wollte, *musste* einen kühlen Kopf bewahren und ihn jederzeit sehen können, um irgendwie zu verhindern, dass seine Wahl erneut auf mich fiel. Ich war wie benebelt durch die Aufregung und die Medikamente.

»Sechzehn, siebzehn, achtzehn, neunzehn«, hörte ich die Schwester rufen.

Für einen Augenblick dachte ich, sie würde erneut die Anwesenden zählen, doch dann merkte ich, dass sie auf ein Tablett mit Besteck schaute. Sie zählte die Gabeln.

»Zwanzig, einundzwanzig, zweiundzwanzig …« Als sie bei fünfzig angekommen war, begann sie die Messer zu zählen.

Mit dem Rücken zu dem Fenster fühlte ich mich schutzlos. Ich drehte den Kopf und sah eine Silhouette durch die Gardine. Ein braunes Tweedjackett. Milner. Er ging in dem Schwesternzimmer herum. Ich wusste nicht, ob er in unsere Richtung schaute, aber ich drehte mich wieder um und starrte auf die Tischplatte. Mein Herz hämmerte heftig, in meinen Ohren rauschte das Blut.

Die Schwester zählte noch immer das Besteck.

»Einunddreißig, zweiunddreißig, dreiunddreißig …«

Ich saß wie erstarrt da, unfähig, mich zu rühren. Obwohl benommen von den Medikamenten, schrie eine Stimme in meinem Inneren, ich müsse so weit wie möglich wegrennen, um diesem Arzt und diesem entsetzlichen Speisesaal zu entkommen.

»Neununddreißig, vierzig, einundvierzig …«

Ich hörte, wie ein Stuhl zurückgeschoben wurde, und kurz darauf legte sich behutsam eine Hand auf meine Schulter.

»Komm, lass uns tanzen.«

Jane.

Sie wollte meine Hand ergreifen, doch ich zog eine Grimasse und riss sie zurück.

»Sieh mal«, sagte sie lachend, als sie vor mir Pirouetten zu drehen begann.

»Fünfundvierzig, sechsundvierzig, siebenundvierzig …«

»Hau ab«, zischte ich, denn ich hatte Angst. Dr. Milner könnte durch sie auf mich aufmerksam werden.

Er war nur ein paar Meter entfernt, und ich wollte nicht schon wieder an die Reihe kommen. Und so weigerte ich mich, Janes Hand zu halten. Die warf nur den Kopf in den Nacken und lachte. Dann begann sie wieder zu steppen. Das Klackern ihrer Absätze auf dem Linoleumboden war so laut, dass es das Zählen des Bestecks übertönte.

»Sieh mal, ich kann dir das beibringen«, sagte Jane. »Ich war mal eine berühmte Tänzerin.«

Erneut versuchte sie, meine Hand zu packen, wieder riss ich sie wütend zurück.

»Ich habe in der Royal Albert Hall getanzt ...«

»Neunundvierzig, fünfzig, einundfünfzig ...«

»Komm, lass es mich dir zeigen ... Dann wirst auch du eine berühmte Tänzerin.«

Ich konnte mich nicht mehr beherrschen. »Hau endlich ab und lass mich in Ruhe«, stieß ich zwischen zusammengebissenen Zähnen hervor.

Jane hielt inne mit ihren Pirouetten und legte eine Hand auf ihre Brust, als hätte ich ihr gerade einen Dolch ins Herz gebohrt. Ich fühlte mich entsetzlich, konnte aber nicht das Risiko eingehen, dass Milner mich für die nächste Behandlung aussuchte.

»Na los, Mädels, setzt euch«, rief die Schwester, die das Besteck gezählt hatte.

Jane blickte sich um, ging los und setzte sich auf einen Stuhl an einem anderen Tisch. Ich war erleichtert und starrte auf die mit grauem Kunststoff beschichtete Tischplatte. Die Schwester rief die Namen zweier Mädchen, und für einen Augenblick fragte ich mich, ob diese beiden für die Behandlung ausgewählt worden waren, doch sie sollten nur das Besteck verteilen, ein Mädchen die Gabeln, das andere die Messer.

»Komm nicht auf dumme Gedanken«, sagte Letztere mit einem Blick auf das Messer. »Alle Messer und Gabeln sind gezählt, also versuch bitte nicht, sie mitgehen zu lassen.«

Ich war verwirrt. Der Gedanke war mir nicht einmal gekommen. Als das Besteck verteilt war, brachte eine Schwester mit einem Wagen das Essen. Mir lief das Wasser im Mund zusammen, als sie einen dampfenden Teller mit einem Steak, Kartoffelpüree, Zwiebeln und Erbsen vor mir auf den Tisch stellte. Die anderen begannen zu essen. Ich wollte es ihnen gleichtun, doch als ich nach dem Besteck griff, begannen beide Handgelenke höllisch zu schmerzen. Ich war halb verhungert, aber unfähig, Messer und Gabel zu benutzen. Mit jedem vergeblichen Versuch wurde der Schmerz schlimmer. Ich konnte das Messer kaum halten, geschweige denn das Fleisch damit schneiden. Obwohl das Essen wundervoll roch, musste ich aufgeben. Ich ließ das Besteck wütend auf den Tisch fallen und schaute neidisch den anderen beim Essen zu. Das war bitter, tat aber nicht so weh.

Mir gegenüber saß ein übergewichtiges Mädchen namens Emma. Sie blickte nacheinander mich und meinen Teller an.

»Hast du keinen Hunger?«, fragte sie mit vollem Mund.

Ich antwortete nicht.

»Bist du taub?«, zischte sie. »Falls du das Essen nicht willst, schieb den Teller rüber, wenn die Schwester woanders hinschaut.«

Ich reagierte wieder nicht, und das schien sie noch wütender zu machen.

»Ignorier mich nicht, oder du wirst es bereuen«, fuhr sie mich an.

Ich schaute sie an und nickte, um ihr zu signalisieren, dass ich verstanden hatte. Sie konnte mein Essen haben, weil mir der Blick auf ihr feistes, mit Püree und Soße verschmiertes Gesicht plötzlich jeden Appetit verschlagen hatte. Da ich keine unerwünschte Aufmerksamkeit auf mich ziehen wollte, hob ich den Teller, um ihn Emma zu reichen, doch er war so schwer, und meine Handgelenke schmerzten so sehr, dass ich ihn nicht festhalten konnte.

Der Teller krachte auf den Tisch, Essen spritzte über den Rand und auf Emma. Eine Schwester kam herbeigerannt und blickte mich wütend an.

»Steh auf!«, blaffte sie mich an.

Ich blickte zum Fenster des Schwesternzimmers hinüber, weil ich Angst hatte, dass Milner mich jetzt endgültig im Visier haben könnte. Und deshalb wollte ich nicht dadurch auffallen, dass ich aufstand. Das brachte die Schwester noch mehr auf, und sie packte meine blonden Locken und zog mich daran hoch.

»Aua!«, schrie ich.

Sie zerrte mich zu dem Fenster des Schwesternzimmers, hinter dem Milner stand. Ich war erstarrt vor Angst, doch mein Instinkt sagte mir, dass ich versuchen musste, die Flucht zu ergreifen. Ich trat und schlug um mich, doch es war vergeblich, denn wegen der Medikamente waren meine Glieder kraftlos. Eine andere Schwester kam herbeigeeilt, zog mir die Arme auf den Rücken und verdrehte sie schmerzhaft.

»Aua!«

Sie zogen mich vor das Fenster.

»Willst du behandelt werden?«, fragte die erste Schwester drohend.

Meine Wut war so groß, dass ich mich nicht mehr beherrschen konnte.

»Ist mir egal!«, schrie ich.

Was natürlich nicht stimmte. Ich befürchtete, dass Milner jeden Moment auftauchen würde.

Plötzlich begannen die anderen Mädchen wie wild mit ihrem Besteck auf die Tischplatte zu hämmern.

»Gut so, wehr dich!«

Der Lärm kam überraschend, denn bis jetzt hatte fast völlige Stille geherrscht. Nun sahen die anderen, dass sich jemand nicht alles gefallen ließ, und dieser Jemand war ich. Die Schwester ließ mein Haar los und zwang mich mit dem Gesicht schmerzhaft gegen die kalte Wand.

»Willst du, dass Dr. Milner kommt?«, fragte eine

Stimme hinter mir, doch mittlerweile war mir alles egal, selbst Milner. Ich war sowieso so gut wie tot.

»Du wirst wieder behandelt«, zischte die Schwester.

»Ist mir scheißegal!«

»Vielleicht siehst du das nach einer kleinen Elektroschocktherapie anders«, flüsterte sie.

Ich war zwölf und hatte keine Ahnung, was eine Elektroschocktherapie war, aber es klang beängstigend. Plötzlich tauchte eine dritte Schwester auf, und die anderen beiden pressten mich noch härter gegen die Wand.

»Haltet sie gut fest«, hörte ich die dritte Schwester sagen.

Dann spürte ich den Stich einer kühlen Nadel.

»Na dann, gute Nacht, schlaf schön«, flüsterte die erste Schwester.

Aber ich war schon benommen, und dann wurde alles schwarz.

8

Menschliche Versuchskaninchen

Als ich den Kopf von der Gummimatratze zu heben versuchte, war er bleischwer. Ich öffnete die Augen und wurde urplötzlich von Angst überwältigt. Ich war wieder in dem Behandlungszimmer. Jeder einzelne Knochen meines Körpers schmerzte. Es war stockfinster, und ich blinzelte, um mich zu vergewissern, ob ich überhaupt wach war. Ich war benommen vor Erschöpfung, und als ich meine Beine zu bewegen versuchte, schoss ein stechender Schmerz meinen Rücken hinauf. Irgendwie schaffte ich es, wieder einzuschlafen. Irgendwann später wurde ich durch das Geräusch der sich öffnenden Tür geweckt. Durch die offene Tür fiel Licht aus dem Flur, und ich sah, dass es nicht dasselbe Behandlungszimmer war wie beim letzten Mal. Obwohl ich mit dem Gesicht zur Wand lag, war mir bewusst, dass jemand hinter mir stand. Ich hatte Angst, es könnte Dr. Milner sein, der mich erneut behandeln wollte. Ich wagte es nicht, mich zu rühren. Stattdessen atmete ich tief, ganz so, als würde ich fest schlafen. Es roch schwach nach Parfüm. Also war es nicht Milner, sondern eine Schwester. Innerlich seufzte ich erleichtert auf. Oder war sie vielleicht hier, um mir die nächste Spritze zu verabreichen?

»Hörst du mich?«, fragte die Frau.

Ich tat weiter so, als würde ich schlafen.

»Ich weiß, dass du wach bist.«

Mit meinem bleischweren Kopf hörte ich ihre Stimme nur verzerrt.

Schritte. Sie ging zum Fenster und öffnete die Läden. Grelles Licht blendete mich, und ich schloss erneut die Augen. Ich wollte nicht mit dieser Frau in dem Raum sein, wollte nicht hören, was sie zu sagen hatte.

»Du bist aus einem bestimmten Grund hier«, fuhr sie fort. »Du warst ein sehr ungezogenes Mädchen, genau wie die anderen, aber Dr. Milner wird dich heilen von deiner Schlechtheit.«

Ich schnappte nach Luft. Die bloße Erwähnung des Namens reichte, um mich in Panik zu versetzen.

»Dr. Milner wird dich mit einer Elektroschocktherapie behandeln. Weißt du, was das ist?«

»Nein.« Meine Angst war so groß, dass ich es nicht wagte, mich umzudrehen. Ich befürchtete, der Arzt könnte direkt neben der Schwester stehen.

»Dabei werden Stromstöße durch deine Stirn und das Gehirn geleitet. Das wird so lange wiederholt, bis dein Benehmen sich gebessert hat.«

Ich erstarrte vor Angst.

Stromstöße durchs Gehirn?

»Hör zu, ich will und muss nicht wissen, warum du deinen Teller auf den Tisch geknallt hast. Tatsache ist, dass du dich einer anderen Patientin gegenüber ungehörig verhalten hast, und so ein Benehmen dürfen wir nicht dulden. Wir können dich hier einsperren, solange es uns passt. Und wir können dich auch so lange in diesem Krankenhaus behalten, wie es uns gefällt. Es liegt bei dir. Doch mit diesem ungehörigen und aggressiven Verhalten läufst du Gefahr, noch sehr lange in diesem Raum zu bleiben.«

Mein benebeltes Gehirn versuchte zu verarbeiten, was sie gesagt hatte.

Vielleicht werden sie mich für immer hier einkerkern?

»Setz dich auf und sieh mich an«, befahl die Schwester.

Ich hatte keine Lust, selbst wenn ich es geschafft hätte. Zugleich hatte ich Angst davor, was sie mit mir machen würde, wenn ich gehorchte.

Wenn du dich aufsetzt, kannst du wenigstens versuchen, dich zu wehren, flüsterte eine Stimme in meinem Kopf.

Ich versuchte mich aufzusetzen, doch es war zu schmerzhaft. Ich wollte nicht geschlagen werden, doch ihr Tonfall sagte mir, dass ich von ihrer Seite kein Mitleid zu erwarten hatte. Erneut ließ mich das grelle Licht die Lider schließen.

»Augen auf«, fuhr sie mich an. »Je schneller du sie öffnest, desto eher hören sie auf zu schmerzen.«

Ich gehorchte. Vor meinen Augen verschwamm alles, doch ich sah, dass die Frau etwas in der Hand hielt.

»Es wird Zeit, dass du deine Tabletten nimmst. Hier.«

»Ich will nicht«, antwortete ich mit schleppender Stimme. »Das macht alles nur schlimmer.«

»Okay, dann mache ich die Fensterläden wieder zu und schließe die Tür ab. Du kannst ja an die Tür hämmern, wenn du beschlossen hast, Kooperationsbereitschaft zu zeigen.«

Aber ich wollte nicht hierbleiben, wollte wieder bei Christine und den anderen sein. Zögernd streckte ich die Hand aus, trank den bräunlichen, sirupartigen Saft und schluckte die Tabletten.

»Braves Mädchen. Jetzt kannst du mit nach unten kommen, wenn du bereit bist, dich anständig zu benehmen. Du kannst mit den anderen essen, aber diesmal knallst du nicht deinen Teller auf den Tisch. Haben wir uns verstanden?«

Ich nickte.

»Wir werden dich im Auge behalten. Bei den ersten Anzeichen dafür, dass du Ärger machen willst, bringen wir dich hierher zurück, kapiert?«

Die Schwester beugte sich vor und packte mein Handgelenk. Sie wollte mir nicht wehtun, aber ich zuckte trotzdem vor Schmerz zusammen. Sie zog mich auf die Beine, und sofort begann sich vor meinen Augen alles zu drehen. Mir war total schwindelig. Entmutigt sah ich, dass ich wieder diesen entsetzlichen, hinten zusammengebundenen grauen Krankenhauskittel trug. Ich konnte mich nicht erinnern, dass mir meine Kleidungsstücke ausgezogen worden waren.

»Bin ich wieder behandelt worden?«, fragte ich benommen.

Sie grinste. »Wie kommst du darauf?«

»Wegen des Kittels. Ich kann mich nicht daran erinnern, ausgezogen oder in diesen Raum gebracht worden zu sein. Ich will meine Kleidung zurück«, jammerte ich. »Ich will nicht diesen grauenhaften Kittel tragen müssen.«

Und dann wurde mir klar, dass ich wieder keine Unterwäsche trug.

»Diesen Kittel trägst du zu deinem eigenen Schutz.«

Aber ich verstehe nicht. Wie kann der Kittel mich schützen, wenn ich darunter nackt bin?

Doch selbst in meinem verwirrten Geisteszustand war mir klar, dass ich gehorchen musste, wenn ich diese Zelle verlassen wollte. Je länger ich hierbleiben musste, desto größer war die Wahrscheinlichkeit einer neuen Behandlung. Trotz des Parfüms stieg mir ein schwacher chemischer Geruch in die Nase, der mir bekannt vorkam. Panik überwältigte mich, und ich wollte mich übergeben.

»Darf ich mich bitte richtig anziehen?«

Die Schwester nickte.

»Komm mit«, sagte sie, während sie sich umdrehte und den Raum verließ. Sie führte mich den Flur hinab zum Schlafsaal. Ich ging, so schnell mich meine Beine trugen. Se schloss die Tür auf und winkte mich herein.

»Beeilung. Zieh dich an, und dann geht's ab nach unten.«

Aber ich musste dringend pinkeln und ging Richtung Toilette.

»Wo willst du hin?«

Ich zeigte auf die Toilettentür.

»Halt mich nicht auf. Mach schnell und zieh dich an. Ich habe gleich Feierabend und keine Lust, mir von einer geistig Zurückgebliebenen des Wochenende verkürzen zu lassen.«

Ich verschwand in der Toilette, und als ich wieder herauskam, begann ich mich anzuziehen. Ich entschied mich für einen Pullover und einen Rock, bei denen ich mich nicht mit Knöpfen herumplagen musste. Und ich war dankbar, endlich wieder Unterwäsche anziehen zu können. Es kam mir so vor, als würde deren Stoff meinen Körper schützen. Auf Strümpfe verzichtete ich, denn das würde mich nur aufhalten. Ich wollte die Schwester nicht verärgern und so das Risiko eingehen, dass sie mich in die Zelle zurückbrachte. Sie steckte den Kopf durch den Türspalt.

»Bist du so weit? Gut.« Sie winkte mich in den Flur und schloss die Tür des Schlafsaals hinter uns ab.

»Geh und warte an der Treppe.«

Ich ging los, aber mein Herzschlag beschleunigte sich, als ich an der weit offen stehenden Tür des Behandlungszimmers vorbeikam.

Ist es ein Trick? Will sie mich dort reinbringen?

Angst überkam mich, mein Atem ging schnell und unregelmäßig.

»Willst du jetzt mitkommen zu den anderen oder nicht?«

Die Schwester eilte an mir vorbei und ging die Treppe hinunter. Ich folgte ihr, dankbar, dass ich gleich inmitten der anderen Mädchen in Sicherheit sein würde. Am Fuß der Treppe fiel mein Blick auf die Tür, durch die ich das Aston Hall Hospital zum ersten Mal betreten hatte. Aber ich wusste, dass es kein Entkommen gab. Als wir den Gemeinschaftsraum erreicht hatten, schloss die Schwester die Tür auf und warf mir von der Seite einen Blick zu.

»Schon als ich dich zum ersten Mal sah, wusste ich, dass es mit dir Probleme geben würde.« Sie fuchtelte mit ihrem Schlüsselbund vor meinem Gesicht herum. »Wenn du noch einmal Ärger machst, sperre ich dich wieder ein, und dann folgt die Elektroschocktherapie. Habe ich mich deutlich ausgedrückt?«

Ich wollte nur noch bei den anderen sein und nickte.

Sie öffnete die Tür.

Ich trat ein und atmete erleichtert auf. In dem Moment beschloss ich, von nun an die Musterpatientin zu sein, ein braves Mädchen, um mir die Elektroschocktherapie zu ersparen. Hinter mir knallte die Schwester die Tür zu. Ich schaute mich um. In der Ecke plärrte wie üblich der Fernseher, davor saßen apathisch ein paar Mädchen. Bei einem war das Weiß der Augen gelb. Ich wandte den Blick ab und schauderte.

Was soll ich tun? Stehen bleiben oder mich setzen? Würde ich Ärger bekommen, wenn ich mich zu den anderen an den Tisch setzte?

Diese Gedanken gingen mir durch den Kopf, als jemand auf die Lehne meines Stuhls tippte. Christine.

»Wurdest du behandelt?«, flüsterte sie mir ins Ohr.

»Ich weiß es nicht«, antwortete ich wahrheitsgemäß. »Ich glaube nicht.«

Meine Stimme klang immer noch merkwürdig, aber nicht mehr so schleppend.

»Du bist eine Kämpferin«, sagte sie lächelnd. »Gestern hast du's ihnen gezeigt, auch der fetten Emma. Das war großartig, als sie mit dem Fraß zugesaut war.«

Ich schüttelte den Kopf. »Gestern?«

Christine nickte.

»Ja, gestern, beim Essen.«

Ich war verwirrt. Wo war der Rest des Tages geblieben?

»Ja, sie haben dich seitdem da oben eingesperrt. Aber jetzt ist Wochenende, da lassen sie die Eingeschlossenen immer raus.«

»Ich bin am Montag gekommen, und jetzt ist es schon Samstag?«

Christine nickte. »Ja, genau.«

Wo ist die Zeit geblieben? Ich habe geglaubt, meine Behandlung habe einen Tag gedauert, nicht vier.

Ich hatte zu starke Kopfschmerzen, um weiter darüber nachzudenken, doch das konnte ich auch später noch tun, wenn der Nebel sich gelichtet hatte.

Plötzlich brach etwas wie Panik aus, und die wie üblich vor dem großen Fenster versammelten Mädchen rannten weg. Einmal mehr fiel das Licht der Autoscheinwerfer auf verängstigte Gesichter.

»Da kommt er«, rief jemand, während alle sich in den hintersten Ecken des Raums zusammendrängten.

Ich begann am ganzen Körper zu zittern.

Bitte nicht wieder ich, flehte ich insgeheim.

Ich hielt nach Emily Ausschau, Milners letztem Opfer, doch sie war nirgends zu sehen.

»Wo ist Emily?«, fragte ich Christine.

»Sie ist noch nicht zurück. Manchmal kommen sie gar nicht mehr zurück.«

»Was soll das heißen?«

»Oh, ich weiß nicht. Vielleicht werden sie von hier anderswohin gebracht. Die Behandlung kann manchmal lange dauern.«

Ich wollte unbedingt Genaueres erfahren, fürchtete mich aber davor, danach zu fragen. Aber eine Frage musste ich stellen.

»Haben sie dich schon mal mit einer Elektroschocktherapie behandelt?«, murmelte ich so leise, dass Christine mich nicht verstand.

»Was hast du gesagt?«

Jetzt hatte mich der Mut verlassen.

»Ist egal«, dachte ich und schlug den Blick zu Boden.

Die Stimmung in dem Gemeinschaftsraum war angespannt. Alle befürchteten, es könnte sie treffen. Die Musselingardine des Schwesternzimmers bewegte sich, eine Frau schaute hinaus. Ich stand reglos und mit angehaltenem Atem da.

Die Tür öffnete sich, und eine Schwester trat ein. »Christine Smith«, rief sie.

Ich brauchte ein paar Sekunden, um zu begreifen, dass das *meine Christine* war.

»Das bin ich.« Sie seufzte, und dann traten ihr Tränen in die Augen. »Ich hasse die Behandlung.«

Es tat mir im Innersten weh, als ich meine neue Freundin ansah. Im Gegensatz zu Emily protestierte sie nicht. Sie hatte sich damit abgefunden, dass sie an diesem Abend Milners menschliches Versuchskaninchen sein würde. Die Schwester sagte etwas, und Christine nahm mich in den Arm und zog mich fest an sich.

»Wir bleiben für immer beste Freundinnen«, flüsterte sie. Weinend trat sie einen Schritt zurück. »Drück mir die Daumen.«

»Alles Gute«, brachte ich mühsam hervor.

»Na los, Christine, mach schon.«

Christine und ich winkten uns zum Abschied zu. Ich war todtraurig darüber, dass ich meine neue Freundin so schnell wieder verloren hatte.

Werde ich sie jemals wiedersehen?

Die Tür schlug zu, und Christine war verschwunden. Sie wurde in das Behandlungszimmer mit der Gummimatratze auf dem Boden gebracht. In diese Zelle ohne Licht und Geräusche. In einen Raum, wo man jedes Zeitgefühl verlor, gequält von Fragen, die nicht zu beantworten waren.

Mit dieser einen Umarmung hatte Christine es geschafft, meinen harten Panzer aufzubrechen. Außerhalb des Behandlungszimmers war es die einzige körperliche Berührung mit einem anderen Menschen gewesen. Endlich hatte ich an diesem höllischen Ort eine Freundin gefunden, und ich war entschlossen, sie nicht wieder zu verlieren. Ich würde Christine beschützen und sie mich. Wenn wir das hier überlebten, mussten wir aufeinander aufpassen. Doch in diesem Moment war ich machtlos. Ich konnte Christine nicht helfen. Ich erschauderte bei der Vorstellung, dass sie jetzt den langen Korridor hinab zu dem Behandlungszimmer geführt wurde. Eine Schwester tauchte auf und riss mich aus meinen Gedanken. Sie hielt zwei kleine Pappbecher in den Händen, einen mit der bräunlichen, sirupartigen Flüssigkeit, einen mit Wasser, um die beiden weißen Tabletten hinunterzuspülen. Ich widersprach nicht und schluckte sie gehorsam. Als die Wirkung der Medikamente einsetzte, ließ ich mich auf Christines Stuhl fallen, und mein Kopf sackte auf die Brust.

Einundzwanzig, zweiundzwanzig, dreiundzwanzig ...

Wieder wurde das Besteck gezählt. Nach jeder Zahl fiel ein Messer auf das Tablett. Ich musste eingenickt sein, wachte aber wieder auf, als jemand laut in die Hände klatschte.

»Ruhe jetzt, Anwesenheitskontrolle«, rief die Schwester.

Wir blieben, wo wir waren, bis sie alle gezählt hatte.

»Also gut, Mädels, Essenszeit. Setzt euch.«

Ich blickte zu dem Tisch hinüber, um zu sehen, welche Stühle noch nicht besetzt waren. Ich entdeckte einen

freien Platz und setzte mich, bevor ihn mir jemand weg-
schnappte. Von hier aus hatte ich einen perfekten Blick
auf das Fenster des Schwesternzimmers. Als ich gerade
überprüfen wollte, ob Dr. Milner da war, zog jemand an
meinen Haaren. Ich drehte mich um und sah Emma. Sie
wandte sich ab, doch ein paar Augenblicke später riss sie
erneut an meinen Haaren. Ich warf ihr einen aggressiven
Blick zu, den sie höhnisch erwiderte, und einige der anderen Mädchen kicherten. Aber ich wollte mich nicht
streiten, wollte nicht, dass sich die Ereignisse des Vortags
wiederholten. Ich wollte nur in Ruhe gelassen werden
und keinen Ärger bekommen, doch Emma tat es erneut.

»Lass es«, stieß ich zwischen zusammengebissenen
Zähnen hervor.

»Warum?«, fragte sie spöttisch. »Was kannst du schon
dagegen tun?«

Ich erinnerte mich daran, wie Liam mir das Boxen beigebracht hatte.

»Vorsicht«, warnte ich.

»Willst du dich mit mir prügeln?«

Emma hatte offensichtlich nicht vor, mich in Ruhe zu
lassen. Sie riss weiter an meinen Haaren und tat mir weh.
Da gerade die Schwester mit dem Essen kam, wagte ich
es nicht, mich zu wehren. Ich bedankte mich, als sie einen Teller mit Fisch, Pommes und Erbsen vor mir auf
den Tisch stellte.

»Vielen Dank«, sagte ich noch einmal.

»Keine Ursache.«

Ich fühlte mich besser. Wichtig war es, die Ruhe zu bewahren und mich gut zu benehmen, damit mir die Elektroschocktherapie erspart blieb. Meine Handgelenke schmerzten immer noch, und es war schwierig, die Gabel zu halten. Also begann ich, die Pommes mit den Fingern zu essen.

»Kannst du nicht mit Messer und Gabel essen?«, fragte Emma höhnisch.

Ich wurde wütend.

Lass dich nicht provozieren.

Ich blickte zu dem Fenster des Schwesternzimmers hinüber, doch von Milner war nichts zu sehen. Dann schaute ich durch das große Fenster. Das Auto war verschwunden.

Er muss wieder gefahren sein. Aber wer ist dann bei Christine?

Emma schleuderte mir weiter Beleidigungen entgegen, doch ich war halb verhungert. Ich hatte nichts mehr gegessen seit den Marmeladenbroten, welche die Schwester mir nach der Behandlung gebracht hatte. Ich wollte erst die Pommes aufessen, dann konnte ich mich immer noch um Emma kümmern, die mit ihren Freundinnen weiter über mich lachte. Als mein Teller ziemlich leer war, rückte ich mit meinem Stuhl so weit zurück, dass er gegen ihren stieß.

»Was soll das?«, fuhr sie mich an.

Ich drehte mich zu ihr um. »Dir macht's Spaß, andere zu drangsalieren, aber ich habe keine Angst vor dir.«

Ich stand auf und ging zu der Schwester hinüber. Ich glaubte, Emmas durchbohrenden Blick auf meinem Rücken zu spüren.

»Entschuldigen Sie, Miss, aber ich habe da ein Problem mit Emma«, sagte ich.

Emma senkte schuldbewusst den Kopf und aß weiter.

»Sie will sich mit mir streiten, aber ich will das nicht«, fuhr ich fort. »Ich möchte nur in Ruhe gelassen werden.«

Die Schwester blickte zwischen mir und Emma hin und her.

»Also gut, setz dich wieder.« Sie zeigte auf meinen Stuhl. »Ich behalte die Situation im Auge.«

Emma warf mir einen wütenden Blick zu, als ich an meinen Platz zurückkehrte. Auf meine Teller hatte ich noch ein Stück Fisch zurückgelassen, doch das war jetzt unter einem Berg von Salz begraben. Emma warf den Kopf in den Nacken und brach in Gelächter aus. Ich sagte nichts, weil ich wusste, dass die Schwester uns beobachtete. Aber ich stieß noch einmal mit meinem Stuhl gegen ihren.

»Dumme Schlampe«, fuhr sie mich an.

Ich antwortete nicht. Emma schaute zu ihren Freundinnen hinüber, die ständig an ihren Lippen hingen. Ich lehnte mich auf meinem Stuhl zurück, bis mein Mund neben ihrem Ohr war, sprach aber so laut, dass auch die anderen es hörten.

»Ich reiß dir den Kopf ab. Hast du gehört? Ich werde dich übel zurichten.«

Sie wirkte geschockt, konnte sich vor ihren Freundinnen aber keinen Gesichtsverlust leisten.

»Ich kann boxen«, fuhr ich fort. »Man hat mir beigebracht, mit Leuten wie dir fertig zu werden.«

Sie sah mich an, als hätte ich ihr urplötzlich eine Ohrfeige verpasst, fing sich aber schnell wieder.

»Wir werden sie uns vorknöpfen. Sehe ich das richtig, Mädels?«

Ich seufzte. »Wir werden sehen. Du wirst mir nichts tun. Ich hab keine Angst vor dir, du fette Kuh.«

Das ließ alle verstummen. Emma wirbelte zu mir herum. Ihr Gesicht war vor Wut rot angelaufen.

»Blöde Fotze«, fügte ich hinzu.

Ich wollte sie bestrafen, so wie ich in dem Behandlungszimmer bestraft worden war. Sie sollte genauso leiden wie ich.

Die Schwester tauchte auf.

»Alle fertig hier?«, fragte sie, während sie schon damit begann, den Tisch abzudecken.

Kurz darauf begann wieder die Zählung des Bestecks.

Fünfundvierzig, sechsundvierzig, siebenundvierzig …

Emma provozierte mich weiter. Jetzt ging es darum, wer zuerst die Nerven verlor. Ich wollte es nicht sein.

Einundfünfzig, zweiundfünfzig, dreiundfünfzig …

»Ich hab was für dich, kleine Boxerin«, flüsterte Emma. »Es wird dir nicht gefallen. Du bist ein freches kleines Arschloch, und ich werde dir eine Lektion erteilen.«

Mittlerweile war mir ihr Geschwätz egal. Nichts war schlimmer als diese Behandlung, nicht einmal Emma.

Die Schwester klatschte in die Hände.

»Keiner rührt sich vom Fleck!«, schrie sie. Dann lief sie zu dem Fenster des Schwesternzimmers, klopfte an die Scheibe und drehte sich um, damit sie uns im Auge behalten konnte. Ich hatte keine Ahnung, was los war.

Dann kamen drei andere Schwestern in den Gemeinschaftsraum gestürmt.

»Was ist passiert?«, fragte eine von ihnen.

»Ein Messer fehlt«, antwortete die erste Schwester. »Eine von ihnen hat ein Messer.«

Sie wirkte wie von Panik gepackt, und in dem Raum wurde es still. Alle blickten sich misstrauisch an. Die Oberschwester, die sich in dem Büro aufgehalten hatte, übernahm sofort die Kontrolle.

»Alle bleiben an ihrem Platz. Wenn das Mädchen, welches das Messer hat, nicht sofort aufsteht und es zurückgibt, werdet ihr alle gefilzt.«

Sie blickte sich um, doch niemand meldete sich.

»Wenn diejenige, die das Messer genommen hat, es nicht herausrückt, werdet ihr alle bestraft.«

Schweigen.

»Macht es euch nicht unnötig schwer. Her mit dem Messer.«

Ich blickte in die Runde, doch niemand zuckte zusammen.

»Also gut.« Die Oberschwester begann die Geduld zu verlieren. »Ich gebe euch fünf Minuten.«

Weiter Schweigen.

»Also gut, wie ihr wollt.« Sie zeigte auf den erstbesten Tisch. »Du, du, du und du. Kommt her.«

Die Mädchen standen auf und traten zu ihr.

»Stellt euch in einer Reihe auf.«

Die Mädchen gehorchten.

»Hände hinter den Kopf, Beine spreizen.« Die Oberschwester filzte die Mädchen, fand nichts und sagte ihnen, sie sollten sich an der Wand aufstellen. Dann kamen die nächsten vier an die Reihe. Die Oberschwester tastete sie gründlich ab. Danach begann sie die Mädchen aufs Geratewohl zu filzen.

»Du da.« Sie zeigte auf mich. Ich stand auf und ging zu ihr. Sie rief drei Mädchen zu sich, doch da ich mit dem Rücken zu den anderen stand, wusste ich nicht, wer es war. Ich hörte das Kratzen von Stuhlbeinen auf dem Boden, als die anderen aufstanden.

»Nein, nicht du«, hörte ich die Oberschwester sagen. »Du bleibst, wo du bist.«

Ich wollte mich umdrehen, wagte es aber nicht.

»Rühr dich nicht vom Fleck, Emma!«

Ich war krank vor Angst.

Emma hat das Messer, und ich kehre ihr den Rücken zu.

Das ließ mich herumwirbeln, aber ich sah nur Emmas Rücken.

»Alle anderen Mädchen kommen her zu mir. Und du rührst dich nicht, Emma.«

Die anderen Mädchen liefen los, und Emma saß allein da. Sie wusste, dass sie erwischt worden war. Dann sprang sie plötzlich auf, packte einen Stuhl und schleuderte ihn quer durch den Raum. Drei Schwestern rannten los, um sie sich zu schnappen, doch Emma war wie ein wildes Tier. Sie warf Tische und Stühle um und starrte die Schwestern hasserfüllt an.

»Na los, kommt her, ihr Schlampen«, schrie sie wie eine Besessene.

Und dann sah ich in ihrer rechten Hand das Messer, dessen Klinge im Licht funkelte. Ich stand mit den anderen an der hinteren Wand.

Emma fuchtelte mit dem Messer herum. »Lasst mich bloß in Ruhe, ihr dummen Schlampen.«

Urplötzlich trat Jane zwischen Emma und die Schwestern und begann zu steppen.

»By the light of the silvery moon …«, sang sie.

Es war bizarr, wie ein absurder Traum. Jane tanzte, und die anderen stampften rhythmisch auf den Linoleumboden.

Ich schaute zwischen Emma, den Schwestern und Jane hin und her.

Was für ein Irrenhaus.

Die Schwestern umzingelten Emma, die einen Satz nach vorne machte, um sie zu verscheuchen. Aber die Schwestern ließen sich nicht aufhalten, und kurz darauf stand Emma mit dem Rücken zur Wand.

Unterdessen sang Jane weiter.

»Wir rufen die Polizei«, warnte eine der Schwestern Emma. »Die Polizei und Dr. Milner.«

Die bloße Erwähnung des Namens versetzte alle in Panik.

»Ist mir scheißegal!«, schrie Emma.

»Beruhige dich!«, versuchte sie eine der Schwestern zu besänftigen. »Wir können doch vernünftig darüber reden.«

Emma versetzte dem nächsten Stuhl einen Fußtritt und blickte mich an, als wollte sie mich umbringen. Vielleicht hätte ich Angst haben sollen, doch plötzlich tat sie mir nur noch leid. Es war ein mitleiderregender Anblick, wie sie sich mit dem stumpfen Messer die Schwestern vom Hals halten wollte.

»Lass das Messer auf den Boden fallen, sonst rufe ich die Polizei und Dr. Milner«, warnte die Oberschwester noch einmal.

Alle schwiegen, nur Jane sang noch immer:
By the light of the silvery moon
I wanna spoon, to my honey I'll croon love's tune
Oh-ho, honey-moon keep a-shining in June.

Aber alle Augen waren weiter auf Emma gerichtet. Sie stürmte los, stolperte aber über etwas und schlug mit dem Gesicht auf den Boden. Die Schwestern eilten zu ihr und hielten sie fest. Eine zog ihr die Arme auf den Rücken und verdrehte sie schmerzhaft, wie sie es mit mir gemacht hatten. Emma hob etwas den Kopf, und ich sah ihre blutende Nase. Eine andere Schwester kam mit einer Spritze.

»Haltet sie gut fest«, sagte sie und verpasste Emma eine Injektion in den Hintern. Sofort wurde ihr Körper schlaff.

Ich wusste, wie sich das anfühlte.

Die Schwestern packten Emmas Arme und Beine und schleiften sie wie ein totes Tier über den Boden. Sie war bewusstlos, sah aber aus wie eine Tote. Die Tür wurde aufgeschlossen, und dann war Emma verschwunden.

Eine Schwester klatschte laut in die Hände, um die Ordnung wiederherzustellen.

»Hört gut zu, Mädels. Ihr habt gesehen, was passiert, wenn eine von euch sich aufspielt. Am Ende gewinnen immer wir. Hebt jetzt die umgeworfenen Tische und Stühle auf und bringt alles wieder an seinen Platz.«

Wir gehorchten, und Jane sang und steppte noch immer, völlig in ihrer eigenen Welt eingeschlossen. Ich empfand etwas wie Neid. Sie lebte ganz in ihrem Kopf, wo sie niemand erreichen konnte. Obwohl sie verrückt war, hätte ich mir fast gewünscht, mit ihr tauschen zu können. Immer wieder begann sie von vorn mit demselben Lied. Als die Möbel wieder am richtigen Platz standen, setzten wir uns und sprachen über das, was gerade passiert war. Die drei Mädchen, die auf Emmas Seite gestanden hatten, kamen zu mir.

Die älteste von ihnen bohrte mir einen Finger in die Brust. »Das ist alles deine Schuld«, sagte sie. »Und du wirst dafür büßen, wenn Emma wieder bei uns ist.«

Obwohl sie drei oder vier Jahre älter war als ich, blickte ich ihr direkt in die Augen. »Hör zu, ich habe keinen Schiss vor Emma oder euch. Ihr werdet mir nichts tun, und jetzt könnt ihr mich in Ruhe lassen.«

Sie warfen mir finstere Blicke zu, zogen sich dann aber in eine Ecke des Raums zurück. Kurz darauf kamen zwei andere Mädchen zu mir.

»Sag mal, hast du keine Angst vor Emma?«

»Ich? Ich hab vor niemandem Angst.«

Innerlich zitterte ich, doch niemand sollte etwas davon wissen. In den Kinderheimen hatte ich gelernt, dass man sich nicht tyrannisieren lassen durfte, sonst war man verloren.

»Können wir deine Freundinnen sein?«

Ich war überrascht. »Ja, natürlich. Ich hab keinen Schiss vor dieser fetten Schlampe.«

Wir lachten und begannen zu plaudern. Zwei der Mädchen waren auch aus The Cedars hierhergekommen, und wir erzählten uns gegenseitig, was wir dort erlebt hatten. Es tat gut, neue Freundinnen zu finden, doch ich musste weiter daran denken, was Christine im Moment durchmachte.

Kurz darauf öffnete sich die Tür, und eine Schwester trat ein, dicht gefolgt von Christine. Ich sprang auf, rannte zu ihr und schloss sie in die Arme. Ich war so glücklich, sie zu sehen, und drückte sie fest an mich. Dann trat ich einen Schritt zurück und schaute ihr in die Augen.

»Wie war die Behandlung?«, fragte ich.

»Ist ausgefallen«, sagte sie mit einem breiten Grinsen. »Sie haben mir nicht mal eine Spritze gegeben, weil sie das Behandlungszimmer für eine andere brauchten.«

Ich war verwirrt, doch dann dämmerte es mir. Emma.

»Siehst du?« Christine drückte meine Hand. »Mein Glück habe ich dir zu verdanken.«

Wir lachten beide, setzten uns und unterhielten uns bis weit in den Nachmittag hinein.

Jane sang noch immer ihr Lied, und mittlerweile machte es uns wahnsinnig.

»Kannst du nicht mal eine andere Platte auflegen?«, fragte ich.

Aber sie antwortete nicht, denn sie war ganz in ihrer inneren Welt versunken und hörte nichts.

Christine ergriff meinen Arm. »Emily ist da oben in dem anderen Behandlungszimmer. Ich habe durch die Wand mit ihr gesprochen.«

»Und, alles soweit in Ordnung bei ihr? Also ist sie doch nicht woanders hingebracht worden.«

»Nein, und es geht ihr gut. Sie glaubt, heute Abend oder morgen wieder bei uns sein zu können.«

Die Schwester kam an uns vorbei und schaltete den Fernseher ein. Es dauerte eine Weile, bis das Bild und der Ton da waren, doch dann übertönte er Janes Gesang. Die

Schwester trat zu ihr und legte ihr einen Arm um die Schultern.

»Komm mit, Jane«, säuselte sie. »Ich habe gerade den Fernseher eingeschaltet. Vielleicht zeigen sie da einen deiner früheren Auftritte.«

Jane hörte zu singen auf und schaute die Schwester an. Dann ließ sie sich von ihr zu einem alten Ledersessel führen, ihrem Stammplatz. Sie setzte sich und starrte fasziniert auf die bewegten Schwarzweißbilder.

»Sie werden mich im Fernsehen zeigen«, wiederholte sie wieder und wieder.

Aber niemand achtete darauf, was sie sagte.

9

Dame der Fürze

Zum ersten Mal seit meinem Eintreffen im Aston Hall Hospital war ich glücklich. Natürlich nicht richtig, denn ich hasste dieses Krankenhaus abgrundtief, aber mit Christine an meiner Seite fühlte ich mich in Sicherheit. Ich wusste, dass sie uns beide beschützen würde. Wir schworen uns, beste Freundinnen zu sein, und beste Freundinnen passten aufeinander auf. Die bedrückende Atmosphäre in dem Raum hatte sich nach Christines Rückkehr entspannt. Es war eindeutig, dass Milner das Krankenhaus verlassen und mit seinem Auto davongefahren war. Damit konnte uns fürs Erste nichts passieren.

Christine erzählte mir alles über ihren Vater, der ein ganz wundervoller Mensch sei.

»Er wird kommen und mich hier rausholen«, sagte sie bestimmt. »Sobald er erfährt, was los ist, holt er mich hier raus.«

»Bei meinem Dad sieht's genauso aus«, sagte ich.

»Ich bin das, was man ein Papatöchterchen nennt«, sagte Christine lächelnd. »Mein Vater kauft mir alles. Ich muss nur ein Wort sagen, und schon macht er sich auf den Weg. So ist er. Daran sieht man, wie sehr er mich liebt.«

Ich nickte. »Ich kenne das. Mein Vater würde auch alles für mich tun, mir jeden Wunsch erfüllen. Was willst du wissen? Ich hab alles zu Hause in meinem Zimmer.«

Christine lächelte, und wir fuhren beide damit fort, unser Leben zu beschönigen. Niemand hatte einen besseren Vater als wir. Natürlich durchschaute ich ihre Lügen genauso wie sie meine. Wir beide kannten die Wahrheit. Unseren Vätern war es egal, wie es uns ging und wo wir waren. Wenn wir ihnen wichtig gewesen wären, hätte uns unser Weg bestimmt nicht ins Aston Hall Hospital geführt. Es waren kindliche Träume, und doch hofften wir beide, sie würden eines Tages wahr werden. Mein Vater würde mich vor Dr. Milners Behandlungen retten.

Wir plauderten weiter, und Christine sagte, sie habe das Bett neben mir.

»Aber ich habe dich dort nie gesehen.«

»Weil du entweder behandelt wurdest oder in dem Nebenzimmer eingesperrt warst.«

Natürlich hatte sie recht.

Ich bin seit einer Woche hier und habe noch nicht eine Nacht in meinem Bett in dem Schlafsaal verbracht.

»Ich kann's nicht fassen. Was für ein Glück, dass wir Bettnachbarinnen sind.«

Christine ergriff meine Hand. Sie war vierzehn, schien aber so viel mehr zu wissen als ich.

»Beste Freundinnen«, sagte sie.

Mir traten Tränen in die Augen. »Ja, für immer«, flüsterte ich.

Kurz darauf tauchte eine Schwester auf, mit einem Tablett mit Medikamenten.

»Zeit für deine Pillen«, säuselte sie.

Ich hatte meine Lektion gelernt. Von nun an würde ich brav die Medikamente nehmen und ohne Murren tun, was immer die Schwestern sagten. Je weniger man widersprach, desto einfacher war das Leben hier, das hatte mich Christines Beispiel gelehrt. Ich schluckte meine Pillen und blickte zu Jane hinüber, die ausnahmsweise einmal nicht sang und tanzte, sondern in ihrem Sessel vor dem Fernseher eingeschlafen war. Ihr Mund stand halb offen, und sie schnarchte. Die Schwester gab Christine ihre Tabletten, ging dann zu Jane und tätschelte ihren Arm, um sie aufzuwecken. Es dauerte eine Weile, doch schließlich öffnete Jane die Augen. Sie blinzelte ein paar Mal und lächelte dann die Schwester an.

»Moment noch«, sagte sie.

Sie stützte ihre Hände auf die Armlehnen ihres Sessels, und für einen Moment glaubte ich, sie wolle aufstehen. Dann hob sie das rechte Bein hoch in den Luft und furzte so laut, wie ich es nie gehört hatte. Zuerst herrschte Schweigen, dann brachen alle in Gelächter aus. Selbst die Schwester musste grinsen. Das Gelächter ebbte gerade ab, als Jane eine Grimasse zog, das linke Bein hob und ein weiteres Mal furzte, diesmal noch lauter. Wieder begannen alle zu lachen, und selbst die Schwester konnte sich nicht mehr beherrschen.

»Also gut, Mädels«, sagte sie kichernd. »Beruhigt euch wieder.«

Es war wirklich komisch. Die Schwester bemühte sich um eine ernste Miene und wollte die Ordnung wiederherstellen, doch es war unmöglich.

»In einem Augenblick bin ich wieder zurück.« Sie ging zur Tür, schloss auf und verschwand.

Dann stieg uns der entsetzliche Geruch in die Nase. Jane saß da, als wäre ihr alles völlig egal. Tatsächlich schien sie sogar stolz darauf zu sein, dass sie bei allen wahre Lachkrämpfe ausgelöst hatte. Christine und ich fuchtelten mit den Händen vor der Nase herum, um den Gestank zu vertreiben. Andere Mädchen hielten sich die Nase zu und wichen zur hinteren Wand zurück. Zwei Mädchen, die Karten gespielt hatten, waren sauer, weil ihr Spiel unterbrochen worden war.

»Ich brauchte nur noch eine Karte, dann hätte ich das Spiel gewonnen«, jammerte eine der beiden. Sie warf Jane einen aggressiven Blick zu, was der aber völlig egal war.

»Was brauchtest du denn?«, fragte ich.

»Was?«

»Was für eine Karte? Die Dame der Fürze?«

Wieder brach alles in Gelächter aus, inklusive Jane und den Kartenspielerinnen. Es dauerte nicht lange, da hatte Jane ihren neuen Spitznamen weg.

»Du bist so witzig, Barbara«, sagte Christine kichernd.

Die Schwester kam zurück und klatschte laut in die Hände. »Also los, Mädels. Räumt hier auf.«

Wir machten Ordnung, mussten aber immer noch lachen, trotz der trostlosen Umgebung. Die Erheiterung der Schwester war aber wie weggeblasen.

»Beruhigt euch, und stellt euch in einer Reihe auf. Es wird Zeit, ins Bett zu gehen.«

Mittlerweile machte sich die Wirkung der Medikamente bemerkbar. Meine Glieder waren schwer, und ich wurde sehr müde. Ich konnte es gar nicht abwarten, in einem warmen Bett zu liegen, stellte mich an und folgte den anderen in den Flur und die Treppe hinauf. Ich plauderte mit Christine und hätte den Behandlungsraum fast vergessen, doch als wir daran vorbeikamen, verstummten die anderen Mädchen. Es war offensichtlich, dass ich nicht die Einzige war, die diesen Raum fürchtete. Allein der Anblick der Tür jagte mir eine Heidenangst ein. Mein Puls beschleunigte sich, und mir drehte sich der Magen um. Ich hatte den bitteren Geschmack von Galle im Mund. Christine bemerkte meine Angst und ergriff meinen Arm, um mich zu trösten. Als wir an dem Behandlungsraum vorbei waren, ließ die Anspannung nach.

Heute Abend wird niemand behandelt. Wir alle sind in Sicherheit vor Dr. Milner.

Mein Herzschlag beruhigte sich wieder. Die Schwester schloss die Tür des Schlafsaals auf, und wir traten ein. Ich kroch unter die Bettdecke und fühlte mich sicher.

»Gute Nacht, Mädels«, rief die Schwester, während sie noch einmal schnell ihre Schützlinge zählte.

Danach knipste sie die Deckenlampen aus, doch durch die Fenster fiel silbriges Mondlicht in den Schlafsaal. Trotz meiner Erschöpfung ließ ich den Blick noch einmal in die Runde schweifen und bemerkte, dass drei Betten leer waren.

Ich fragte Christine nach dem Grund.

Die hatte sich bereits die Bettdecke über den Kopf gezogen, schob sie wieder herunter und blickte zu mir hinüber.

»Eines der Betten gehört Emily, eines Emma und das dritte einem Mädchen, das vermutlich weggebracht wurde«, antwortete sie schläfrig.

»Weggebracht?«

»Ja, und manchmal kommen sie nicht zurück.«

10

Tränen und Zahnbürsten

Ich schlief fest, wachte am nächsten Morgen aber früh auf. Grelles Licht strömte durch die hohen Fenster, und ich wurde sofort in die Wirklichkeit zurückkatapultiert. Ich rieb mir die Augen und schaute zu Christine hinüber, die noch tief schlief. Als ich den Blick in die Runde schweifen ließ, sah ich, dass eines der zuvor drei leeren Betten nun besetzt war. Jemand war über Nacht gebracht worden. In der Besserungsanstalt und vorher in dem Kinderheim war das häufiger vorgekommen, doch da hatte ich mich nicht fragen müssen, ob jemand neu war oder von der Behandlung zurückkam. Hier gab es feste Regeln. Weder konnte ich erkennen, wer dort lag, und ich wusste auch nicht genau, welches Bett wem gehörte. Aber das Mädchen war viel zu zierlich, um Emma sein zu können.

Wer ist das?

Die Frage beschäftigte mich weiter, und schließlich wurde meine Neugier übermächtig. Ich ging auf Zehenspitzen zu dem Bett hinüber und schlug mit angehaltenem Atem die Bettdecke zurück. Emily öffnete die Augen, doch sie wirkte so überrascht, dass ich einen Finger auf die Lippen legte, um ihr zu signalisieren, dass sie nichts sagen sollte. Mir war klar, dass ich Ärger bekommen würde, wenn ich außerhalb meines Bettes erwischt wurde.

»Guten Morgen«, flüsterte ich.

Emily starrte mich mit weit aufgerissenen Augen an, doch ihr Blick war verschleiert nach der Behandlung. Es schien, als würde sie direkt durch mich hindurchblicken.

»Ich habe Durst«, sagte sie plötzlich. »Bring mir Wasser.«

»Okay.«

Ich schaute mich um und erinnerte mich dann an den halb vollen Becher auf meinem Nachttisch. Ich stapfte durch den Schlafsaal, um ihn zu holen. Dann kehrte ich damit zu Emily zurück. Als ich den halben Weg quer durch den Schlafsaal zurückgelegt hatte, hörte ich, wie sich der Schlüssel im Schloss drehte. Ich erstarrte, als sich die Tür plötzlich öffnete und eine Schwester eintrat.

»Aufwachen, Mädels«, rief sie.

Die Schwester sah mich mit dem Becher mitten in dem Schlafsaal stehen und warf mir einen finsteren Blick zu. Ich wusste nicht, was ich sagen sollte, und stand reglos da.

»Was machst du da?«, rief sie laut, womit sie die anderen endgültig aus dem Schlaf riss.

»Ich wollte Emily etwas zu trinken bringen.«

Alle setzten sich in ihren Betten auf. Ich errötete verlegen.

»Bring den Becher zurück. Du darfst niemals einem anderen Mädchen etwas zu trinken bringen. Haben wir uns verstanden?«

Ich nickte, eilte zu meinem Nachttisch und stellte den Becher darauf. Und dann spürte ich plötzlich, wie jemand an meinen Haaren zog. Die Schwester.

»Ich könnte meinen Job verlieren wegen dir«, zischte sie. »Du bist heute mit der Zahnbürste dran, kapiert?«

Mit der Zahnbürste? Ich hatte keine Ahnung, wovon sie redete.

Die anderen beobachteten uns und fragten sich, was ich angestellt hatte. Ich wusste es selbst nicht.

Ich wollte nur Emily helfen, dachte ich verbittert.

Die Schwester riss noch heftiger an meinen Haaren, aber ich wagte es nicht zu weinen oder mich zu beschweren, weil ich nicht wieder in dem Nebenraum eingesperrt werden wollte. Schließlich ließ sie mich los und stieß mich gegen das Bettgestell.

»Warte hier.«

Ich gehorchte, weil ich nicht alles noch schlimmer machen wollte. Die Schwester befahl den anderen aufzustehen und sich die Zähne zu putzen. Ich fragte mich, ob die Aufforderung auch für mich galt, aber sie sagte, mit mir habe sie etwas anderes vor.

Eine andere Schwester tauchte auf und klatschte in die Hände. »Na los, Mädels. Hopp, hopp. Wascht euch und zieht euch an, dann wird's Zeit für eure Tabletten.«

Sie stand in der Tür mit einem Bauchladen mit den Pillen, ganz so, als würde sie in einem Kino Eis verkaufen. Sie schaute zu mir hinüber und sah, dass ich wie angewurzelt dastand.

»Mach schon, setz dich in Bewegung!«

Ich holte meine Zahnbürste und folgte den anderen ins Bad, bevor es der anderen Schwester auffiel. Ich wollte der Herde folgen, in der Menge Schutz suchen. Im Bad sah ich Christine vor einem Waschbecken.

»Es war richtig, dass du dich nicht widersetzt hast«, flüsterte sie. »Lass es, sonst wirst du bis Montag in dem Nebenzimmer eingesperrt. Wenn am Montag kein neues Mädchen eintrifft, kriegst du dann die Behandlung verpasst.«

Ich wurde von Panik gepackt.

»Dr. Milner ist immer glücklich, wenn ein neues Mädchen kommt, und es wird bestimmt eines kommen.«

Ich wollte sie noch etwas fragen, doch unsere Unterhaltung wurde unterbrochen, als plötzlich eine Schwester im Türrahmen stand.

»Beeilung!«

Nach dem Waschen kleidete ich mich so schnell wie möglich an, um nicht hinter den anderen zurückzubleiben. Dann wurde uns befohlen, auf eine bestimmte Weise unsere Betten zu machen. Das kannte ich schon aus der Besserungsanstalt, aber ich folgte trotzdem genau Christines Beispiel, weil ich nichts falsch machen wollte. Danach bekamen wir unsere Tabletten, und dann inspizierte die Schwester die Betten. Als sie zufrieden war, schoben wir Betten und Nachttische, beide mit Rollen versehen, zur hinteren Wand. Ich war mir nicht sicher, wie es weitergehen würde, wagte es aber nicht, Christine zu fragen. Ein paar Mädchen verließen den Schlafsaal und kamen kurz darauf mit Reinigungsmitteln, Bohnerwachs und zwei großen elektrischen Bohnerbesen zurück.

»Okay, Mädels.« Die Schwester klatschte einmal mehr in die Hände. »Fegt den Fußboden. Danach wird er eingewachst und ordentlich gebohnert.«

Ich blickte mich um. Obwohl Emilys Bett an die hintere Wand geschoben worden war, schlief sie immer noch.

»Die ist mit Medikamenten vollgepumpt«, flüsterte eines der Mädchen. »Keine Sorge, die hört nichts.«

Einige Mädchen fegten den Boden, danach folgte eine Gruppe, die ihn einwachste, und dann folgte der Rest mit den Bohnerbesen. Sie waren so schwer, dass ich allein nicht damit klargekommen wäre. Christine merkte es und kam mir zu Hilfe, sagte aber kein Wort, genau wie die anderen. Während der Arbeit herrschte völliges Schweigen. Zu hören war nur das Surren der elektrischen Bohnerbesen. Bald wurde mir klar, dass die Schwester erst zufrieden sein würde, wenn der Boden so glänzte, dass sie ihr Spiegelbild darauf sehen konnte. Und tatsächlich …

»Das reicht nicht«, fuhr sie uns an. »Fangt noch mal von vorn an.«

Es war extrem anstrengend, und das alles noch vor dem Frühstück.

Nachdem Betten und Nachttische wieder an ihren ursprünglichen Platz zurückgeschoben worden waren, war es uns endlich gestattet, nach unten zu gehen. Als die

Schwester uns durch den Korridor führte, hörte ich hinter der geschlossenen Tür des Behandlungszimmers ein Mädchen weinen.

»Bitte redet mit mir«, rief sie. »Hier bin ich, hier. Hört mich denn niemand?«

Obwohl die Schluchzer mitleiderregend waren, wurden sie von allen ignoriert. Zu meiner Schande muss ich gestehen, dass es bei mir nicht anders war. Ich hatte so schon genug Ärger. Unten schloss die Schwester die Tür des Gemeinschaftsraums auf. Einmal mehr wurde das Besteck gezählt.

Zwölf, dreizehn, vierzehn …

Auf den Tischen standen Haferflocken und Butterbrote. Ich aß mit gutem Appetit und hoffte, dass mein Fehlverhalten vergessen war. Irrtum.

»Barbara O'Hare«, rief jemand.

Ich drehte mich um. Die Schwester stand mit vor der Brust verschränkten Armen vor mir.

»Hast du den Spaß mit der Zahnbürste vergessen?«

Christine kniff mich in den Arm. »Widersetz dich nicht«, flüsterte sie.

Ich folgte der Schwester nach oben in den Flur vor dem Schlafsaal. Sie reichte mir eine Zahnbürste.

»Du kannst damit anfangen, die Fußleisten abzubürsten.« Sie zeigte darauf. »Ich will sie blitzsauber sehen, und zwar über die ganze Länge des Flurs.«

Ich war völlig entmutigt. Das würde den ganzen Tag dauern.

Die Schwester ließ mich stehen, drehte sich aber noch einmal um.

»Und mach das ordentlich, sonst fängst du wieder von vorne an.«

Damit verschwand sie.

Ich seufzte. Mit einer Zahnbürste die Fußleisten dieses langen Flurs schrubben, das war eine kaum zu bewältigende Aufgabe. Ich kniete mich nieder und fing an. Dann hörte ich jemanden leise rufen.

»Ist da jemand?«

Das Mädchen in dem Behandlungszimmer. Ich warf einen Blick über die Schulter, um zu sehen, ob die Luft rein war, und ging dann zu der Tür hinüber.

»Hallo«, flüsterte ich. »Wer bist du?«

»Emma«, kam die Antwort.

Ich erstarrte und fragte mich besorgt, was sie mir antun würde, wenn sie da rausgelassen wurde. Sie hatte ein Messer gestohlen, und mir war klar, dass sie zu allem imstande war, aber ich wusste auch, dass dies die Gelegenheit war, das Problem zu klären. Ich erinnerte mich an einen alten Trick, den ich schon in dem Kinderheim und der Besserungsanstalt ausprobiert hatte.

»Ich bin's, Barbara«, sagte ich durch die verschlossene Tür. »Nicht mehr lange, dann kommt meine große Schwester her. Pass gut auf dich auf.«

Das war eine Lüge, doch Emma wusste es nicht.

Ihre Stimme klang anders, gebrochen.

»Ich mache keinen Ärger, versprochen.«

Ich begriff, dass sie keine Feindin brauchte, sondern eine Freundin. Ich beschloss, die Taktik zu ändern.

»Hast du die Behandlung bekommen?«, flüsterte ich.

Sie antwortete nicht sofort. »Ja«, sagte sie schließlich, und ich hörte, dass sie wieder in Tränen ausbrach.

Ich war geschockt. »Alles in Ordnung?«

»Ja«, sagte sie schluchzend. »Aber ich glaube, mein Dad hat mir ein paar schlimme Dinge angetan.«

»Zum Beispiel?«

Das Schluchzen wurde lauter, und für einen Moment glaubte ich, sie könne nicht antworten, doch dann sprach sie weiter.

»Unerlaubte Dinge ... Ungehörige Dinge.«

Ich hatte keine Ahnung, wovon sie redete, und wusste nicht, was ich sagen sollte, doch nach einer Weile brach Emma das Schweigen.

»Aber er hat es nicht getan. Ich weiß es, «

Sie verstummte und begann zu schluchzen.

»Vielleicht doch«, fuhr sie mit brechender Stimme fort. »Ich weiß es nicht.«

In meinem Kopf jagten sich die Gedanken.

Warum hätte ihr Dad ihr schlimme Dinge antun sollen?, fragte ich mich. *Und wer hätte so etwas sagen sollen? Dr. Milner? Er bombardiert uns mit Fragen, wenn wir während der Behandlung fast völlig weggetreten sind.*

Als ich gerade nachfragen wollte, hörte ich das Klirren von Schlüsseln – die Schwester kam zurück. Ich rannte zur anderen Seite des Flurs und schrubbte mit der Zahnbürste die Fußleiste. Kurz darauf drehte sich der Schlüssel im Schloss, und die Tür ging auf. Die Schwester ging zu dem Nebenzimmer und schloss auf. Emma trat hinaus, in einem dieser entsetzlichen grauen Baumwollkittel. Sie wirkte verängstigt und beschirmte wegen des grellen Lichts ihre Augen.

»Hat jemand mit dir geredet, Emma?«, fragte die Schwester. »Ich glaube, am Fuß der Treppe Stimmen gehört zu haben.«

Während ich weiter die Fußleiste schrubbte, wartete ich mit einem heftig klopfenden Herzen auf Emmas Antwort.

Bitte, lieber Gott, mach, dass sie mich nicht verrät. Wenn sie es tut, steckt die Schwester statt ihr mich in das Nebenzimmer.

»Nein, ich habe mit niemandem geredet«, hörte ich sie antworten.

Die Schwester schnaubte, als würde sie kein Wort glauben, erlaubte es Emma aber, auf die Toilette zu gehen. Danach wurde sie wieder eingesperrt. Nachdem sie abgeschlossen hatte, kam die Schwester zu mir, um meine Arbeit zu inspizieren.

»Nicht gut genug«, stellte sie fest. »Fang von vorne an.«

Ich widersprach nicht, denn mir war klar, dass es ein Test war. Sie wollte sehen, ob sie meinen Widerstandsgeist brechen konnte, aber ich hatte keine Lust auf Schläge. Ich kehrte zum Beginn der Fußleiste zurück und machte auf allen Vieren weiter. Schließlich hörte ich, wie sich ihre Schritte entfernten und die Tür ins Schloss fiel.

»Komm her«, rief Emma durch die verschlossene Tür.

»Was gibt's?«

»Ich hätte dich in Schwierigkeiten bringen können, habe es aber nicht getan. Also erzähl deiner großen Schwester bitte nichts von mir, okay? Wir beide sollten Freundinnen werden.«

»Okay«, antwortete ich. Ich musste lächeln, weil meine imaginäre große Schwester mir den Tag gerettet hatte.

Ich machte weiter mit meiner Strafarbeit, bis Emma rief, sie werde jetzt schlafen. Nach etwa einer Stunde kam die Schwester für die nächste Inspektion zurück.

»Okay, das reicht jetzt. Bring die Zahnbürste wieder ins Bad und komm mit runter.«

Ich war erleichtert, als sie die Tür aufschloss und wir zusammen zum Gemeinschaftsraum gingen. Es war Mittag, und wir bekamen erneut Medikamente, die uns einlullen sollten. Ich sah Christine und ging zu ihr. Der Fernseher war eingeschaltet, und Jane tanzte und drehte Pirouetten, einmal mehr ganz in ihrer eigenen Welt versunken. Die Stimmung war entspannt, denn es war Samstag, und Dr. Milner kam nicht an den Wochenenden.

»Wie war's?«, fragte Christine.

Ich setzte mich neben sie. »Ganz okay. Ich musste noch mal von vorne anfangen, aber ganz so schlimm war's nicht.«

Wir begannen zu plaudern, und es dauerte nicht lange, bis ich ihr von meinem Ausbruch aus der Besserungsanstalt erzählte.

Der Blick ihrer weit aufgerissenen Augen verriet Respekt.

»Aber es dauerte nicht lange, bis ich geschnappt wurde.« Ich seufzte. »Wenn man hier doch bloß rauskäme … Aber es ist unmöglich, weil immer alle Türen abgeschlossen sind. Aber mir wäre schon geholfen, wenn es einen Weg gäbe, der Behandlung zu entkommen. Das würde alles ein bisschen einfacher machen.«

Christine schaute mich an. »Es gibt einen.«

Sofort war ich ganz Ohr. »Wirklich? Welchen?«

Christine schob ihren Stuhl näher heran. »Bekommst du schon deine Periode?«

Ich schüttelte verständnislos den Kopf. Ich war erst zwölf und hatte keine Ahnung, was eine Periode war.

Sie schüttelte mitleidig den Kopf. »Nun, dann hast du ein Problem.«

»Warum?«

»Weil man nur dann der Behandlung entkommt.«

Ich schaute sie verwirrt an.

»Ein paar Tage nach der Behandlung geht man zu einer Schwester und sagt, man habe eine Blutung und brauche eine Monatsbinde.«

»Ein paar Tage danach? Warum?«

»Weil wir alle nach der Behandlung Blutungen bekommen.«

Plötzlich fiel mir etwas ein. »Aber ich habe geblutet. Auch nach der Behandlung. Da war Blut auf dem Bettlaken, doch die Schwester hat gesagt, es sei ein alter Fleck. Aber ich wusste, dass das nicht stimmte, weil ich mich nicht geschnitten hatte.«

Christine nickte. »Ja. Das hören wir alle.«

»Aber was mache ich mit der Monatsbinde?«

»Du bewahrst sie auf und fragst dann für eine Woche dreimal täglich nach einer. Du bekommst sie und steckst sie in den Abfalleimer auf der Toilette, verstanden?«

Ich nickte, verstand aber gar nichts.

»Wenn du dann mit der Behandlung an der Reihe bist«, fuhr Christine fort, »sagst du einer Schwester, du müsstest auf die Toilette. Dort nimmst du eine gebrauchte Monatsbinde aus dem Abfalleimer und steckst sie in deinen Schlüpfer.«

»Igitt!«

»Ja, angenehm ist das nicht, aber du wirst bald deine Tage bekommen.«

Ich strich mir das Haar aus dem Gesicht und schaute mich um, um mich zu vergewissern, dass niemand mithörte.

»Aber warum soll ich die Binde in meinen Slip stecken, wenn ich nicht blute?«

Christine lächelte. »Weil Milner keine Mädchen behandelt, die ihre Regel haben. Und wenn er die blutige Binde in deinem Schlüpfer sieht, bist du gerettet.«

Offenbar sah man mir meine Verwirrung an. Christine nahm mein Kinn und drehte mein Gesicht zu sich. »Hast du es schon einmal mit einem Jungen gemacht, Barbara?«

»Was gemacht?«

»Gevögelt.«

Ich hatte die Mädchen in der Besserungsanstalt darüber reden gehört, mich an den Gesprächen aber nicht beteiligt, weil ich nicht mitreden konnte.

»Ich war im Leben noch nicht mit einem Jungen zusammen«, sagte ich etwas beschämt.

Christine lachte.

»Du schon?«, fragte ich.

»Allerdings. Ich habe es mit den meisten Jungs aus meiner Siedlung getrieben, und deshalb bin ich jetzt hier. Bei meinen Freundinnen war es nicht anders, aber die sind nicht hier.«

Christine erzählte mir im Detail, was sie mit den verschiedenen Jungs gemacht hatte. Als sie meinen entsetzten Gesichtsausdruck sah, beugte sie sich vor und packte meinen Arm. »Erzähl den anderen bloß nicht, dass du noch nie gevögelt hast, denn dann halten sie dich für einen Angsthasen. Jungfrauen werden hier ausgelacht.«

Ich beschloss, das Thema zu wechseln und erzählte ihr, wie ich Emma mit der Geschichte von meiner großen Schwester zum Narren gehalten hatte.

»Du musst mir versprechen, ihr zu erzählen, dass du mit meiner großen Schwester befreundet bist«, sagte ich. »Dann wird sie dich auch in Ruhe lassen.«

Christine warf den Kopf in den Nacken und brach in Gelächter aus. »Geniale Idee!«

Plötzlich tauchte eine Schwester mit dem Bauchladen mit den Medikamenten auf. Ohne Widerrede schluckten wir die Tabletten und tranken die sirupartige Arznei. Die Schwester blickte mich lächelnd an. »Weißt du was? Dein Vater hat angerufen und um die Erlaubnis gebeten, dich am nächsten Wochenende besuchen zu dürfen.«

Zum ersten Mal in diesem Krankenhaus lachte ich befreit auf. Ich konnte mein Glück nicht fassen und packte Christines Hand.

»Wenn ich ihm von der Behandlung erzähle, holt er mich hier raus, wart's nur ab.«

Die Schwester hatte es gehört und warf mir einen strengen Blick zu. Aber es war mir egal, denn mein Vater würde kommen. Sie ging weg, doch ich hob meine Stimme, damit sie alles hören würde.

»Mein Dad wird Milner mit einem Schlag auf die Bretter schicken, das kann ich euch versprechen. Es wäre nicht das erste Mal, dass er so was tut. Und wenn er erfährt, was Milner mir angetan hat, legt er ihn um.«

11

Die Nacht hat tausend Augen

Nach dem Essen und dem obligatorischen Zählen des Bestecks wäre es an der Zeit gewesen, sich zu entspannen, doch das war schwierig an einem Ort, wo sich Dr. Milner Abend für Abend um acht Uhr sein nächstes Opfer aussuchte. Aber wie schlimm es auch kommen mochte, mich tröstete der Gedanke, dass mein Vater kommen würde, um mich nach Hause mitzunehmen.

Als die Medikamente zu wirken begannen, irrten die meisten Mädchen wie Zombies in dem Gemeinschaftsraum umher, aber Jane tanzte und sang einmal mehr »By the Light of the Silvery Moon«. Der Text des eigentlich fröhlichen Liedes nahm im Aston Hall Hospital eine völlig neue Bedeutung an. Wie auch der eines anderen Songs, der einzigen Schallplatte, die wir abspielen durften. Dr. Milner hatte sie den Schwestern geschenkt, und nur eine von ihnen durfte die geheiligte Platte auflegen, damit sie bloß nicht zerkratzt wurde. Der Song hieß »The Night has a Thousand Eyes«, der Interpret Bobby Vee. Er lief wieder und wieder, während wir durch die Medikamente das Zeitgefühl verloren. Noch jahrelang hörte ich diesen Ohrwurm in meinem Kopf. Im Rückblick erscheint mir der Text als Unheil verkündend, düster und seltsam prophetisch. Es war bedrückend, wie Dutzende verängstigter, einsamer kleiner Mädchen immer wieder damit beschallt wurden. Je häufiger ich den Text hörte, desto dreckiger ging es mir. Ich dachte an Milner, dessen stechende dunkle Augen uns durch die Musselingardine des Schwesternzimmers beobachteten. Wie die eines Raubtiers, das seine Beute ins Visier nimmt.

Die Schwester kam mit der Platte, legte sie auf und ließ den Tonarm herab. Die Nadel setzte auf, und aus den Lautsprechern tönte einmal mehr der Song mit dem eingängigen Refrain.

'Cause the night has a thousand eyes
And a thousand eyes will see me too,
And no matter what I do,
I could never disguise all my little white lies
'Cause the night has a thousand eyes …

Als der Song verklungen war, spielte die Schwester ihn gleich von Neuem ab. Wenn er lief, hörte sogar Jane auf zu singen. Aber sie tanzte weiter in ihren schwarzen Ballettschuhen und mit dem mädchenhaften Reifen in ihrem grauen Haar.

Nach dem Essen setzten Christine und ich uns in dieselbe Ecke wie immer. Ich wollte sie nach der Elektroschocktherapie fragen. Ich musste ihr auf jeden Fall entkommen, bevor mein Vater eintraf. Der Gedanke an ihn gab mir Kraft, denn ich wusste, dass er kommen würde.

Und ich betete, dass es vor der nächsten Behandlung so weit sein würde.

Ich schaute Christine an. »Bist du schon mal mit der Elektroschocktherapie behandelt worden?«

Endlich hatte ich den Mut gefunden, sie zu fragen.

»Nein, aber es gab hier ein Mädchen, das es getroffen hat. Aber sie wurde direkt nach der Elektroschocktherapie von hier weggebracht.«

»Warum?«

Sie griff nach meinen Haaren. »Die schneiden sie dir ab, legen nasse Schwämme auf deinen Kopf und stülpen eine große, metallene Kappe darüber, die über ein paar Kabel mit der Stromzufuhr verbunden ist. Jemand legt einen Schalter um, und die Stromstöße schießen durch die Kabel und die Schwämme in dein Gehirn.«

»Sie jagen dir wirklich Strom ins Gehirn?«

»Ja, und danach bleiben Verbrennungsspuren zurück.« Christine legte beide Hände an ihre Schläfen. »Die wird man sein Leben lang nicht wieder los.«

»Was genau geschieht nach der Elektroschocktherapie?«

Christine blickte mich ernst an. »Sie macht einen verrückt. Danach verliert man das Gedächtnis und das Hörvermögen. Man hat nur weiter das Summen der Stromstöße in den Ohren.«

»Und dann?«

Sie lehnte sich zurück, den Blick ins Leere gerichtet. »Die Opfer der Elektroschocktherapie sprechen nie wieder und sitzen für den Rest ihres Lebens im Rollstuhl.«

Die bisherige Behandlung durch Dr. Milner war entsetzlich gewesen, doch es klang so, als wäre die Elektroschocktherapie viel, viel schlimmer.

Ich muss hier irgendwie rauskommen.

Christine erzählte von einem Mädchen, das im Aston Hall Hospital der Elektroschocktherapie unterzogen worden war.

»Danach habe ich diese Patientin kurz gesehen. Sie hatte keine Haare mehr und saß mit einem weit offen stehenden Mund und sabbernd in einem Rollstuhl. Das Mädchen hat nie wieder ein Wort gesagt.«

Ich wusste nicht, wie viel wahr war an der Geschichte, doch Christine hatte sie überzeugend vorgetragen. Ich beschloss, die Schwestern nie wieder zu ärgern. Sonst konnte ich nur dafür beten, dass vor dem Eintreffen meines Vaters nichts passierte.

Sieben Tage. Nur eine Woche, dann holt er dich hier für immer raus.

Aber würde ich noch eine Woche durchhalten? Ich war mir nicht sicher.

Mir traten Tränen in die Augen, und ich begann zu schluchzen.

Christine legte einen Arm um meine Schultern. »Nicht weinen. Du musst stark sein. Wenn die anderen dich für eine Heulsuse halten, hast du schlechte Karten.«

Sie drückte mich fest an sich, und das tröstete mich ein bisschen.

»Du hast ein Problem, wenn die anderen dich so sehen«, fuhr sie fort. »Du heulst und bist noch Jungfrau. Wenn die anderen das wüssten, würden sie dich verspotten und dir das Leben zur Hölle machen.«

Ich löste mich aus der Umarmung und wischte mir mit dem Ärmel meines Pullovers die Tränen ab, bevor die anderen sie sahen.

Sie hat recht. Ich muss stark sein. Es sind nur noch sieben Tage.

»Bist du jemals von hier weggelaufen, Christine?«

Sie schüttelte den Kopf. »Und an deiner Stelle würde ich es auch nicht probieren. Ein paar Mädchen haben es versucht, doch da draußen ist ein großer See mit Treibsand am Ufer.« Ihre Augen waren vor Schreck geweitet. »Ich habe sogar gehört, ein paar Leute seien ertrunken vor meiner Zeit hier.«

»Woher weißt du das?«

»Von einigen der anderen Mädchen.«

Unglaublich, dachte ich. *Ich kann nur auf meinen Vater zählen. Einen anderen Ausweg gibt es nicht.*

An diesem Abend kniete ich vor meinem Bett nieder und betete einen kompletten Rosenkranz und drei Vaterunser. Das Gebet und mein Vater waren meine einzige Hoffnung.

Lieber Gott, verzeih mir meine Sünden, die mich hierher nach Aston Hall gebracht haben, flüsterte ich. *Wenn Dein*

*Herz mir nicht vergeben kann, dann lass mich bitte sterben
und zu Dir in den Himmel kommen, denn dort ist es so viel
schöner als hier ...*

Ich bekreuzigte mich und kletterte ins Bett. Dabei
blickte ich aus dem Fenster und sah die drei hohen
Schornsteine eines Kraftwerks. Da draußen führten andere Menschen ein ganz normales Leben. Andere Kinder
gingen zur selben Zeit wie ich ins Bett, doch wenn sie
aufwachten, waren ihre Eltern für sie da in einem glück-
lichen Zuhause. Hier konnte ich mich nur auf die Gespräche mit Christine, die Mahlzeiten und den Besuch
meines Vaters freuen. Die Besserungsanstalt war mir
trostlos erschienen, doch verglichen mit dem Aston Hall
Hospital war sie das reinste Urlaubsparadies gewesen.

Warum wollte ich selbst hierherkommen?, fragte ich mich
fassungslos. *Wie konnte ich nur so dumm sein?*

Doch jetzt gab es wieder Hoffnung. Mein Vater würde
mich aus diesem Loch herausholen und mich irgendwo-
hin bringen, wo Milner mir nichts anhaben konnte.

*Ich werde ihm erzählen, was dieser Arzt mir angetan hat.
Dad wird sich diesen Typ vorknöpfen,* dachte ich, bevor
mir die Augen zufielen.

Nur noch sechs Nächte, dann würde ich diesen Ort für
immer verlassen.

12

Die Krankenhausschule

Sonntags ging es geruhsamer zu als an den anderen Tagen, denn es blieb uns erspart, den Boden fegen, einwachsen und bohnern zu müssen. Es war ein Tag der Ruhe, und trotzdem gelang es uns nie, wirklich auszuspannen. Den größten Teil des Tages verbrachten wir im Gemeinschaftsraum, doch der Sonntag war auch Besuchstag. Ich wusste, dass mein Vater noch nicht kommen würde, weil die Schwester mir gesagt hatte, wann er mich besuchen würde. Noch fünf Nächte. Ich konnte es nicht abwarten.

In der Gegenwart von Besuchern waren die Schwestern nicht wiederzuerkennen. Sie lächelten ständig, doch wir alle wussten, dass es Schauspielerei war. Obwohl wir noch Kinder waren, durchschauten wir die Inszenierung. Wir lebten hier und wussten, wie es in diesem Krankenhaus wirklich zuging. Die Mädchen, die Besuch bekamen, waren überglücklich, doch in der Regel endete alles in Tränen, weil sie daran erinnert wurden, wie glücklich sie einst gewesen waren, bevor ihnen alles genommen wurde. Einige Mädchen wurden nicht damit fertig und spielten verrückt. Die Schwestern packten sie, verpassten ihnen eine Spritze und verfrachteten sie in die Nebenzimmer.

Das einzig Gute an den Sonntagen war, dass Dr. Milner sich nicht blicken ließ. Man hatte mir gesagt, gelegentlich werde jemand am Wochenende behandelt, aber immer samstags, niemals sonntags. Ich fragte mich, was Milner sonntags von einem Besuch abhielt.

Verbringt er den Tag mit seiner Familie? Spielt er Golf? Oder geht er zur Kirche?

Nein, dachte ich.

Mit Sicherheit nicht. Niemand, der an Gott glaubte, konnte solche Dinge tun wie er. Oder doch? Ich war mir nicht sicher. In dem Krankenhaus führte sich er sich selbst wie ein Gott auf.

Für die Außenwelt gab es keinerlei Anhaltspunkte dafür, dass im Aston Hall Hospital Kinder untergebracht waren. Es war uns verboten, auf dem Grundstück zu spielen, und es gab keine Schaukeln oder Rutschen.

Montage waren aufregend, weil wir wussten, dass da immer Neuankömmlinge eintrafen. Auch wenn sie uns leidtaten, wir freuten uns darauf. Ich fand heraus, dass die meisten Mädchen wie ich aus der Besserungsanstalt The Cedars kamen. Und noch etwas fiel mir auf – wir waren alle weiß, es gab hier, im Gegensatz zu den Heimen, keine schwarzen oder asiatischen Kinder. Alle Mädchen waren in etwa im selben Alter, sämtlich Teenager. Ich war eine Ausnahme. Gemeinsam war uns allen, dass wir keine Mutter hatten, niemanden, der uns zuhören oder um uns kämpfen würde.

An einem Montag begann ich auch die Schule zu besuchen, eine Woche nach meiner Ankunft in dem Krankenhaus. Ich war aufgeregt, weil ich hoffte, neue Kinder kennenzulernen. Am Sonntagabend wurde gebadet, damit wir für den Schulbeginn am nächsten Morgen in einem vorzeigbaren Zustand waren. Es gab zwei Wannen, und zwei Mädchen gingen immer gemeinsam ins Badezimmer, ich mit Christine. Wir mussten uns beeilen, da kurz darauf schon die nächsten beiden Mädchen vor der Tür standen, doch die kurze Zeit, die wir allein zusammen verbrachten, war wertvoll.

»Wie ist es in der Schule?«, fragte ich Christine, während die in die andere Wanne stieg.

Sie blickte zu mir hinüber und zuckte die Achseln. »Keine Ahnung, ich besuche sie nicht.«

Ich war geschockt. »Aber du bist vierzehn!«

Sie nickte. »Schon klar, aber solange sie mich nicht zwingen, bitte ich nicht darum.«

Vor der Tür hörte ich die Schwester mit den nächsten beiden Mädchen.

»Macht schon, Mädels. Trödelt nicht herum, die anderen wollen auch an die Reihe kommen.«

Christine und ich hatten noch eine Kissenschlacht veranstalten wollen, doch nach der Einnahme der Medikamente waren wir zu schläfrig, und es dauerte nicht lange, bis wir einschliefen. Um Punkt sechs Uhr morgens kam die Schwester in den Schlafsaal und knipste das Licht an.

»Aufstehen, Mädels!«

Wir wuschen uns und zogen uns an. Dann mussten wir fegen, den Boden einwachsen und bohnern. Der Schlafsaal war blitzsauber, als wir unsere Medikamente nahmen und dann zum Frühstück nach unten gingen. Ich war gespannt darauf, wie es in der Schule sein würde. Ich nahm an, dass sie in einem anderen Gebäude untergebracht war, nicht im Aston Hall Hospital. In Krankenhäusern gab es keine Schulen. Nach dem Frühstück wartete ich bis neun Uhr im Gemeinschaftsraum. Dann rief mich eine Schwester. Ich war überzeugt davon, dass wir das Gebäude verlassen würden, und hatte sogar darüber nachgedacht, draußen die Flucht zu ergreifen. Aber da mein Vater kommen würde, wollte ich nichts mehr riskieren. Die Schwester reichte mir meine Jacke, zum ersten Mal seit meiner Ankunft, und dann schloss sie den Haupteingang auf. Wieder war ich versucht, einfach davonzulaufen, doch ich überzeugte mich davon, die Ruhe zu bewahren. Ich musste nur noch fünf Nächte überstehen, dann war mein Vater da.

Bald bin ich hier raus.

»Ich werde nicht wegrennen, ich verspreche es«, versicherte ich der Schwester.

»Da bin ich mir sicher.«

Die Tür öffnete sich, und ich spürte die kalte Luft des Januars auf meiner Haut und in den Lungen. Ich atmete tief durch und genoss die Gerüche und den Anblick des Winters. Der Rasen war weiß, die Fahrbahn vereist. In den kahlen Bäumen hockten laute Krähen. Ich war so beschäftigt damit, die Eindrücke auf mich wirken zu lassen, dass ich nicht bemerkte, dass ein großer Mann vor der Tür wartete. Er trug eine Art Uniform – eine dunkle Hose und einen dunkelblauen Pullover mit Aufnähern und einer Brusttasche. Für mich sah er aus wie ein Sicherheitsbeamter.

Die Schwester zeigte auf ihn. »Frank wird dich zur Schule bringen und dich wieder abholen.«

Ich war entmutigt. Auch außerhalb des Krankenhauses war ein Wärter bei mir. Hier war es kein bisschen besser als im Gefängnis.

»Wenn du abzuhauen versuchst, muss Frank dich festhalten, wenn er dich wieder eingefangen hat. Das willst du doch bestimmt nicht, oder?«

Ich schüttelte den Kopf. »Ich laufe nicht weg, ich verspreche es.«

Frank war ein breitschultriger Riese von einem Mann mit blondem, ordentlich gescheiteltem Haar.

»Also gut, bis nachher«, sagte die Schwester, verschwand wieder im Krankenhaus und schloss die Tür von innen ab.

Ich folgte Frank. Weder er noch ich sagten etwas. Ich prägte mir die Umgebung ein und schmiedete Fluchtpläne für den Fall, dass das mit meinem Vater nicht klappen sollte. Wir gingen einen asphaltierten Weg hinab, der an einem Gebäude namens Cherry Ward vorbeiführte, wo die Jungs untergebracht waren. Zu meiner Linken waren Weiden, und in der Ferne sah ich die drei großen Schornsteine des Kraftwerks, die ich schon durch das Fenster des Schlafsaals erblickt hatte. Sie stießen grauweißen Rauch aus, und ich wünschte mir, dort zu sein, außerhalb des umzäunten Grundstücks dieses Gefängnisses. Ich versuchte, mir das ganz normale Leben ganz normaler Familien dort vorzustellen.

Was denken die ganz normalen Kinder auf dem Schulweg, wenn sie auf das Krankenhaus blicken und sich fragen, was wir den ganzen Tag tun?

Es lief mir kalt den Rücken hinab.

Ich hasste diesen Ort.

Kurz darauf standen wir vor einem modernen Gebäude.

»Da wären wir.« Frank klingelte, und kurz darauf öffnete ein Mann die Tür und winkte uns hinein.

»Hallo«, sagte er fröhlich. »Ich bin Mr Hope. Und du musst Barbara sein.«

»Ja«, sagte ich lächelnd. Ich wollte einen guten Eindruck machen und mich tadellos benehmen, damit mein Vater nichts Schlechtes über mich zu hören bekam. »Guten Morgen, Mr Hope.«

Er schenkte mir ein herzliches Lächeln, verabschiedete sich von Frank und verschloss die Tür.

»Hier entlang, komm mit.«

Wir gingen einen Flur hinab und traten in eine große Aula, wo sich Schüler und Lehrer für die Morgenandacht versammelten. Es waren etwa dreißig Kinder unterschiedlichen Alters da, die auf dem Boden oder in Rollstühlen saßen. Ich sah alle möglichen Behinderungen. Einige waren stumm, andere körperbehindert. Diese Jungs kamen aus Cherry Ward, doch ihr Alter war schwer zu schätzen, da Jungs immer jünger aussahen als die Mädchen. Eine Lehrerin unterbrach ihre Ansprache und bat die anderen Kinder, mich zu begrüßen.

»Das ist eure neue Mitschülerin Barbara«, sagte sie und zeigte auf mich. »Heißt sie herzlich willkommen.«

»Willkommen, Barbara«, riefen alle wie aus einem Mund.

Damit hatte ich nicht gerechnet, und ich stand wie erstarrt da.

»Barbara, möchtest du dich nicht da drüben neben Hannah setzen?« Die Lehrerin zeigte auf ein Mädchen in einem Rollstuhl. Hannah hatte wunderschönes langes schwarzes Haar, doch ihr Körper war schrecklich missgestaltet. Ich lächelte sie an, und sie erwiderte das Lächeln. Ich mochte sie vom ersten Augenblick an.

Hier war die Stimmung sehr viel entspannter als in dem Krankenhaus. Die Lehrerin redete weiter, doch ich hörte nicht hin, weil ich viel zu sehr damit beschäftigt war, mich umzusehen. Schließlich hörte sie auf zu reden, und wir sprachen ein Gebet. Dann griffen wir nach unseren Gesangbüchern. Einige der älteren Kinder blickten zu mir hinüber und lächelten mich an, einige winkten sogar. Einige der Behinderten konnten ihre Gesangbücher nicht halten. Die Lehrerin griff nach einer Gitarre und begleitete Hannah, die neben mir das *Ave Maria* zu singen begann. Ich war völlig perplex, weil sie die schönste Stimme hatte, die ich jemals gehört hatte. Sie war so engelsgleich und bewegend, dass mir Tränen in die Augen traten, denn sie wühlte Gefühle auf, die ich zu unterdrücken versucht hatte. Ich starrte Hannah mit offenem Mund an und hätte ihr den ganzen Tag zuhören können. Als sie fertig war, wäre ich am liebsten aufgesprungen, um zu applaudieren, aber ich konnte mich gerade noch beherrschen.

Wie kommt es, dass jemand so wunderschön singen kann?

Jetzt stand der Unterrichtsbeginn bevor.

»Alle, die gehen können, stellen sich neben einem Rollstuhl auf«, rief die Lehrerin.

Sofort trat ich neben Hannah, die mich anstrahlte. Ich wusste, dass ich eine neue Freundin gefunden hatte, und es war ein gutes Gefühl. Wir wurden belehrt, es sei die Pflicht eines jeden gesunden Kindes, den behinderten Mitschülern für den Rest des Tages zu helfen.

Mr Hope tauchte auf und zeigte mir, wie ich den Rollstuhl zu schieben hatte und wie die Bremse funktionierte.

»Siehst du, es ist ganz einfach. Das hast du schnell raus.«

Der Unterricht war für mich wie eine erquickende frische Brise, auch wenn ich schon so ziemlich alles wusste, was uns in Mathematik und Englisch beigebracht wurde. Am schönsten war die entspannte Atmosphäre, niemand drohte mir mit Dr. Milners Behandlung. Ich hatte mir angewöhnt, ständig wachsam zu sein für den Fall, dass der Arzt auftauchte.

Der Unterricht verging wie im Flug, und dann durften wir spielen, was mir seit langer Zeit nicht mehr erlaubt worden war. Lächelnd schob ich Hannahs Rollstuhl zu dem kleinen Spielplatz. Wir waren auf dem umzäunten Grundstück des Krankenhauskomplexes und hatten nur eine halbe Stunde, aber es war trotzdem eine kurze Erfahrung der Freiheit. Hannah redete nicht viel, und so las ich ihr vor. Sie liebte Märchen, besonders *Rapunzel*. Mit ihrem langen schwarzen Haar sah sie sich selbst als Prinzessin, gefangen in einem Elfenbeinturm. Aber sie war nicht in einem Turm gefangen, sondern in ihrem eigenen Körper und diesem Krankenhaus, genau wie der Rest von uns. Ein Angestellter zeigte mir, wie ich die Armlehne des Rollstuhls abnehmen und Hannah auf den Toilettensitz helfen musste, nachdem ich ihr den Schlüpfer heruntergezogen hatte. Danach musste ich sie wieder auf den Rollstuhl verfrachten. Es machte mir überhaupt nichts aus, Hannah zu helfen, denn sie war ernsthaft krank. Sie litt an Knochenschwund, war völlig hilflos und hatte ständig Schmerzen, und doch klagte sie nie. Hannah war erst sieben Jahre alt, ein hübsches und liebenswertes Mädchen. Sie sagte kaum etwas, liebte es aber zu singen. Nur das schien ihr wirklich Freude zu machen.

Und dann war schon die Zeit des Abendessens gekommen. Frank tauchte auf, um mich zum Laburnum Ward zurückzubringen. Wir nahmen den gleichen Weg wie am Morgen, und ein dünner Junge mit roten Haaren schloss sich uns an. Er hieß James.

»Hallo, wo kommst du her?«, fragte er mich.

»Aus der Schule. Und du?« Ich war neugierig, denn ihm war es offenbar gestattet, sich frei auf dem Grundstück zu bewegen.

»Ich helfe dem Gärtner.«

»Dann arbeitest du hier?«

James lächelte, als hätte ich etwas Komisches gesagt.

»Was ist?«, fragte ich etwas verstimmt, weil er sich über mich lustig zu machen schien.

»Nein, ich arbeite hier nicht«, antwortete er lächelnd. »Oder vielleicht doch … Ich helfe dem Gärtner, bin aber im Krankenhaus, auf der Station Cherry Ward.«

Ich war geschockt – auch James war ein Patient.

Frank ging ein paar Schritte hinter uns her und ließ es zu, dass wir uns unterhielten.

»Bist du schon behandelt worden?«, fragte er plötzlich. Ich wurde bleich.

Woher weiß er von der Behandlung und Dr. Milner?

Ich schlug den Blick zu Boden.

»Wir bekommen auch diese Behandlung«, flüsterte er. »Die Jungs auf der Station. Wir waren alle schon dran.«

Ich war verblüfft, und James erkannte es an meiner Miene.

Auch die Jungs bekommen diese Behandlung verpasst.

Ich konnte es kaum fassen.

Ich muss es Christine erzählen.

James blieb stehen und zeigte auf ein Fenster. »Du wirst da behandelt, stimmt's?«

Ich folgte seinem Blick und stellte entsetzt fest, dass der kurze Gang beendet war. Wir standen wieder vor dem Krankenhaus. Frank klingelte, und James winkte mir zum Abschied zu und verschwand. Die Tür wurde aufgeschlossen, und Frank ließ mich mit der Schwester allein, die mich zur Tür des Gemeinschaftsraums führte, sie aber nicht aufschloss. Stattdessen verschwand sie in Dr. Milners Büro. Ich erstarrte.

Ist er da?

Kurz darauf war sie wieder zurück und forderte mich auf, die üblichen Medikamente zu nehmen. Ich gehorchte, und sie schloss die Tür des Gemeinschaftsraums auf, wo gerade mal wieder das Besteck gezählt wurde.

Einundfünfzig, zweiundfünfzig, dreiundfünfzig ...

Jane drehte vor dem laufenden Fernseher Pirouetten, die anderen saßen herum und starrten ins Leere. Christine winkte mich zu sich.

»Ich muss dir etwas erzählen«, sagte sie.

»Ich dir auch.« Ich ließ mich auf den Stuhl neben ihr fallen.

Sie sah mich erwartungsvoll an.

»Nein, erzähl du zuerst.«

»Heute ist ein neues Mädchen gekommen.«

»Hast du es gesehen?«

Sie schüttelte den Kopf. »Nein, aber eins der anderen Mädchen, und weißt du was?«

Ich schaute sie fragend an.

»Sie kommt aus The Cedars.«

Ob ich sie kenne?, fragte ich mich aufgeregt.

»Also, raus damit.« Christine stieß mir spielerisch einen Ellbogen in die Rippen. »Was hast du mir zu erzählen?«

Die Schwester klatschte in die Hände, um für Ruhe zu sorgen, und zwei Mädchen begannen den Tisch zu decken.

»Auf dem Rückweg von der Schule habe ich einen Jungen kennengelernt. Er heißt James.«

Christine grinste und fragte mich, ob er jetzt mein Freund sei.

Ich schüttelte den Kopf. »Nein, so ist das nicht.«

»Würdest du jetzt bitte den Mund halten, Barbara O'Hare?«, blaffte mich die Schwester an.

Ich senkte den Kopf. Ich durfte nicht auffallen. Nicht jetzt.

»Ich erzähle es dir später«, flüsterte ich.

13

Todesgedanken

Bald war es Routine, dass Frank mich jeden Morgen zur Schule brachte. Er verzichtete darauf, meine Hand zu halten, denn ich hatte ihm versprochen, dass ich nicht wegrennen würde. Meistens stieß James zu uns. Er begleitete uns, und wir plauderten. Es dauerte nicht lange, bis wir gute Freunde waren. Frank hielt sich zurück, wenn wir miteinander sprachen.

»Ich kenne diese Gegend gut«, sagte James. »Ich komme aus Nottingham und habe mit meinem Vater überall hier in der Nähe gezeltet.«

Er erzählte mir, wo er überall gewesen war im Urlaub, unter anderem in den Yorkshire Dales, wo er einen ganz wundervollen Wasserfall entdeckt hatte.

»Du hättest ihn sehen sollen, Barbara. Es ist ein unglaublicher Anblick.«

Doch worüber wir auch redeten, letztlich kamen wir immer wieder auf das Krankenhaus zurück.

»Ich habe meine Mutter nicht mehr gesehen, seit ich noch ganz klein war«, sagte James.

»Bei mir ist es genauso. Ich weiß nicht einmal, wie meine Mutter heißt, niemand will es mir sagen. Dafür reden alle schlecht über sie. Ich erinnere mich nicht daran, wie sie aussieht. Als sie verschwand, war ich noch ein Baby. Meine Pflegemutter hat mir einmal erzählt, sie habe mich nicht gewollt.«

James schüttelte den Kopf. »Das ist ja grauenvoll«, sagte er voller Mitgefühl.

Plötzlich hatte ich Tränen in den Augen. »Aber ich glaube es nicht, weil Edna eine dumme Kuh und eifersüchtig ist. Meine Mutter ist eine wundervolle Frau, die irgendwo da draußen ist und nach mir sucht.«

James lächelte. »Ja, bestimmt.«

»Eines Tages wird sie mich finden, und ich habe eine Mutter wie andere Kinder auch. Sie wird mir das Haar flechten, auf mich aufpassen und stolz auf mich sein. Im Gegensatz zu meiner Pflegemutter. Nur richtige Mütter können stolz sein auf ihre Töchter. Sie haben mich in dieses Krankenhaus gesteckt, damit ich nicht wegrenne. Ich bin schon einmal aus einem Kinderheim und einer Besserungsanstalt ausgebrochen, um meine richtige Mutter zu suchen.«

James hörte schweigend zu und sagte dann: »Vielleicht sollten wir zu zweit fortlaufen und gemeinsam unsere Mütter suchen.«

Ich lächelte. Das klang nach einer großartigen Idee. Das Problem war nur, dass in ein paar Tagen mein Vater kam, und ich wusste, dass er mich hier herausholen würde. Also hatte ich keinen Grund, vorher wegzulaufen.

Wir hatten die Schule erreicht.

»Sehen wir uns später?«, fragte James.

Ich nickte. »Ja.«

Nach der Morgenandacht half ich Hannah auf der Toilette, und in der Pause schob ich sie in ihrem Rollstuhl herum. Ein paar Unterrichtsstunden folgten, und dann war es schon wieder Zeit für den Rückweg. Die Tage vergingen wie im Flug. Eines Morgens wirkte James sehr in sich zurückgezogen und still.

»Was stimmt denn nicht?«, fragte ich und stieß ihm freundschaftlich den Ellbogen in die Rippen.

Frank war dicht hinter uns.

James antwortete nicht und starrte ins Leere, als wäre er ganz in Gedanken verloren.

»Warum sagst du nichts?«, flüsterte ich.

Er packte meinen Arm und schaute mich an. »Ich muss dir etwas sagen.«

Er blickte sich um, um sich zu vergewissern, dass Frank nicht mithören konnte.

Ich musste lachen, weil er so ernst war.

»Was immer es ist, so schlimm kann es doch nicht sein«, sagte ich lächelnd.

Seine Miene verdüsterte sich, als würde er das Gewicht der Welt auf den Schultern tragen. Jetzt war mir klar, dass ihn etwas sehr Ernstes bedrückte.

»Hat es etwas mit der Behandlung zu tun?«, fragte ich.

Er schüttelte den Kopf. »Es ist schlimm.«

»Mein Gott, worum geht's?«

Er trat dicht an mich heran. »Hast du schon mal eine Leiche gesehen?«, flüsterte er mir ins Ohr.

Mein Herzschlag setzte einen Moment aus.

Eine Leiche? Wovon um Himmels willen redet er?

»Weil ich einen Toten gesehen habe, letzte Nacht auf der Station. Er war mit einem Laken bedeckt.«

Ich schnappte nach Luft.

»Wie sah er aus?«, fragte ich. »Wer war es?«

»Ein Junge von meiner Station«, flüsterte er so leise, dass ich ihn kaum verstehen konnte. »Er wurde für die Behandlung abgeholt und ist nicht mehr zurückgekommen.«

Ich wusste nicht, ob die Geschichte stimmte, aber James war offensichtlich völlig durcheinander.

»Wann genau hast du ihn gesehen?«, hakte ich nach.

»Ich konnte nicht schlafen und guckte aus dem Fenster. Da habe ich einen schwarzen Kastenwagen vorfahren sehen. Zwei Männer stiegen aus, und kurz darauf kamen sie mit einem Toten zurück, der in weiße Laken gehüllt war.«

»Aber wer waren sie?«

»Die beiden Männer? Keine Ahnung, doch ich habe sie schon häufiger auf dem Grundstück herumkurven sehen. Aber in der Regel steht der Wagen vor dem Krankenhaus für die alten Leute.«

Ich war zugleich verängstigt und fasziniert. Da ich bisher keinerlei Erfahrungen mit dem Tod gemacht hatte, war ich natürlich neugierig.

»Woher weißt du, dass es der Junge von deiner Station war?«

Er fuhr sich mit einer zitternden Hand durch das rote Haar und seufzte. »Weil er nach der Behandlung nicht zurückgekommen ist. Sein Bett blieb leer, und niemand hat ihn noch einmal gesehen.«

Wir hatten die Schule erreicht, doch ich war in Gedanken woanders. Diese Geschichte mit dem Toten und dem schwarzen Lieferwagen machte mir Angst.

James verabschiedete sich, und ich betrat die Schule. Für den Rest des Tages musste ich immer wieder daran denken, was er erzählt hatte.

Was ist, wenn Kinder während der Behandlung gestorben sind?

Ich erschauderte. Der Gedanke war unerträglich.

Ich konnte es nicht abwarten, bis die Zeit für den Rückweg gekommen war, weil ich James weitere Fragen stellen wollte. Als es klingelte, war ich als Erste am Ausgang, doch dort wartete nur Frank auf mich.

»Wo ist James?«

Frank zuckte die Achseln. »Ich weiß nur, dass er heute nicht hier ist und morgen auch nicht kommen wird.«

»Warum?« In Gedanken war ich bei der Leiche und dem schwarzen Kastenwagen.

»Er wurde auf seine Station gerufen, und dann habe ich gesehen, wie er aus dem Krankenhaus kam und fortgebracht wurde.«

»Womit?«, fragte ich mit einem heftig klopfenden Herzen.

Frank warf mir einen seltsamen Blick zu. »Mit einem Auto, das von einem Sozialarbeiter gefahren wurde. Wie auch immer, er ist verschwunden, und ab jetzt sind wir beide allein.«

Ich war völlig entmutigt, denn ich wusste, dass ich James nie wiedersehen würde. Ich fragte mich, ob Frank unsere Gespräche belauscht und den Schwestern davon erzählt hatte. Vielleicht hatte er gehört, dass wir darüber geredet hatten, von hier fortzulaufen? Oder James' Geschichte von der Leiche und dem schwarzen Kastenwagen? Vielleicht wusste James zu viel. In meinem Kopf jagten sich die Gedanken, und irgendwann ging alles durcheinander.

Als Frank mich im Krankenhaus abgeliefert hatte, musste ich meine Medikamente nehmen, und dann wurde ich in den Gemeinschaftsraum gebracht, wo Jane tanzte und wieder einmal das Besteck gezählt wurde.

Einundzwanzig, zweiundzwanzig, dreiundzwanzig ...

»Hallo«, sagte Christine, als ich mich auf den Stuhl neben ihr fallen ließ. »Wie war's in der Schule?«

Es kam mir so vor, als hätte ich außer ihr niemanden mehr auf dieser Welt.

»Erinnerst du dich, dass ich dir etwas von diesem James erzählen wollte? Die Jungs auf der Station Cherry Ward bekommen auch diese Behandlung.«

Christine riss überrascht die Augen auf.

»Und das ist noch nicht alles«, fuhr ich fort. »James hat eine Leiche gesehen, die von zwei Männern in einem schwarzen Kastenwagen fortgeschafft wurde.«

Christine nickte wissend.

»Bist du nicht schockiert? Wegen der Leiche?«

Sie zuckte die Achseln. »Hier sterben ständig Leute, deren Leichen mit diesem Wagen weggebracht werden. Ich sehe ihn alle naselang.«

»Wirklich?«

»Ja.«

»Aber was ist mit James?«, fragte ich.

»Was soll mit ihm sein?«

»Er ist verschwunden.« Ich schaute sie an. »James ist nicht mehr da.«

»Wohin ist er denn verschwunden?«

Jetzt konnte ich nur die Achseln zucken.

»Keine Ahnung. Frank sagte, ein Sozialarbeiter habe ihn weggebracht.«

Christine schüttelte den Kopf. Ich sah, dass sie nicht überzeugt war.

»Du glaubst doch nicht, dass ihm etwas zugestoßen ist?«

Ich wurde von Angst gepackt und fragte mich einen Augenblick, ob James vielleicht tot war.

Christine schwieg.

»Was ist, wenn James tot ist und der schwarze Kastenwagen gekommen ist, um die Leiche abzuholen?«, fragte ich.

Kaum hatte ich den Satz ausgesprochen, da wurde mir klar, wie lächerlich er klang.

»Nein, er kann nicht tot sein, weil Frank gesehen hat, wie er mit dem Sozialarbeiter fortgefahren ist.«

Eins, zwei, drei …

Was immer geschehen war, ich wollte an diesem Nachmittag nicht in die Schule zurückkehren. Ich musste mir etwas einfallen lassen. Mir wurde ganz anders zumute, wenn ich daran dachte, dass James verschwunden war und dass ihm sonst was zustoßen konnte. Ich war so durcheinander, dass ich nichts essen konnte. Eine Schwester bemerkte es und kam zu mir.

»Hast du keinen Hunger, Barbara?«

»Ich weiß nicht, ich fühle mich nicht gut.« Ich legte eine Hand auf meinen Bauch.

Sie brachte mich in den Schlafsaal, und ich war erleichtert, weil jetzt klar war, dass ich nicht in die Schule zurückmusste. Als es Zeit für das Abendessen war, schaute die Schwester nach mir. Ich bekam meine Tabletten und diesmal eine doppelte Dosis von dem zähflüssigen braunen Sirup. Ich wollte protestieren, doch in mir war jeglicher Widerstandsgeist erloschen. Nachdem ich das Zeug hinuntergeschluckt hatte, wurde ich nach unten geführt. Ein paar Mädchen standen am Fenster und hielten nach Milner Ausschau. Die Atmosphäre war so düster wie meine Stimmung.

»By the light of the silvery moon«, sang Jane, während sie durch den Raum tanzte.

Zwölf, dreizehn, vierzehn …

Ich saß da und starrte ins Leere. Mein Körper fühlte sich taub an. Ich wollte aufstehen und schreiend das Mobiliar zertrümmern. Aber es ging nicht. Sie hatten mich so gründlich sediert, dass ich mich nicht mehr bewegen konnte. Ich konnte nur stumm in meinem Kopf schreien. Ich hatte nur noch einen Gedanken, ich wollte sterben. Der Tod musste besser sein als das hier. Mein Vater wollte kommen, doch was war, wenn er nicht auftauchte? Wenn ich tot war, musste ich dieses Elend nicht länger ertragen. Der Tod war der einzige Ausweg.

Ich schaute zu den Mädchen vor dem großen Fenster hinüber. Sie hatten Angst davor, was die Nacht bringen würde. Ich hatte keine Angst mehr, weil meine Gefühle durch die doppelte Dosis des dunkelbraunen Sirups völlig abgestumpft waren. Ich war innerlich tot.

Ich habe nichts mehr, wofür zu leben sich lohnt, schrie die Stimme in meinem Kopf.

Es stimmte. Mein Leben hatte keinen Sinn mehr. Niemand wollte mich, ich würde für den Rest meines Lebens in diesem Krankenhaus gefangen sein. Ich schaute Jane an und sah mich als alte Frau, eingesperrt mit jungen Mädchen, die meine Enkelinnen hätten sein können. Ich schüttelte den Kopf. Nein, das wollte ich nicht. Der Gedanke war unerträglich. Vor meinem inneren Auge sah ich den schwarzen Kastenwagen. Mein Körper war in kühle Laken gehüllt. Tot würde ich von diesen täglichen Qualen erlöst sein.

Fünfunddreißig, sechsunddreißig, siebenunddreißig …

Wenn ich tot war, konnte Milner mir nichts mehr anhaben. Man würde mich hinten in den Wagen verfrachten und die Tür schließen, dann würde mich nie wieder jemand sehen. Ich hätte meinen Frieden gefunden.

Das war's, dachte ich. *Ich möchte sterben. Das ist der einzige Ausweg.*

Plötzlich bemerkte ich, dass ich vor dem großen Fenster stand. Die anderen Mädchen beobachteten mich, als ich mein Gesicht gegen die kühle Glasscheibe presste.

Zweiundvierzig, dreiundvierzig, vierundvierzig ...

Die Zeit stand still. Die Scheibe beschlug von meinen heftigen Atemzügen. Aber ich hatte keine Angst, hatte die Nase voll davon, ständig in Furcht und Schrecken zu leben.

Ich will, dass er mich sieht, dass er mich aussucht. Er soll mich so sehr mit Medikamenten vollpumpen, dass ich sterbe. Dann werde ich dieses Krankenhaus für immer verlassen.

Achtundvierzig, neunundvierzig, fünfzig ...

Ich dachte an meinen Vater. Noch zwei Nächte, dann würde er kommen, doch das erschien mir jetzt als zu lang.

Ich möchte schlafen, möchte mich hinlegen, die Augen schließen und nie mehr aufwachen. Ich werde für niemanden mehr eine Last sein, weil ich unter der Erde liegen werde. Die dreckige Zigeunertochter, verscharrt in einem dunklen, kalten Grab.

Alle hielten den Atem an, als Milners Auto auf der Auffahrt erschien und einmal mehr das Licht der Scheinwerfer in den Raum fiel. Die anderen Mädchen schrien und flüchteten in die hintersten Ecken. Milner war da,

Angst machte sich breit. Ich blieb am Fenster stehen und sah wütend zu, als Milner seinen Wagen auf dem für ihn reservierten Parkplatz abstellte. Ich sah, wie er die Handbremse anzog und das Licht ausschaltete. Dann stieg er langsam aus, wie immer in dem braunen Tweedjackett. Er wirkte so, als würde er keinerlei Sorgen kennen. Ich stand wie angewurzelt da und starrte ihn aggressiv an.

Milner wirkte überrascht, als er mich sah, blickte mir aber nicht in die Augen. Dieser arrogante Typ tat so, als wäre ich gar nicht da.

Einundfünfzig, zweiundfünfzig, dreiundfünfzig …

Ich war zornig, konnte mich nicht mehr beherrschen und hämmerte mit den Fäusten gegen die Scheibe. Ich wollte ihn wissen lassen, dass ich mich ihm ausliefern, mich freiwillig opfern würde.

Ich trommelte gegen die Scheibe und schrie, um seine Aufmerksamkeit auf mich zu lenken. Ich war noch ein Kind und hatte noch nie diese nackte Wut empfunden.

»Ich melde mich freiwillig!«, schrie ich, während Tränen über meine Wangen rannen.

Es war die ständige Angst, die ich nicht mehr ertragen konnte. Wenn ich mich ihm freiwillig auslieferte, hatte ich die Initiative übernommen, nicht er.

Ich hämmerte noch heftiger gegen die Scheibe. Ich wollte, dass er dem Opferlamm in die Augen schaute, doch dieser eiskalte Dreckskerl ignorierte mich und ging zum Haupteingang.

»Ich melde mich freiwillig!«, schrie ich noch einmal.

Milner betrat das Krankenhaus, sein Königreich. Ich drehte mich um und ging zum Fenster des Schwesternzimmers. Ich wusste genau, wohin Milner unterwegs war. Ich stellte ihn mir vor, wie er durch den Korridor schritt und die Klinke der Tür des Schwesternzimmers niederdrückte …

Auch hier hämmerte ich gegen die Scheibe und schrie. Die anderen Mädchen hielten den Atem an.

»Ich melde mich freiwillig!«, schrie ich zum dritten Mal.

Durch die Musselingardine konnte ich ihn sehen.

»Hören Sie mich, Milner? Ich will behandelt werden.«

Ich spürte, wie sich eine Hand auf meine Schulter legte. Ich drehte mich um in der Erwartung, dass es eine Schwester war, doch stattdessen sah ich Jane.

»Möchtest du tanzen?«

Ich war außer mir vor Wut.

»Verpiss dich!«, schrie ich, und sie wich zurück wie ein verängstigtes Kind. »Verpiss dich, du Verrückte. Lass mich in Frieden.«

Eine Tür öffnete sich, und eine Schwester trat ein, als wäre alles so wie immer.

»Sarah Fleming«, rief sie.

Ich ging zu der Schwester und schlug auf meine Brust. »Ich gehe für sie. Ich melde mich freiwillig.«

Aber die Schwester blickte weiter Sarah an, die weinend zu ihr trat. Die beiden verschwanden im Flur, und die Tür schloss sich wieder. Alle starrten mich wortlos und mit offenem Mund an. Auch Christine war fassungslos und wusste nicht, was sie sagen sollte.

Die Tür öffnete sich ein zweites Mal, und eine andere Schwester trat ein. Wieder hielten alle den Atem an. Es passierte nie, dass zwei Mädchen an einem Abend ausgesucht wurden.

»Barbara O'Hare.« Sie blickte mir direkt in die Augen. *Endlich! Ich hab's geschafft. Milner wird mich mit Medikamenten vollpumpen, und hoffentlich werde ich diesmal nicht wieder aufwachen. Wie die anderen Leichen wird man mich hinten in den schwarzen Kastenwagen verfrachten. Dann ist die Tortur endlich überstanden ...*

Ich folgte der Schwester nach draußen und ging mit ihr zu der Treppe, die zu dem Behandlungszimmer führte. Ich war erleichtert. Ich würde sterben und endlich für immer dieses Krankenhaus verlassen. Ich stieg die ersten Stufen hoch.

»Nein, Barbara«, rief mich die Schwester zurück. Sie stand vor Milners Büro und zeigte auf den Stuhl, auf dem ich nach meiner Ankunft in dem Krankenhaus gesessen hatte. »Setz dich da drüben hin.« Sie verschwand in Milners Büro, kam kurz darauf mit einem Glas Wasser zurück und gab mir zwei gelbe Tabletten. »Nimm die«, befahl sie.

Ich warf einen misstrauischen Blick auf die Pillen. »Wofür sollen die gut sein?«

»Dr. Milner sagt, du sollst sie nehmen, weil du so aufgeregt bist.«

Für einen Augenblick hoffte ich, dass die Tabletten mich umbringen würden. Ich nahm die Pillen und spülte sie mit einem Schluck Wasser hinunter.

»Braves Mädchen«, bemerkte die Schwester und nahm mir das Glas aus der Hand.

»Warte hier, in einer Viertelstunde bin ich wieder da.«

»Aber ich will behandelt werden!«

Sie wirkte schockiert. »Du *willst* behandelt werden? Warum?«

»Ja, und zwar sofort.«

Die Schwester war völlig perplex. »Aber warum?«, wiederholte sie.

»Weil ich sterben will«, platzte es aus mir heraus. »Dann wird meine Leiche in Laken gehüllt und hinten in den schwarzen Kastenwagen gelegt.« Ich begann zu schluchzen. »Nur so komme ich hier raus.«

Die Schwester schüttelte den Kopf und legte mir eine Hand auf die Schulter. »Rede keinen Unsinn«, sagte sie. »In zwei Tagen kommt dein Vater. Freust du dich nicht darauf, ihn zu sehen?«

Und dann bemerkte ich, dass die Medikamente zu wirken begannen. Auf einmal war ich sehr müde. Die Schwester blickte auf die Uhr, schob eine Hand unter meine linke Achsel und zog mich hoch. »Komm, ich bringe dich in den Schlafsaal.«

Später erinnerte ich mich nicht mehr daran, wie ich ins Bett gekommen war. Noch nie in meinem Leben hatte ich so tief geschlafen.

14

Der Besuch

Endlich war es Samstag. Mein Vater würde mich besuchen, und ich war schon ganz aufgeregt, als ich die Zeichnungen zusammensuchte, die ich in der Schule angefertigt hatte. Ich wollte ihm zeigen, wie gut ich mich dort schlug. Aber in erster Linie wollte ich ihm von den Medikamenten und der entsetzlichen Behandlung erzählen, damit er mich hier heraushole. Ich blickte auf die Uhr. Zwölf Uhr mittags. Noch zwei Stunden.

Wir bekamen unsere Medikamente, und aus irgendeinem Grund musste ich nur die Tabletten schlucken. Der grauenhafte braune Sirup blieb mir erspart. Zuerst glaubte ich, sie hätten ihn vergessen, doch dann vermutete ich, dass ich nicht zu offensichtlich unter dem Einfluss der Medikamente stehen sollte, wenn mein Vater kam. Nach dem Essen plauderte ich mit Christine. Wieder blickte ich auf die Uhr. Noch eine Stunde, dann würde ich diesem Gefängnis für immer entkommen.

»Lass uns zum Fenster gehen und nach deinem Dad Ausschau halten«, schlug Christine vor.

»Ja, vielleicht kommt er früher«, antwortete ich aufgeregt.

»Freust du dich sehr?«

Ich nickte lächelnd. »Was immer er mir an Geschenken mitbringt, ich werde sie mit dir teilen.«

»Ich auch, wenn mein Dad kommt.«

Wir besiegelten die Abmachung mit Handschlag.

Ich sagte, mein Vater würde mir neue Kleider, Unterwäsche, Bücher und Schallplatten mitbringen.

»Er schenkt mir ständig Schallplatten, meistens welche von Elvis Presley.«

»Kommt dein Dad mit dem Auto?«

Ich nickte. »Ja, aber ich bin nicht sicher mit welchem. Er hat etliche Autos.«

Draußen begann es zu stürmen und zu regnen. Tropfen schlugen gegen die Scheibe und behinderten unsere Sicht.

Zum ersten Mal seit Wochen war ich glücklich. Schon war es halb zwei. Nur noch eine halbe Stunde. Scheinwerfer. Mein Herzschlag setzte kurz aus. Das musste mein Vater sein.

»Sehen meine Haare ordentlich aus, Christine?«

»Ganz wundervoll«, sagte sie und drückte mir meine Zeichnungen in die Hand.

Dann sahen wir das Auto, doch es bog nicht auf die Auffahrt ab, sondern fuhr geradeaus weiter, Richtung Schule. Wir sahen nur noch die roten Rücklichter, die kurz darauf in der Ferne verschwanden.

»Hat er sich vielleicht verfahren?«, fragte Christine.

Wir warteten vergeblich darauf, dass das Auto zurückkam.

Viertel vor zwei.

»Was ist, wenn mein Dad nicht kommt?«, fragte ich mit Tränen in den Augen

Christine seufzte und sah mich teilnahmsvoll an.

»Red keinen Unsinn«, ermahnte ich mich in einem Versuch, tapfer zu sein und meine Enttäuschung zu verbergen. »Er wird bestimmt noch auftauchen.«

Zwei Uhr, wieder das Licht von Scheinwerfern.

»Ich wette, das ist er«, sagte Christine.

Es war ein dunkler, regnerischer Tag, und ich hoffte, dass der Wagen nach rechts abbiegen würde. Es kam so, und mein Herzschlag setzte einen Moment aus.

Das ist er! Mein Vater ist da!

Ich wartete darauf, dass er aus dem Auto steigen und zum Eingang kommen würde. Wegen des starken Regens war kaum etwas zu sehen.

Christine zupfte an meinem Ärmel. »Das ist nicht dein Vater, Barbara. Da steigen zwei Damen aus dem Auto.«

Ich drückte mein Gesicht an die Fensterscheibe, um besser sehen zu können. Sie hatte recht, zwei ältere Frauen klingelten am Haupteingang.

Das nächste Auto ist seines.

Aber ich hatte die Hoffnung bereits verloren, denn ich wusste, dass er nicht kommen würde.

»Man darf nie zu spät kommen zu einer Verabredung«, hatte er immer gesagt. »Höchstens am Hochzeitstag.«

Viertel nach zwei, von meinem Vater war nichts zu sehen.

Halb drei.

»Sollen wir Karten spielen?«, fragte Christine.

Ich seufzte und stimmte zu. Wir spielten bis drei Uhr Schnippschnapp, aber von meinem Vater war immer noch nichts zu sehen.

»Hat mein Dad angerufen?«, fragte ich eine vorbeikommende Schwester. Sie versicherte, sie wolle im Büro nachfragen, doch als sie zurückkam, sagte sie, mein Vater habe sich nicht gemeldet.

Vier Uhr. Die Besuchszeit war vorüber.

»Sind Sie sicher, dass er nicht angerufen hat?«, fragte ich deprimiert, doch sie schüttelte nur traurig den Kopf.

Was für eine Demütigung. Ich möchte nur noch sterben.

Die Schwester tauchte wieder auf und gab mir zwei weitere Tabletten, die ich ohne Widerrede schluckte.

Wenn ich keinen Vater mehr habe, bleibt mir nichts mehr.

Christine tat alles, um mich zu trösten, aber ich wollte nur noch heulen. Ich hatte so lange darauf gewartet, dass er mich besuchte, und jetzt hatte er mich versetzt und meinem Schicksal überlassen.

Zweiunddreißig, dreiunddreißig, vierunddreißig …

Wieder wurde das Besteck gezählt.

»Willst du mit mir tanzen?«, fragte Jane, die ich jetzt nun wirklich nicht sehen wollte.

»Hau ab«, fuhr ich sie an. »Lass mich einfach in Ruhe.«

Es war Zeit fürs Abendessen, aber ich hatte keinen Appetit. Ich war mir sicher, keinen Bissen hinunterzubekommen.

Ich schob Christine meinen Teller zu. »Hier, das kannst du essen.«

»Bist du sicher?«

Ich nickte.

Nach dem Abendessen gab mir die Schwester noch zwei von den gelben Tabletten, die ich schon bekommen hatte, als ich an das Fenster hämmerte. Ich schluckte sie, ohne weiter darüber nachzudenken. In Gedanken war ich immer noch bei meinem Vater, und ich bemerkte erst gar nicht, dass die Schwester mit mir sprach.

»Möchtest du dich jetzt ins Bett legen, Barbara?«, fragte sie.

Ich schaute sie an, benommen und völlig deprimiert. »Können Sie mich nicht in dem Nebenzimmer einsperren?«

Die Schwester warf mir einen seltsamen Blick zu. »Ein merkwürdiger Wunsch.«

Ich kämpfte gegen die Tränen an, doch es war sinnlos.

»Ich will … Ich möchte …«, stammelte ich und schlug den Blick zu Boden. Ich hatte keinerlei Hoffnung mehr. »Ich möchte einfach nur allein sein«, flüsterte ich.

Ich begann zu schluchzen.

»Nicht doch«, säuselte die Schwester. »Ich bin sicher, dass dein Vater bald kommen wird. Reg dich nicht so auf. Es kann sonst was passiert sein, vielleicht hat er nur eine Panne gehabt. Er wird kommen, sonst hätte er angerufen.«

Ich wollte ihr glauben, schaffte es aber nicht. Mein Vater arbeitete auf Ölbohrinseln, und wenn er wieder aufbrechen musste, war er für Monate verschwunden.

»Können Sie mich in das Nebenzimmer bringen?«, bettelte ich. »Ich möchte einfach nur allein sein.«

»Und du wirst keinen Ärger machen?«

»Nein«, antwortete ich unter Tränen.

»Aber warum willst du das?« Sie legte mir eine Hand auf die Schulter. »Komm schon, ich bringe dich in den Schlafsaal. Die Wirkung der Medikamente wird gleich einsetzen.«

Sie hatte recht, plötzlich fühlte ich mich sehr müde. Ich ließ es zu, dass sie mich zu dem Schlafsaal führte. Die Medikamente hatten meine Gefühle abgestumpft, und ich zuckte nicht einmal zusammen, als wir an dem Behandlungszimmer vorbeikamen.

Ich bin der letzte Dreck. Eine ungewaschene Zigeunertochter, die nichts anderes verdient, als in diesem Krankenhaus zu sein.

Kaum lag ich im Bett, da war ich auch schon fest eingeschlafen. Als ich am nächsten Morgen aufwachte, war das Kopfkissen feucht von meinen Tränen. Ich musste die ganze Nacht über geweint haben. Beim Frühstück saß Christine neben mir und versuchte, mich aufzumuntern. Ich ergriff dankbar ihre Hand, doch auch sie konnte an meiner düsteren Stimmung nichts ändern. Von dem Geruch des Essens wurde mir übel, und ich schob meinen Teller beiseite.

»Kannst du das nicht für mich essen?«, fragte ich sie.

Danach holte Christine Buntstifte und gab mir Zeichenunterricht. Sie war eine Meisterin ihres Fachs, und es hielt mich davon ab, weiter an meinen Vater zu denken. Der Morgen verging wie im Flug, und schon stand die Schwester mit unseren Medikamenten vor uns. Ich bekam zwei zusätzliche Tabletten. Bestimmt sollten die mir darüber hinweghelfen, dass mein Dad nicht aufgetaucht war.

Dreiundzwanzig, vierundzwanzig, fünfundzwanzig …

Das Mittagessen wurde aufgetragen, doch ich hatte immer noch keinen Appetit, und ich stocherte lustlos in meinem Essen herum, als die Schwester erschien.

»Es gibt zwei Möglichkeiten, Barbara«, sagte sie. »Entweder du isst, oder wir müssen dich mit einer Kanüle zwangsernähren. Weißt du, was ich meine?«

Ich schüttelte den Kopf.

»Iss besser, angenehm ist das nicht.«

Christine trat mir unter dem Tisch gegen das Schienbein, um mir zu verstehen zu geben, dass ich nachgeben sollte.

»Okay, ich werde essen.« Ich spießte mit der Gabel ein paar Möhren auf, und die Schwester wartete, bis ich sie in den Mund geschoben hatte.

»Braves Mädchen«, sagte sie lächelnd.

Ich wusste, dass ich unter Beobachtung stand, also musste ich essen. Danach machten wir mit dem Zeichnen weiter. Ich war immer noch müde, fühlte mich aber besser, weil ich jetzt etwas im Magen hatte. Die Zeit verging schleppend. Ich saß mit dem Rücken zur Tür und dem Fenster des Schwesternzimmers, und dann fiel mir auf, dass Christine über meine Schulter schaute. Ich drehte mich um und folgte ihrem Blick.

»Dad!« Ich rannte zu meinem Vater und warf mich ihm in die Arme.

»Hey, nicht so stürmisch, beruhige dich«, sagte er, während er mich fest an sich drückte. »Kein Grund, so aufgeregt zu sein.« Er blickte lächelnd eine der Schwestern an.

»Sei mir nicht böse«, sagte ich mit einem heftig klopfenden Herzen. »Ich bin nur so glücklich, dich zu sehen.«

Eine Schwester tauchte mit meiner Jacke auf.

Mein Gott! Ich hatte meine Gefühle kaum noch unter Kontrolle. *Endlich holt er mich hier raus.*

Ich schaute Christine an. »Ich wusste, dass er kommen und mich mitnehmen würde. Es betrübt mich, dich allein zurückzulassen, aber ich werde schreiben«, sagte ich, als ich sie zum Abschied in den Arm nahm.

»Immer mit der Ruhe«, sagte mein Vater, während er der Schwester die Jacke abnahm. »Ich hole dich nur für den Nachmittag ab, danach bringe ich dich wieder zurück.«

Ich war völlig entmutigt. Aber er wusste nicht, was ich hier durchmachte.

Wenn ich dir erzähle, was hier abläuft, bringst du mich bestimmt nicht zurück.

Dad half mir in meine Jacke, und ich winkte Christine zu, als wir den Raum verließen. Draußen regnete es in Strömen, als wir zu Dads neuem Fahrzeug gingen, einem Lieferwagen mit großen Schiebetüren. Ich ging zur Tür auf der Beifahrerseite, und Dad öffnete sie mir. Obwohl wir nur ein paar Meter zurückgelegt hatten, war ich völlig durchnässt.

Ich konnte es nicht abwarten, ihm zu erzählen, wie es in diesem Krankenhaus zuging.

»Ich muss dir etwas erzählen, Dad.«

Er ließ den Motor an. »Was?«, fragte er, als er die Handbremse löste und losfuhr.

»Hör zu, Dad, ich bekomme ständig Spritzen. Sie bringen mich in ein Nebenzimmer und ziehen mich aus. Sie setzen mir eine Maske aufs Gesicht und betäuben mich. Ich muss ein behindertes Mädchen aufs Klo begleiten und ihr den Hintern abwischen ...«

Mein Vater blickte mich an, aber ich war noch nicht fertig.

»Ein Junge namens James hat mir von einer Leiche erzählt, und jetzt ist er verschwunden. Du musst mir helfen, Dad, bevor sie mit der Elektroschocktherapie beginnen ...«

»Er legte den Rückwärtsgang ein und fuhr zum Krankenhaus zurück. Das kam so unerwartet, dass ich verstummte. Er bremste mit quietschenden Reifen vor dem Eingang. An seinem Blick sah ich, dass er wütend war. Er zeigte mit einem Finger auf mich.«

»Hör zu, Zigeunerbrut, du bist eine Lügnerin«, fuhr er mich an. »Was stimmt denn nicht? Kannst du nicht von hier weglaufen? Du bist nichts als eine dreckige, verkommene Zigeunertochter, und hier wird man dir deine Marotten abgewöhnen.«

Ich erbleichte.

Er glaubt mir nicht.

»Ich habe nicht die lange Fahrt auf mich genommen, um mir deine Lügen anzuhören, kapiert?«

»Aber Dad ...«

»Halt die Klappe! Ich weiß, dass du lügst, denn ich habe nichts unterschrieben, um meine Zustimmung zu geben. Du bist eine Lügnerin. Was bist du? Eine ...«

Mir traten Tränen in die Augen. »Eine dreckige, verlogene Zigeunerin.«

»Genau.« Er legte wieder den ersten Gang ein. »Versuch nicht noch mal, mir diesen Unsinn unterzujubeln. Ich habe die Nase voll von dir.«

Er fuhr los, und wir verließen das Grundstück des Krankenhauses. Ich war am Boden zerstört, weil er mir nicht geglaubt hatte, und er war meine einzige Hoffnung.

Keiner von uns sagte etwas.

Die verregnete Landschaft zog vor meinem Auge vorbei. Tropfen schlugen gegen das Seitenfenster, das miese Wetter entsprach meiner Stimmung. Wir kamen an dem Kraftwerk mit den drei Schornsteinen vorbei, die ich von dem Schlafsaal aus sehen konnte. Ich hatte keine Ahnung, wo wir hinfuhren, doch dann parkte mein Vater plötzlich vor einem Pub.

»Warte hier.« Er stieg aus, hielt sich seine Jacke über den Kopf und rannte durch den Regen zu dem Pub.

Nach zwanzig Minuten tauchte er wieder auf, mit einer Frau im Arm, die ich noch nie gesehen hatte. Sie hatte schwarze Haare, war stark geschminkt und trug ein schwarzes Kleid und einen schwarzen Pelzmantel. Die Tür auf der Beifahrerseite öffnete sich, und mein Vater stellte uns vor.

»Das ist Janice, Barbara. Steig aus und mach ihr Platz.«

Janice setzte sich auf der Bank neben meinen Vater. Dann schüttelte sie mir die Hand. »Hallo. Ich habe schon so viel über dich gehört.«

Meine Stimmung verfinsterte sich.

Ich will neben meinem Vater sitzen, dachte ich verbittert. *Dies ist mein Tag, nicht ihrer.*

Im Beisein seiner Freundin war mein Vater betont zuvorkommend. Wir fuhren zu einem Laden, wo er mir alles kaufte, worum ich ihn bat. Ich tat mir keinen Zwang an, weil ich Christine die Hälfte der Geschenke versprochen hatte. Wir gingen zu dem Lieferwagen zurück, und ich wollte meinen ursprünglichen Platz wieder einnehmen, doch mein Vater wollte nichts davon wissen.

»Nichts da, Janice sitzt neben mir.«

Sie war eine nette Frau, die sich wirklich Mühe gab, mit mir ins Gespräch zu kommen. Aber ich nahm es ihr übel, dass ich die Zeit nicht allein mit meinem Vater verbringen konnte.

»Lass Janice aussteigen«, sagte mein Vater.

Sie gab mir zum Abschied einen Kuss auf die Wange.

»Schön, dich kennengelernt zu haben, Barbara«, sagte sie, bevor sie wieder zu dem Pub ging, doch dann blieb sie stehen und drehte sich zu meinem Dad um. »Wir haben die Sachen vergessen, die wir für Barbara mitgebracht haben. Sie liegen hinten in deinem Lieferwagen.«

Dad schlug sich mit der Hand gegen die Stirn. »Aber ja, natürlich.«

Er öffnete die Schiebetür und ich schaute hinein. Ich sah einen Koffer, einen Kosmetikkoffer und die Reisetasche meines Vaters. Und eine Einkaufstüte von C&A.

Er drückte sie mir in die Hand. »Die Klamotten sind für dich. Los, steig ein. Ich bin gleich wieder da.«

Fünf Minuten später tauchte er wieder auf, mit einer Flasche Cola und einer Tüte Chips in den Händen.

»Danke«, sagte ich lächelnd.

»Kein Wort gegenüber Janice von dem Krankenhaus, verstanden?«

Ich nickte.

»Gut.« Damit verschwand er wieder in dem Pub.

Eine halbe Stunde später war er zurück und ließ den Motor an. »Ich muss dich jetzt wieder zurückbringen.«

Ich war völlig entmutigt. »Bitte nicht«, sagte ich. »Alles, was ich dir erzählt habe, ist wahr.«

Aber er wollte mir nicht glauben.

»Bitte, bitte, bring mich nicht wieder zurück«, jammerte ich.

»Du kannst von dort nicht abhauen und erzählst mir sonst was, um da rauszukommen. Aber du bleibst dort.«

Ich begann hemmungslos zu schluchzen. »Lieber sterbe ich, als dorthin zurückzukehren. Bitte, Dad, du kannst mich überall hinbringen, nur nicht in dieses Krankenhaus. Ich schwöre es, ich bekomme wirklich ständig Spritzen.«

Er seufzte tief. »Hältst du mich für einen Idioten? Du lügst, und mir reicht's.«

Das war sein letztes Wort in dieser Sache.

Es hat keinen Sinn, ich bin machtlos. Ich muss nach Aston Hall zurück.

Für den Rest der Fahrt herrschte Schweigen, man hörte nur das leise quietschende Geräusch der Scheibenwischer. Mein Vater bremste vor dem Eingang und zog die Handbremse an. Seine Stimmung schien nun nachgiebiger zu sein.

»Hör zu, ich muss jetzt wieder zu der Ölbohrinsel, doch wenn ich zurückkomme, hole ich dich mal für ein Wochenende nach Hause.«

Aber ich konnte ihm nicht in die Augen blicken. Ich war am Boden zerstört.

»Danke«, murmelte ich und stieg aus.

Ich sah Christine, die auf mich wartete und mir vom Fenster aus zuwinkte. Mein Vater begleitete mich zum Eingang und klingelte. Eine Schwester schloss auf und öffnete die Tür. Ich drehte mich zu Dad um, doch er wollte nicht noch einmal mit hineinkommen.

Er tätschelte lächelnd meinen Kopf und brachte meine Frisur durcheinander. »Wir sehen uns bald«, sagte er. »Sei ein braves Mädchen.«

Mit der Einkaufstüte in der Hand sah ich, wie mein Vater – meine einzige Hoffnung – in seinen Lieferwagen stieg und davonfuhr

»Bye-bye, Dad.«

15

Mitternachtsschmaus

Als die Schwester die Einkaufstüte überprüft hatte, brachte sie mich in den Schlafsaal und sagte, ich solle die neuen Kleidungsstücke in den Schrank packen. In der Tüte von C&A fanden sich Unterwäsche, ein Kleid, eine Strickjacke und eine Haarbürste. Janice und Dad hatten mir auch Parfüm geschenkt, doch das nahm mir die Schwester sofort weg.

Sie riss mir den Flakon aus der Hand. »Ich glaube nicht, dass du das hier brauchst.«

Mein Vater hatte mir auch Geld gegeben und gesagt, ich solle es ausgeben, weil bald die Dezimalwährung eingeführt werden würde. Keine Schillingstücke mehr, keine halben Kronen, keine Sixpencemünzen. Der Gedanke an das neue Geld beunruhigte mich, denn ich befürchtete, damit nicht klarzukommen.

Die Schwester kam zurück. »Alles ausgepackt?«

Ich nickte.

»Gut, dann lass uns nach unten gehen.«

Die Süßigkeiten, die neuen Klamotten und das Geld waren kein Trost dafür, dass ich meinen Vater einmal mehr verloren hatte. Er schien sich mehr für seine neue Freundin zu interessieren – oder für meinen Halbbruder

Stephen. Ich fühlte mich immer als das fünfte Rad am Wagen. Aber ich fand es seltsam, dass Dad nie von Stephen sprach, genauso wenig wie von meiner Mutter. Ich hatte keine Ahnung, wo die beiden waren, wusste aber, dass es sinnlos war, danach zu fragen. Was meine Mum betraf, so hatte ich es im Laufe der Jahre ein paar Mal versucht und immer dieselbe Antwort erhalten.

»Sie ist eine dreckige Zigeunerin, genau wie du.«

Also gab ich es auf, doch ich war immer noch fest entschlossen, sie eines Tages zu finden. Ich fragte mich, warum er mir nicht mal ihren Namen verriet. Das machte mich traurig, doch ich würde sie ohnehin Mum nennen, da war es nicht so wichtig, wie sie hieß. Das war meine Art und Weise, damit klarzukommen. Oft saß ich da und versank in Tagträumen über sie. Ich fragte mich, was sie tat, stellte mir vor, sie würde nach mir suchen.

Vielleicht ist sie in Amerika oder Australien und kann aus irgendeinem Grund nicht zurückkommen, um nach mir zu suchen? Wenn ich alt genug bin, werde ich nach Australien reisen und sie dort finden.

Ich hatte einmal den Film *Vom Winde verweht* mit Scarlett O'Hara gesehen und stellte mir meine Mutter genau so wie diese Schauspielerin vor, auch wenn wahrscheinlich nur der Nachname ähnlich war.

»Alles okay?«, fragte Christine.

»Ja«, murmelte ich.

»Gut. Ich habe nur gefragt, weil du so geistesabwesend wirktest.«

Ich seufzte. »Ich habe an meine Mum gedacht.«

Christine nickte verständnisvoll. Sie wusste, wie sehr mir meine Mutter fehlte.

»Wie ist es, eine richtige Mutter zu haben?«

»Ganz okay, aber es hängt eben davon ab, was für ein Mensch sie ist.«

Es kam mir so vor, als wäre ich das einzige Kind auf dieser Welt, das den Namen seiner Mutter nicht kannte. Ich hatte immer geglaubt, wenn ich ihm nur genug Scherereien machte, würde mein Vater mich zu meiner Mutter zurückschicken, um mich loszuwerden, doch es hatte nur dazu geführt, dass ich in Aston Hall gelandet war. Ich war noch immer ganz in Gedanken versunken, als ich die Schwester meinen Namen rufen hörte.

»Barbara.«

Ich wurde in die Realität zurückkatapultiert. Die Schwester stand mit meinen Medikamenten vor mir. »Wieder mal in Gedanken woanders gewesen?«

Ich schluckte die Pillen und den bräunlichen Sirup ohne Widerrede.

»Ich gäbe was dafür, wenn ich wüsste, woran du gerade gedacht hast«, sagte sie.

Ich blickte sie mit Tränen in den Augen an. »Ich möchte nur bei meiner Mutter sein«, antwortete ich weinend. Es war mir egal, ob die anderen mich heulen sahen. Mittlerweile war mir alles egal. Außer meiner Mum.

»Na komm«, säuselte sie. »Ich bin sicher, dass du bald von ihr hören wirst.«

Ich schaute sie fragend an.

Weiß sie etwas, wovon ich keine Ahnung habe?

»Hat sie angerufen?«, fragte ich voller Hoffnung.

Die Schwester schien sich unbehaglich zu fühlen. Es war klar, dass sie nichts wusste über meine persönliche Situation.

»Nein, ich glaube nicht«, murmelte sie.

Man musste meinem Gesicht die maßlose Enttäuschung ansehen.

»Aber das heißt nicht, dass sie es nicht bald tun wird.«

Sie gab Christine ihre Medikamente und verschwand. Bestimmt wollte sie mir und meinen Fragen so schnell wie möglich entkommen.

»Also, wie war's mit deinem Dad?«, fragte Christine.

Bestimmt war das eine vorsichtige Erinnerung daran, dass ich meine Geschenke mit ihr teilen wollte.

»Oh, er hat mir alle Sehenswürdigkeiten in der Umgebung gezeigt«, log ich. »Und es hat ihm so leidgetan, dass er nicht eher kommen konnte, aber er ist ein sehr beschäftigter Mann mit einem sehr wichtigen Job.«

Christine nickte, obwohl ich wusste, dass sie mir nicht glaubte.

»Außerdem hat er gesagt, dass er mich hier rausholen würde«, fuhr ich fort. »Milner kann von Glück reden, dass er heute nicht da war, sonst hätte mein Dad ihn umgebracht. Aber er kommt wieder, und dann knöpft er sich Milner vor.«

Auch das stimmte nicht, und doch fühlte ich mich besser, als ich die Worte aussprach.

Dreiundzwanzig, vierundzwanzig, fünfundzwanzig ...

Jane stand in einer Ecke und sang, während die anderen mit leeren Blicken auf den Fernseher starrten. Niemand beschwerte sich, als Jane einmal mehr mit ihren Pirouetten begann. Alle hatten sich so daran gewöhnt, dass sie es kaum noch wahrnahmen.

Nach dem Essen erzählte ich Christine von den Süßigkeiten in meinem Nachttisch. »Weißt du was?« Ich sah mich als Heldin in einem Buch von Enid Blyton. »Wir werden heute einen Mitternachtsschmaus veranstalten.«

Christine drückte meine Hand und quiekte vor Aufregung.

»Gut, dass die fette Emma nicht hier ist, die würde alles allein auffressen!«

»Ja.« Ich lachte. »Bestimmt würde sie alles dafür geben, heute Nacht dabei zu sein.«

Christines Miene verfinsterte sich. »Ich weiß, wo sie ist«, flüsterte sie.

»Wo?«

Ich rechnete damit, dass sie mir erzählen würde, man habe Emma nach The Cedars zurückgeschickt, doch es war schlimmer.

»Sie ist jetzt auf der Station Rowan Ward«, antwortete Christine.

»Was für eine Station ist das?«

»Rowan Ward? Nun, wer da landet, der kommt nie mehr zurück.«

Ich blickte sie an. »Du meinst, es ist schlimmer als Laburnum Ward?«

»Ja, es ist schlimmer als hier. Dort werden die Elektroschockbehandlungen durchgeführt. Also leg dich besser mit niemandem an, sonst endest du auch noch dort.«

Es lief mir eiskalt den Rücken hinab. Elektroschocktherapie, die arme Emma. Auch wenn sie mich tyrannisiert hatte, empfand ich Mitgefühl für sie, denn so etwas hatte niemand verdient. Um an etwas anderes zu denken, plauderten Christine und ich über unseren Mitternachtsschmaus. Sobald wir unsere Medikamente genommen hatten und das Licht in dem Schlafsaal ausgeknipst worden war, krochen wir aus dem Bett und setzten uns auf unsere Kopfkissen auf den Boden. Es war schwierig, die Süßigkeiten aus dem raschelnden Papier zu wickeln, damit die anderen nichts hörten, vor allem deshalb, weil nur etwas Mondlicht durch die Fenster in den Schlafsaal sickerte. Und das große Fest dauerte nicht lange, weil die Wirkung der Medikamente einsetzte und wir bald kaum noch die Augen offen halten konnten.

»Sollen wir den Rest morgen Nacht verputzen?«, fragte Christine.

Ich gähnte. »Ja, ich bin todmüde.«

Wir verstauten die Süßigkeiten hinten in meinem Nachttisch und kletterten wieder ins Bett.

»Gute Nacht, Christine«, flüsterte ich.

»Gute Nacht, Barbara.«

Das laute Klatschen einer Schwester riss mich aus dem Schlaf, und dann wurde die Deckenbeleuchtung eingeschaltet.

»Aufstehen, Mädels. Na los, hopp, hopp.« Die Schwester blieb am Fußende meines Bettes stehen. »Was um Himmels willen hast du denn angestellt?«

Ich war geschockt. Warum ahnte sie etwas? Ich blickte zu dem Nachttisch hinüber. Die Tür war geschlossen, nirgends lag eine Verpackung von den Süßigkeiten herum.

Die anderen Mädchen schauten mich an und brachen in Gelächter aus. Christine setzte sich auf, und da begriff ich, was los war. Ihr ganzes Gesicht war mit Milchschokolade verschmiert, und bei mir war er bestimmt nicht anders. Ich konnte nicht anders und brach ebenfalls in Gelächter aus, so wie sie, als sie mich ansah. Wir schüttelten uns vor Lachen, auch wenn uns klar war, dass wir Ärger bekommen würden.

Die Schwester fand all das gar nicht komisch und stemmte die Hände in die Hüften. »Steht auf und wascht euch. Ich kümmere mich später um euch.«

Im Badezimmer blickte ich auf Christines Nachthemd, das auch über und über mit Schokoladeflecken bedeckt war. Wieder begann ich zu lachen, bis mir Tränen über die Wangen liefen.

»Was ist?«, fragte sie, doch mein Lachkrampf war so heftig, dass ich es ihr nicht sagen konnte.

»Was immer es ist, schlimmer als das mit deinen Haaren kann es nicht sein.«

Ich stellte mich auf die Zehenspitzen und betrachtete mich im Badezimmerspiegel. Sie hatte recht, auch da war überall Schokolade. Wieder konnten wir uns vor Lachen kaum halten.

»Wenn das so weitergeht, mache ich mir noch in die Hose.«

»Ich glaube, bei mir ist es schon passiert«, sagte Christine, bevor der nächste Lachkrampf einsetzte.

Die Schwester tauchte auf und verschränkte wütend die Arme vor der Brust. »Ich habe gesagt, ihr sollt euch waschen und anziehen. Ihr seid heute mit der Zahnbürste dran, und zwar den ganzen Tag.«

Nachdem wir den Boden des Schlafsaals eingewachst und gebohnert hatten, gab es Frühstück. Aber ich wurde für die Schule abgeholt und entging so der Bestrafung, mit der Zahnbürste die Fußleisten schrubben zu müssen. Während ich mit Frank zur Schule ging, kehrten meine Gedanken zu meiner Mutter zurück. Ich hätte alles dafür gegeben, ein Foto von ihr zu haben. Ich beschloss, jede Nacht dafür zu beten, dass Gott auf sie aufpasste und sie zu mir führen würde. Ich dachte daran, wie sie mich im Park auf eine Schaukel setzen, mit mir einkaufen oder mein Haar flechten würde, doch diese Gedanken waren kein Trost, sondern eher schmerzhaft, als würde jemand einem ein Pflaster von einer noch offenen Wunde reißen. Aber wenn ich von ihr träumte, war es schön.

Ich muss von hier weglaufen und meine Mutter finden.

Geistesabwesend fuhr ich mit einem Finger über die Narbe an meiner Schläfe, von der Edna behauptete, ich hätte mich verwundet, als meine Mutter mich aus einem fahrenden Lastwagen geworfen habe. Aber das war eine Lüge, ich wusste es. Meine Mutter war ein guter und gütiger Mensch. Edna war nur verbittert.

Unterdessen verlief ein Tag wie der andere. Hannah und ich waren gute Freundinnen geworden. Sie sagte nicht viel, doch wenn sie sang, war es so wundervoll, dass ich ihr den ganzen Tag über hätte zuhören können. Wir kamen so gut miteinander klar, dass es mir nicht einmal mehr etwas ausmachte, ihr auf der Toilette den Hintern abzuwischen. Eines Tages traf ich in der Schule ein und musste feststellen, dass Hannah verschwunden war. Ich fragte meinen Lehrer Mr Hope nach dem Grund, doch der schien nicht eingehender darüber reden zu wollen.

»Sie ist nicht mehr da, Barbara, und sie wird nicht zurückkommen, um am Unterricht teilzunehmen.«

Während der nächsten Nacht weinte ich um Hannah, dieses liebenswerte kleine Mädchen mit der wundervollen Stimme. Ich wusste, dass sie von zwei Männern in dem schwarzen Kastenwagen fortgebracht worden war, tot, eingehüllt in ein weißes Laken. Wie James. Und meine Mutter ... Alle, die ich liebte, verschwanden aus meinem Leben. Und am schlimmsten war, dass ich mit Sicherheit wusste, dass ich sie nie wiedersehen würde.

16

Die Maus

Auf den Winter folgte der Frühling, und ich war immer noch gefangen im Aston Hall Hospital. Die Vögel hatten begonnen, Nester in den Bäumen zu bauen, und ihr lieblicher Gesang erinnerte mich daran, dass es ein Leben außerhalb der Krankenhausmauern gab. Der Weg zur und der Rückweg von der Schule waren die einzigen Atempausen, wo ich diese Verbindung zur Außenwelt spürte. Abgesehen davon war ich zu einem Zombie geworden, ganz wie die anderen.

Seit dem ersten Mal am Tag meiner Ankunft war ich nicht mehr behandelt worden von Dr. Milner. Andere Mädchen hatte es regelmäßig getroffen, mir war es erspart geblieben. Ich fragte mich, ob es etwas mit meinem renitenten Benehmen zu tun hatte. Und ich hatte darum gebettelt, von Milner ausgesucht zu werden, an jenem Tag, als ich mit den Fäusten an das Fenster gehämmert hatte. Vielleicht hatte mich gerade das gerettet.

Vielleicht werde ich nie wieder aufgerufen?

Trotzdem blickte ich jeden Tag ängstlich von draußen zu dem Fenster des Behandlungszimmers auf, wenn ich daran vorbeikam. Ich hoffte, dass es mich nie wieder treffen würde.

Es war der 3. März 1971, ein knappes Vierteljahr nach meinem Eintreffen im Aston Hall Hospital. Ich kam von der Schule zurück und plauderte im Gemeinschaftsraum mit Christine, als draußen Milners Auto mit quietschenden Reifen bremste. Die Mädchen stoben von Panik gepackt auseinander.

Ich machte mir keine Sorgen, weil ich mir sicher war, Milner besiegt zu haben. Eine Schwester brachte die Medikamente, die wir brav schluckten, danach begann wieder das Zählen des Bestecks. Mittlerweile war ich so daran gewöhnt, dass ich es kaum noch hörte. Und dann saßen alle reglos da, als die Musselingardine des Fensters des Schwesternzimmers angehoben wurde und Milner darunter hervorspähte. Ich fragte mich gerade, was wir zum Abendessen bekommen sollten, doch dann trat eine Schwester mit einem Klemmbrett in der Hand ein und rief meinen Namen.

»Barbara O'Hare.«

Mein Herzschlag setzte einen Moment aus.

Christine packte meinen Arm. »Mach keinen Ärger, du wirst nicht gewinnen«, flüsterte sie.

Hat sie wirklich gerade meinen Namen gerufen?

»Komm schon, Barbara, Beeilung. Dr. Milner wartet auf dich.«

Auf wackeligen Beinen stand ich auf, und für einen Moment glaubte ich, ohnmächtig zu werden.

Ich zitterte am ganzen Körper, als ich zu der Schwester ging. Die griff nach ihrem Schlüsselbund und schloss die

Tür auf. Ich war so verängstigt, dass ich vergaß, Christines Winken zu erwidern. Ich kam mir vor wie eine lebende Tote. Die Schwester schloss Türen auf und ab, und dann standen wir in dem Badezimmer.

»Steig in die Wanne und wasch dich«, sagte sie, während sie sich auf die Suche nach einem Badetuch machte.

Ich setzte mich in die schmutzige Wanne und schlang schützend die Arme um meinen Oberkörper. Der Gedanke an Milner, das Behandlungszimmer, den Kittel und die Spritze verschlug mir den Atem. Die Schwester tauchte wieder auf, mit dem Badetuch in einer und dem entsetzlichen Kittel in der anderen Hand. Ich wollte mich übergeben.

»Ich glaube, mir wird übel«, brachte ich mühsam hervor.

Sie ignorierte es und hielt mir das Badetuch hin. »Los, raus aus der Wanne.«

Ich trocknete mich schnell ab und schlüpfte in den grauen, kratzigen Kittel. Sie brachte mich in das Behandlungszimmer und rollte dann den Wagen mit dem Verband, dem nierenförmigen Teller und der großen Spritze herein.

»Ehrlich, mir ist wirklich schlecht.«

»Auf das Bett«, befahl sie.

Ich gehorchte und legte mich auf die kühle Gummimatratze. Der Kittel klaffte vorne auseinander und entblößte meinen Unterleib. Ich zuckte zusammen, und die Schwester warf mir einen strengen Blick zu.

»Du wirst doch hoffentlich keinen Ärger machen, oder?«

Ich konnte nicht antworten, die Angst hatte mich verstummen lassen. Ich lag weinend da und schaute sie kopfschüttelnd an, doch sie band meine Hände zusammen. Dabei hatte ich noch Glück, denn ich hatte gehört, dass andere Mädchen an den Beinen gefesselt worden waren. Aber ich freute mich zu früh, denn diesmal wurden auch meine Fußgelenke gefesselt. Ich wurde von Panik gepackt und trat wie von Sinnen aus, aber die Schwester war stärker, und unter dem Einfluss der Medikamente hatte ich sowieso keine Chance mehr. Die Schwester war immer dieselbe Schlampe mit den harten Gesichtszügen. Für mich war sie weder eine Schwester noch eine Frau, sondern ein Ungeheuer mit einem Herzen aus Stein.

»Bitte, bitte, nicht die Beine zusammenbinden«, bettelte ich. »Das ist überflüssig. Sie haben doch schon meine Hände gefesselt, das reicht.«

Mein Flehen stieß auf taube Ohren.

»Warum?«, schrie ich. »Warum tun Sie mir das an?«

Sie hörte einen Moment auf und schaute mich an. »Es ist nur zu deinem Besten«, sagte sie hart.

In meinem Kopf ging alles durcheinander.

Sie will meine Beine fesseln, weil jetzt die Elektroschockbehandlung kommt.

Ich wand mich verzweifelt hin und her, um mich zu befreien.

»Beruhige dich«, herrschte mich die Schwester an.

In den Raum fiel nur aus dem Flur Licht. Ich blickte mich um und sah einen dunklen, rechteckigen Umriss in einer Ecke.

Ist das das Gerät für die Elektroschocktherapie?

Ich versuchte mich zu wehren, doch es war sinnlos. Ich war gefesselt und völlig dieser Schwester und Dr. Milner ausgeliefert.

Ich dachte an Emma und das andere Mädchen, von dem Christine mir erzählt hatte. Ich dachte an Hannah, an ein Leben im Rollstuhl, in dem man herumgeschoben wurde und sich auf der Toilette helfen lassen musste. Ich dachte an James, die beiden Männer und den schwarzen Kastenwagen.

Vielleicht bringt mich die Behandlung um.

Fast hoffte ich es, denn dann wäre die Angst mit mir gestorben.

Kämpfe, schrie eine Stimme in meinem Kopf *Du musst kämpfen!*

Mit aller Kraft warf ich mich gegen die Schwester, und sie ging zu Boden. Die Fesseln an meinen Fußgelenken hatten sich irgendwie gelöst, und ich sprang auf. Dann stieß ich gegen den Wagen, der mit einem lauten Krachen auf den Boden schlug.

»Mein Vater wird herausfinden, was Sie mit mir machen!«, schrie ich, so laut ich konnte.

Ich stand auf der Matratze und beäugte misstrauisch die Schwester, die den umgekippten Wagen aufhob. An meinem Rücken spürte ich die kalte Wand. Ich saß in der Falle, glaubte aber, alles im Griff zu haben.

»Du bist ein schreckliches Weib!«, schrie ich, während ich von einem Fuß auf den anderen tänzelte, wie ein Boxer. Ganz so, wie Liam es mir beigebracht hatte.

Du musst den Gegner ständig im Auge behalten, Barbara, hörte ich ihn sagen.

Christine hatte immer gesagt, ich solle mich nicht wehren, doch jetzt hatte ich nichts mehr zu verlieren. Ich würde die Elektroschocktherapie bekommen, deshalb stand dieser schwarze Kasten da in der Ecke. Ich war so gut wie tot. Wieder schaute ich in die Ecke. Jetzt sah ich, dass dieses Gerät ein matt silbrig schimmerndes Gehäuse hatte, und ich erkannte zwei große Spulen und viele Knöpfe und Regler. Außer Atem versuchte ich der Schwester zu entkommen. Die erkannte, dass sie auf verlorenem Posten stand, denn ich war zu flink für sie. Also gab sie vorerst auf und wechselte die Taktik.

»Hör zu, wenn du dich beruhigst, können wir reden.«

Ich zeigte auf das Gerät in der Ecke. »Was ist das für ein Ding? Braucht man das für die Elektroschocktherapie?«

Sie antwortete nicht sofort.

»Beruhige dich, Barbara«, sagte sie dann. »Der Arzt wird dich behandeln, so oder so. Also mach nicht alles noch komplizierter.«

»Braucht man das für die Elektroschocktherapie?«, wiederholte ich.

»Das ist Dr. Milners Tonbandgerät«, antwortete sie.

Ich schüttelte den Kopf, weil ich ihr nicht glaubte, doch als ich noch mal hinsah, sah das Ding wirklich ein bisschen wie ein Tonbandgerät aus.

»Willst du, dass ich dich hier einsperre und Dr. Milner hole, damit er dir eine Spritze verpasst, oder wirst du endlich vernünftig sein?«

»Mein Dad wird Dr. Milner umbringen«, sagte ich schluchzend. »Das ist Ihnen doch klar, oder?«

Die Schwester grinste amüsiert. »Wir wissen beide, dass du deinem Vater egal bist, sonst wärest du nicht hier. Wenn er wollte, könnte er jederzeit kommen und dich mitnehmen, aber er tut es nicht, weil er dich nicht will, genauso wenig wie deine Mutter.«

Das tat so weh, als hätte sie mir ein Messer ins Herz gebohrt. Aber es war die schmerzliche Wahrheit. Ich hörte die Stimme meines Vaters.

Du bist eine Lügnerin. Ich habe kein Formular unterschrieben, in dem ich einer solchen Behandlung zugestimmt habe. Deshalb weiß ich, dass du eine Lügnerin bist.

Ich war am Boden zerstört. Ich ließ mich auf die Matratze sinken und wollte sterben, weil sie recht hatte — mein Vater wollte mich nicht. Er interessierte sich nur für seinen Sohn. Ich war psychisch und körperlich am Ende.

Ich gab auf und wehrte mich nicht, als sie mir eine Spritze gab. Die Nadel stach in meine Haut, und in gewisser Hinsicht war es eine Erleichterung, dass ich total unempfindlich wurde und erstarrte. Ich konnte mich nicht mehr bewegen, war betäubt und hilflos.

Lass sie machen, flüsterte eine Stimme in meinem Kopf. *Lass sie. Es gibt nichts mehr, wofür zu leben sich lohnt.*

Die Schwester packte ihre Sachen zusammen und wollte gehen, drehte sich aber an der Tür noch einmal um. »Jetzt kennst du die Wahrheit. Benimm dich künftig anständig.«

Damit verschwand sie und ich hörte das Klackern ihrer Absätze im Flur leiser werden.

Und dann hörte ich unter Tränen, wie sich Schritte näherten, die anders klangen. Flache Absätze. Herrenschuhe. Milner. Aus dem Augenwinkel sah ich ihn eintreten. Er hatte drei Kissen dabei, legte sie neben der Matratze auf den Boden und drückte dann auf einen Knopf des Tonbandgeräts. Er begann zu reden, doch ich hörte nicht hin, weil ich etwas anderes hörte – ein leises Quieken.

Eine Maus. Es ist eine Maus in diesem Raum.

Milners Stimme war nur noch ein sonores Hintergrundgeräusch. Ich hörte auf die Maus.

Sie will mich wissen lassen, dass ich nicht allein bin.

Ich dachte an das zwischen den Wänden hin und her rennende kleine Nagetier. Die Maus war mein Freund und ein Zeuge. Sie würde mich beschützen, weil sie Milner genauso sehr hasste wie ich. Sie wusste, was in diesem Raum mit kleinen Mädchen gemacht wurde.

Wieder das leise Quieken.

Das Geräusch tröstete mich. Die Maus ließ mich wissen, dass alles gut werden würde, weil sie bei mir war und mich nicht allein ließ mit Milner. Ich hatte einen Freund.

Das Quieken kam im Abstand von etwa einer Minute, sodass ich fast schon wusste, wann ich es erneut hören würde.

Die Maus will mich wissen lassen, dass sie hier ist, um mir zu helfen.

Ich verlor mich in Gedanken daran, dass die kleine Maus bestimmt hinter der Fußleiste lebte und es bestimmt hasste, wenn die Bestraften mit der Zahnbürste daran scheuerten. Ich grinste.

Ja, so muss es sein. Die Maus wohnt hinter der Fußleiste.

Ich dachte immer noch an die Maus, als Milner mir die Drahtmaske aufs Gesicht drückte.

Tröpfel, tröpfel, tröpfel.

Mir stieg der Geruch der Flüssigkeit in die Nase, und ich versank in einem langen, finsteren Tunnel.

Bitte hilf mir, kleine Maus, flehte ich.

Als ich wieder zu mir kam, lag ich mit dem Gesicht zur Wand da. Milner hatte mich umgedreht. Er redete, und dann hörte ich wieder die Maus.

Sie war immer noch bei mir. Ich stellte mir die Maus vor, das braune Fell, die rosafarbene Nase, den dünnen Schwanz.

Tröpfel, tröpfel, tröpfel.

Wieder Finsternis. Völlig benebelt hörte ich Milners Stimme.

»Willst du mir nicht von deinem Bruder erzählen?«

Ich versuchte zu antworten, schaffte es aber nicht, einen Satz zu bilden.

»Magst du deinen Bruder?«

Kleine Maus, wo bist du?

Ich geriet in Panik.

Tröpfel, tröpfel, tröpfel.

Als ich das nächste Mal halbwegs zu mir kam, lag ich auf dem Rücken und sah über mir Milners Gesicht. Ich spürte seinen heißen Atem auf meiner Haut und wollte ihm das Gesicht zerkratzen.

Tröpfel, tröpfel, tröpfel.

Wieder umfing mich Finsternis, und als ich das nächste Mal aufwachte, lag ich mit dem Gesicht nach unten auf der schmierigen Gummimatratze.

Rede mit mir, kleine Maus.

Milner wollte, dass ich irgendein Wort buchstabierte, doch ich verstand nicht genau welches. Dann stellte er eine Frage. »Ist dein kleiner Bruder ungezogen? Ärgert er dich?«

Ich wollte ihn anschreien, dass ich meinen Bruder liebte, brachte aber kein Wort heraus.

Tröpfel, tröpfel, tröpfel.

Ich versank in einem dunklen Loch, und dann weckte mich das Quieken.

Gott sei Dank, die Maus ist noch da. Alles wird gut werden, solange ich weiß, dass ich nicht allein bin mit dem

Arzt. Die kleine Maus wird mir helfen. Sie wird verschwinden und Hilfe holen. Lauf, kleine Maus, und such jemanden, der mir hilft …

»Das gefällt dir, was?«, hörte ich Milner sagen.

Tröpfel, tröpfel, tröpfel.

In dem Raum war es so finster, dass ich glaubte, er habe die Tür geschlossen, aber ich wusste trotzdem, dass die Maus alles gesehen hatte. Mein Vater hatte mir nicht geglaubt, aber die Maus war mein Zeuge, dass ich die Wahrheit gesagt hatte.

Tröpfel, tröpfel, tröpfel.

Wieder überkam mich Finsternis, und es war eine Erleichterung. Ich wollte so weit wie möglich von Milner entfernt sein.

»Oh, mein armes, armes Kind«, hörte ich ihn noch sagen. »Erzähle mir von deinen Freundinnen.«

Tröpfel, tröpfel, tröpfel.

Als ich das nächste Mal die Augen öffnete, hörte ich die Maus wieder quieken, doch niemand war gekommen, um mir zu helfen.

Vielleicht kann nur ich sie hören?

Ich hatte nur die Maus, musste auf sie vertrauen. Musste daran glauben, dass sie mir helfen würde. Sonst hatte ich niemanden.

Tröpfel, tröpfel, tröpfel.

Einmal mehr Finsternis, beim Aufwachen lag ich wieder mit dem Gesicht zur Wand. Milner hatte mir die Drahtmaske abgenommen, doch dann spürte ich den

Stich und wusste, dass er mir eine Spritze in den Hintern gab.

»Braves Mädchen«, flüsterte er mir ins Ohr, bevor ich das Bewusstsein verlor.

Das Aufnahmegerät zeichnete weiter alles auf, und die Tonbandspulen machten bei jeder Umdrehung ein leises, quiekendes Geräusch …

17

Stille Wut

Als ich aufwachte, lag ich in dem Schlafsaal in meinem Bett. Noch immer hing in meinen Haaren der chemische Geruch der durch die Maske tröpfelnden Flüssigkeit. Sobald er mir in die Nase stieg, wurde mir übel. Meine Handgelenke, die mir über dem Kopf zusammengebunden worden waren, taten sehr weh. Der Schlafsaal war leer, alle Betten waren ordentlich gemacht. Ich fragte mich, wie man mich aus dem Behandlungszimmer hierher gebracht hatte. Mir war kein Rollstuhl oder Bett mit Rollen aufgefallen.

Vielleicht hat mich jemand getragen?

Wegen der Bewusstlosigkeit hatte ich keine Erinnerung. Christine hatte mir einmal erzählt, die Patienten würden nach der Behandlung bei den Armen gepackt und durch den Korridor geschleift. Zuerst hatte ich ihr nicht geglaubt, doch dann erinnerte ich mich daran, dass Emma wie ein totes Tier aus dem Gemeinschaftsraum herausgezerrt worden war. Warum hätten sie es mit mir nicht so machen sollen? Ich zuckte zusammen und schloss die Augen. Ich wollte nicht aufstehen. Wieder war zwischen meinen Beinen alles wund und nass, als hätte ich ins Bett gemacht. Was aber nicht der Fall war. Ich war erst zwölf, wusste aber, dass ich irgendwie misshandelt worden war. Jemand hatte etwas in meine Vagina eingeführt, daher der Schmerz. Christine hatte mir erzählt, was sie mit den Jungs gemacht hatten, und daher wusste ich nun, was beim Sex geschah. Aber ich wollte den anderen keine Fragen stellen, denn sie sollten nicht wissen, dass ich noch Jungfrau war. Ich wollte nicht zum Opfer ihres Spottes werden. Die Nässe zwischen meinen Beinen war eine Erinnerung an Milner und die Behandlung. Ich erinnerte mich daran, was Edna mir in ihrem Schlafzimmer mit dem Löffel angetan hatte.

Ist hier auch so etwas passiert. Hat Milner mich untersucht oder etwas Schlimmeres getan?

Ich dachte daran, wie Liam Edna Einhalt geboten hatte.

Wenn er es wüsste, würde er dieser Geschichte hier umgehend ein Ende machen, dachte ich verbittert.

Aber niemand wusste es, nicht einmal mein Vater. Ich hatte ihm einiges erzählt, was hier geschah, doch er kannte nicht die ganze Geschichte.

Warum habe ich nicht wie alle anderen eine Mum? Warum war nicht alles ganz normal?

Sowohl mein Vater als auch Edna hatten mir erzählt, meine Mutter sei kein guter Mensch, aber ich wusste, dass sie es nicht zugelassen hätte, dass man mir so etwas antat.

Vom Unterleib ausgehend schoss ein stechender Schmerz durch meinen Körper, wie ein elektrischer Schlag. Ich schloss stöhnend die Augen.

Ich muss eine Schwester fragen, was sie mit mir gemacht haben.

Trotz der Schmerzen musste ich eingeschlafen sein, denn ich träumte von meiner Mutter, die meine Hand hielt und mich zum Unterricht brachte. Ich trug eine saubere, frisch gebügelte Schuluniform. Ich verlangte nicht viel, nur das, was andere kleine Mädchen auch hatten – eine Mutter und ein normales Leben.

»Barbara, Barbara …«

Eine Stimme riss mich aus meinem Traum.

»Mum …«

Ich öffnete die Augen in der Hoffnung, sie endlich zu sehen, meine wundervolle Mum, doch vor dem Bett stand eine Schwester mit meinen Medikamenten.

»Hier, trink das und nimm die Tabletten.«

Der bräunliche Sirup verursachte mir Übelkeit, ich musste würgen, als ich die Pillen schluckte.

»Ich bring dir ein paar leckere Marmeladenbrote«, verkündete die Schwester.

Kurz darauf kam sie mit den Broten und einem Glas Wasser zurück. Sie stellte das Tablett auf meinen Schoß, und ich trank gierig das kalte Wasser.

Als die Schwester verschwinden wollte, rief ich sie zurück.

Sie war jünger und freundlicher als die anderen, und ich nahm meinen Mut zusammen.

»Kann ich bitte für einen Augenblick mit Ihnen reden?«

Sie setzte sich auf Christines Bett und schaute mich an. »Ja. Was ist denn?«

Ich wandte den Blick ab, weil ich errötete, als ich darüber nachdachte, wie ich es ihr sagen sollte. »Da ist etwas, das ich nicht verstehe. Nach der Behandlung habe ich immer ein wundes Gefühl da unten, äh, zwischen den Beinen. Es kommt mir ein bisschen so vor, als hätte ich ins Bett gemacht.«

Ich blickte auf das Tablett, griff nach einem Marmeladenbrot und biss hinein, um von meiner Verlegenheit abzulenken.

Sie stand auf. »Mach dir keine Sorgen, das hat nichts zu bedeuten. Es passiert vielen Mädchen nach der Behandlung. Das gehört dazu. In ein oder zwei Tagen ist alles wieder in bester Ordnung.«

Sie rückte die Kopfkissen hinter meinem Rücken zurecht, als wollte sie mir nicht in die Augen blicken.

»Iss jetzt deine Brote, dann kannst du aufstehen und mit nach unten kommen.«

Ich war noch jung, doch mir entging nicht, dass selbst diese nette Schwester nicht über die Behandlung reden wollte. Sie hatte sofort das Thema gewechselt. Ich blickte ihr verbittert nach, als sie mit dem Tablett verschwand. Ich stieg aus dem Bett und beugte mich vornüber, als ich plötzlich schlimme Schmerzen in der Magengegend bekam. Ich legte meine Hände auf den Bauch und blickte mich um, doch von der Schwester war nichts mehr zu sehen. Ich musste mich an dem Bettgestell festhalten, um nicht umzukippen. Da sah ich den frischen Blutfleck auf dem Laken. Das und die Schmerzen machten mir Angst.

Was stimmt nicht mit mir?

Plötzlich kam die Schwester zurück.

»Oh, du bist schon aufgestanden?« Sie kam zu mir, um mir zu helfen.

Mir war übel, und vor meinen Augen drehte sich alles. Ich begann zu schluchzen, Tränen rannen über meine Wangen.

»Ach komm, nicht doch, Barbara«, säuselte die Schwester.

Ich schaute sie an und zeigte auf das blutverschmierte Laken.

»Mach dir deshalb keine Gedanken«, sagte sie. »Du hast gerade deine Tage bekommen, wie alle Mädchen in deinem Alter. Hat deine Mutter dich darüber nicht aufgeklärt?«

Es kam mir so vor, als hätte sie mir einen Dolch in die Brust gebohrt.

»Nein«, flüsterte ich.

Meine Mutter hat mir nichts davon gesagt, denn sie hat nie mit mir gesprochen, dachte ich unter Tränen.

Sie verschwand, kam kurz darauf mit einer Monatsbinde zurück und reichte sie mir.

»Geh und wasch dich, dann fühlst du dich schon besser.«

Ich gehorchte, und danach zog ich mich an. Aber ich hatte keine Lust, nach unten zu den anderen zu gehen.

Ich wollte niemanden sehen, nicht einmal Christine. Am liebsten hätte ich mich wieder ins Bett gelegt, um mich vor der Welt zu verstecken. Aber die Schwester wollte unbedingt, dass ich mit den anderen aß.

»Komm mit«, sagte sie und führte mich zur Treppe.

Kaum hatte sich die Tür des Gemeinschaftsraums geöffnet, da hörte ich schon wieder, wie das Besteck gezählt wurde.

Zweiundzwanzig, dreiundzwanzig, vierundzwanzig ...

Ich war zurück in der Hölle.

Ich sah Christine und ließ mich neben ihr auf einen Stuhl fallen.

»Alles in Ordnung mit dir?«, fragte sie.

»Ja«, antwortete ich mit einem gezwungenen Lächeln. »Alles in Ordnung.«

Nichts war in Ordnung. Ich hatte untenherum geblutet, und mein ganzer Körper schmerzte.

Plötzlich stoben die Mädchen am Fenster einmal mehr aufgeschreckt auseinander. Er war da.

Ich schlug den Blick zu Boden.

»Warum, warum, warum?«, murmelte ich und blickte Christine weinend in die Augen. »Warum tut Milner uns das an?«

Sie antwortete nur mit einem traurigen Kopfschütteln.

Alle erstarrten, als das perverse Spiel von vorne begann. Die Musselingardine wurde angehoben, und Milner hielt nach seinem nächsten Opfer Ausschau. Wieder blickte ich auf den Boden. Ich wollte ihn nicht sehen, hatte genug von diesem kranken Ritual. Die Tür öffnete sich, und eine Schwester trat ein.

»Andrea Brown«, rief sie.

Ich hielt mir die Ohren zu.

Ich halte es nicht mehr aus, schrie eine Stimme in meinem Kopf.

Als das Mädchen nach draußen geführt worden war und die Tür sich schloss, atmeten alle erleichtert auf. Normalität kehrte ein, sofern hier irgendetwas normal war. Jane begann zu tanzen und mit ausgestreckten Armen lächelnd zu singen.

»*By the light of the silvery moon …*«

Christine blickte zu mir hinüber. Mittlerweile zitterte ich vor Wut. Sie stand auf und setzte sich im hinteren Teil des Raums auf einen Tisch. Ihr war klar, dass ich gleich explodieren würde, und sie wollte nichts damit zu tun haben. Ich kam mir selbst vor wie eine tickende Zeitbombe. Eine stille Wut hatte von mir Besitz ergriffen.

Der Wunsch, meine Mutter zu finden, machte sich einmal mehr unabweisbar bemerkbar. Ich *musste* sie finden, um dieser Schlampe von Schwester aus dem Behandlungszimmer zu beweisen, *dass* ich eine Mutter hatte und *dass* ich ihr wichtig war. Hätte es doch nur irgendjemanden gegeben, der mir von ihr erzählen könnte. Selbst ihr Name wäre schon ein Anfang gewesen. Wenn Dad vorhatte, mich einer seiner neuen Freundinnen vorzustellen, sagte er stets: »Du wirst deine neue Mum kennenlernen.« Aber ich hatte kein Interesse daran, eine »neue«

Mum kennenzulernen. Davon hatte ich im Laufe der Jahre schon so viele getroffen, dass es mir fürs ganze Leben reichte. Ich wollte nur meine richtige Mutter finden. *Ist das zu viel verlangt?*

Manchmal träumte ich, sie wäre eine wundervolle Prinzessin, die weit entfernt in einem großen Landhaus wohnte. Dann wieder stellte ich mir vor, sie sei tot. Ich war auf einem Friedhof und suchte die Gruft mit ihrem Grabstein. Ich schmückte ihn mit einem Kranz aus Gänseblümchen, den ich für sie gemacht hatte, und betete zu Gott für ihr Seelenheil.

»Barbara …«

Ich sprang abrupt auf. Hinter mir stand eine Schwester.

»Zeit für deine Medikamente, Barbara.«

Ich öffnete die Augen und stellte fest, dass ich mein Gesicht zur Wand gewendet hatte. Ich erschauderte. Allmählich wurde auch ich zu einem Zombie, wie die anderen Mädchen. Ich wandte mich um, schluckte die Pillen und drehte mich wieder zur Wand. Irgendwie war die zu einem Trost für mich geworden. Die Wand konnte mir nichts tun. Weder konnte sie Fragen stellen noch mich sonst irgendwie durcheinanderbringen. Es war nur eine kalte und gefühllose Wand.

Sie wollen dich vernichten, flüsterte eine Stimme in meinem Kopf.

In diesem Krankenhaus wurden alle von Angst beherrscht, und ich hatte die Nase voll davon, in Furcht und Schrecken zu leben. Ich fragte mich sogar, ob man mich ins Aston Hall Hospital gesteckt hatte, damit meine Mutter mich nicht fand.

Ja, redete ich mir ein. *Sie ist nicht gekommen, weil sie mich nicht gefunden hat.*

In meinem Kopf hörte ich wieder die zischende Stimme der grinsenden Schwester.

Wir wissen beide, dass du deinem Vater egal bist, sonst wärest du nicht hier.

Dann hörte ich meinen Vater. *Was bist du? Nichts als eine dreckige Zigeunerin.*

Ich hielt mir die Ohren zu, um die Stimmen zum Verstummen zu bringen, aber es war sinnlos, denn sie ertönten in meinem Kopf. Mir stiegen Tränen in die Augen. Ich hörte Janes Stimme, als sie an mir vorbeitanzte. Es lief mir eiskalt den Rücken hinunter, als ich mir vorstellte, dass ich für immer in diesem Krankenhaus gefangen sein würde.

Eines Tages werde ich alt sein, wie Jane, dachte ich. Vielleicht werde ich hier drin altern, wie sie? Vielleicht werde ich die Außenwelt nie wieder sehen? Ist Jane schon als Kind hierher gebracht worden? Vielleicht ist sie gekleidet wie ein kleines Mädchen, weil sie in ihrem Kopf immer eines geblieben ist.

Ich fragte mich, warum sie nie für die Behandlung ausgesucht wurde.

Vielleicht ist sie zu alt dafür?

In meinem Kopf ging alles durcheinander, während weiter das Besteck gezählt wurde.

Zweiunddreißig, dreiunddreißig, vierunddreißig ...

»Setz dich, Barbara.« Christine legte eine Hand auf meinen Arm. »Alles in Ordnung?«

Ich rührte mich nicht, starrte weiter auf die Wand. Ich stellte mir vor, dass man mich auf einen Tisch drücken, mir die Haare abschneiden und zwei nasse Schwämme auf die Schläfen drücken würde. Dann sah ich, wie eine Schwester einen Schalter umlegte und mein Körper unter den Stromstößen zu zucken begann.

»Komm schon, Barbara«, bettelte Christine und versuchte, mich zu ihr hin zu ziehen.

Ich wollte gerade nachgeben, als mir etwas auffiel. Ein Schatten fiel auf die Wand, als Jane hinter mir vorbeitanzte. Der Schatten ihrer ausgestreckten Hand verschmolz mit meinem eigenen.

Sie besetzt meinen Raum! Nicht mal die Wand lässt man mir!

Ich zitterte am ganzen Körper vor Wut, von Kopf bis Fuß. Ich wollte schreien und um mich schlagen, hatte aber kein bisschen Energie, da ich von den Medikamenten benommen war. So legte ich nur die Stirn gegen die kühle Wand. Ich brauchte Zeit, um an meine Mutter zu denken. Zumindest in meinen Träumen konnte sie mir niemand wegnehmen. Am liebsten hätte ich noch mehr Medikamente geschluckt, damit ich von allem abgeschnitten war und nur in meinen Träumen leben konnte. Ich öffnete die Augen, doch die Wand war verschwunden. Stattdessen saß ich mit den anderen am Esstisch. Christine hielt meine Hand und drückte sie beruhigend. Sie versuchte mir zu helfen, doch das konnte niemand. Ich sah die Gabel in meiner Hand und bemerkte, dass ich mechanisch aß, doch ich schmeckte nichts. Ich hatte keinen Appetit und empfand nichts anderes als das brennende Verlangen, von hier zu entkommen. Christines Lippen bewegten sich, doch ich konnte nicht verstehen, was sie sagte. Ihre Stimme klang verzerrt und schien von weither zu kommen, wie vom Ende eines langen Tunnels.

»Alles in Ordnung, Barbara?«, hörte ich durch den Nebel der Medikamente eine andere Stimme.

Es war die Schwester, die das Besteck gezählt hatte. Ich antwortete nicht, es war zu anstrengend. Ich hatte jegliches Zeitgefühl verloren und schloss die Augen. Als ich sie wieder öffnete, führte mich die Schwester durch den Korridor und half mir die Treppe zum Schlafsaal hoch. Ich setzte mich auf mein Bett. Die Schwester half mir beim Ausziehen und bemerkte dabei die Monatsbinde, die aus meinem Schlüpfer hervorschaute.

»Ich hole dir eine saubere«, sagte sie, während sie mir das Nachthemd über den Kopf zog.

Kurz darauf kam sie zurück und zog die alte Monatsbinde aus meiner Unterhose. Sie wirkte verwirrt.

»Was soll das, Barbara?«, sagte sie vorwurfsvoll. »Du brauchst noch keine Monatsbinde.«

Ich starrte sie nur benommen und mit einem leeren Blick an. Die Stimme in meinem Kopf antwortete für mich.

Ich bekomme noch nicht meine Tage. Ich habe geblutet, weil jemand mir etwas angetan hat, doch niemand will sagen, was.

Aber ich sagte nichts davon. Ich schwieg und sah, wie die Schwester die Bettdecke zurückschlug.

»Leg dich hin.«

Ihre Miene wirkte beunruhigt, und ich wusste, dass sie es gesehen hatte – das Blut auf dem Laken. Sie wirkte irritiert. Blut, obwohl ich noch nicht meine Periode bekomme. Sie wusste nicht, was sie tun sollte, und zog die Bettdecke über das blutverschmierte Laken.

»Ich habe Kopfschmerzen«, murmelte ich, als ich mich hinlegte.

»Schon gut, ich hole dir ein paar Schmerztabletten.«

Kurz darauf stand sie wieder neben meinem Bett, nun aber in Begleitung einer anderen Schwester. Eine reichte mir zwei Tabletten und ein Glas Wasser.

»Setz dich auf«, sagt sie.

Ich gehorchte, doch dann sagte sie, ich solle aus dem Bett steigen. Die beiden Schwestern betrachteten das blutige Laken und schauten sich an, doch keine sagte etwas. Die zweite Schwester blickte mich an. »Hast du dich selbst verletzt?«

Ich schwieg, doch die erste Schwester antwortete für mich.

»Nein, ich habe sie mir genau angesehen, als ich sie ausgezogen habe.«

Sie befahl mir, wieder ins Bett zu steigen, und ich tat es. Dann drehte ich mich auf die Seite und betrachtete durch das Fenster die großen Schornsteine des Kraftwerks in der Ferne. Innerhalb von Minuten schlief ich ein. Ich träumte von meiner Mutter. Sie hielt meine Hand, während wir wie Peter Pan und Wendy hoch durch die Luft flogen, doch unsere Nachthemden blieben an einem der Schornsteine hängen, und wir können nicht weiterfliegen. Ich geriet in Panik, weil wir gefangen waren und uns nicht befreien konnten. Und plötzlich war meine Mutter verschwunden, und ich war allein. Allein und verängstigt, weil ich ein Leben lang in diesem Krankenhaus gefangen sein würde.

18

Sich wehren

Ich war seit fünf Monaten im Aston Hall Hospital und hatte mich allmählich an die tägliche Routine gewöhnt. Mädchen kamen und gingen, doch ich machte mir nicht die Mühe, sie näher kennenzulernen, weil sie dann doch wieder verschwunden waren. Die einzige Konstante in meinem Leben waren Christine, die Schwestern und die Medikamente. In der Schule hatte ich keine Probleme, doch eigentlich lernte ich nur, wie man sich um behinderte Kinder kümmerte und ihnen auf der Toilette half. Der Unterricht, das war nur ein bisschen rechnen, Englisch und zeichnen. Jeden Tag kehrte ich zum Essen und wegen meiner Medikamente nach Laburnum Ward zurück.

Ende April wurde ich erneut von Milner behandelt, doch diesmal leistete ich keinen Widerstand mehr, als die Schwester mir die Spritze setzte. Als der Arzt eintrat, wartete ich nur noch darauf, dass die Betäubung mich einschläfern würde, damit ich ihn und den bedrückenden kleinen Raum vergessen konnte. Die Maus schien verschwunden zu sein, denn ich hörte das leise Quieken nicht mehr. Ich hatte gehofft und dafür gebetet, dass die Maus Hilfe holen würde, nicht nur für mich, sondern für alle Kinder.

Mein Vater hatte mich seit Ewigkeiten nicht besucht, und ich fragte mich, ob ich ihn überhaupt jemals wiedersehen würde. Ich versuchte, mich davon zu überzeugen, dass die Schwester in dem Behandlungszimmer recht gehabt hatte, als sie sagte, ich sei meinem Dad nicht wichtig. Umso heftiger wurde der Wunsch, meine Mutter zu finden. Aber die Medikamente hatten mich gelehrt, geduldig zu sein. Ich hatte mich daran gewöhnt, Jane und ihre ewige Tanzerei zu ertragen, und es ihr sogar gestattet, mir ein paar Anfängerübungen beizubringen.

»Sieh genau hin«, sagte sie. »Mach's einfach so wie ich.«

Ich ließ mich darauf ein, weil ich irgendwie die tägliche Monotonie aufbrechen musste. Und dann war der 1. Mai da, ein gesetzlicher Feiertag, und die Schwestern sagten, im Dorf würden Maibaumtänzer auftreten. Janes Aufregung kannte keine Grenzen.

Sie legte die Hände auf die Brust. »Hoffentlich lassen sie mich mit ihnen tanzen«, sagte sie mit einem Seufzer. »Ich war mal eine berühmte Ballerina und habe überall auf der Welt getanzt ...«

Sie plapperte weiter, während wir darauf hörten, was die Schwester zu sagen hatte.

»Wir werden also alle gemeinsam ins Dorf gehen, um uns die Tänzer anzusehen, und wenn ihr euch anständig benehmt, besuchen wir hinterher noch einen Laden, damit ihr euch etwas kaufen könnt.«

Alle kreischten vor Vergnügen, und dann mussten wir uns in Zweiergruppen aufstellen.

»Du kommst doch mit mir?«, sagte Christine, während sie sich bei mir unterhakte.

»Natürlich«, antwortete ich lächelnd. Ich konnte es nicht fassen. Dies war der erste Ausflug in die Außenwelt seit dem Besuch meines Vaters.

Ich erinnerte mich daran, dass er mir Geld geschenkt hatte. Es lag in meinem Nachttisch.

»Keine Sorge«, flüsterte ich Christine zu. »Ich hab genug Geld für uns beide.«

Es war ein schöner sonniger Tag, als ich mit den anderen und neben meiner besten Freundin das Krankenhaus verließ. Der Weg zum Dorf dauerte nur zehn Minuten. Wir lachten über die Maibaumtänzer, weil die Männer Röcke trugen und zum Klang der Musik mit Bändern wedelten. Wir begannen zu kichern und konnten uns bald vor Lachen kaum noch halten. Tränen liefen über unsere Wangen.

Ich wusste nicht, ob ich etwas kaufen konnte mit dem Geld, denn alles hatte sich geändert. Die Dezimalwährung war eingeführt worden, und ich fand mich nicht zurecht mit den Preisen der Süßigkeiten.

»Kein Problem, meine Kleine«, sagte der Verkäufer mit dem ausgeprägten Derbyshire-Akzent. »Wir nehmen hier noch altes Geld.«

Ich kaufte jede Menge Süßigkeiten und dachte auf dem Rückweg darüber nach, ob ich weglaufen sollte, denn die Schwestern mussten jetzt auf so viele Mädchen aufpassen. Aber ich entschied mich dagegen. Ich hatte seit über einer Woche keine Behandlung bekommen und wollte keine Bestrafung riskieren. Wenn ich jetzt abhaute und geschnappt wurde, wartete die Elektroschockbehandlung auf mich. Das durfte ich nicht riskieren.

Der Ausflug in das Dorf hatte nur eine Stunde gedauert, und die Zeit war allzu schnell vergangen, und doch war es der beste Tag seit meiner Ankunft in Aston Hall gewesen.

Als wir wieder in dem Gemeinschaftsraum waren, war die Atmosphäre gelöst nach dem gelungenen Ausflug, und außerdem würde Dr. Milner an einem Feiertag nicht auftauchen. Jane begann wieder zu tanzen, denn sie hatte noch bessere Laune als die anderen. Ausnahmsweise störte sich niemand an ihrem Gesang. Es war allen egal, denn wir waren glücklich. Eine Schwester öffnete den Notausgang, was normalerweise nie passierte.

»Ihr könnt euch draußen hinsetzen, wenn ihr Lust habt, Mädels«, sagte sie.

Christine und ich blickten uns erstaunt an und sprangen dann aufgeregt auf.

Das ist der beste Tag seit Ewigkeiten!

Es war schön, draußen in der Sonne auf dem Rasen zu sitzen und den Duft des frischen Grases zu riechen. Ich fühlte mich unbeschwert wie ein Vogel, den man aus seinem Käfig gelassen hat.

»Ich frage mich, warum sie uns rausgelassen haben«, bemerkte ich, während ich ein paar Gänseblümchen pflückte.

Christine zuckte die Achseln. »Keine Ahnung, aber ein bisschen seltsam ist es schon.«

»Was?«

»Erst der Ausflug ins Dorf, und jetzt das. Ziemlich merkwürdig.«

»Ja, aber ich beschwere mich nicht.«

Christine lächelte. »Ich mich auch nicht.« Sie beschirmte wegen der grellen Sonne die Augen mit einer Hand.

Es war völlig unerwartet ein schöner Tag, aber Christine hatte recht. Etwas daran war merkwürdig.

Wir bekamen unsere Medikamente, und dann begann wie üblich eine Schwester das Besteck zu zählen. Bald war der Tisch gedeckt, und das Essen wurde gebracht. Ich hatte meine Portion halb gegessen, als mir etwas Seltsames auffiel.

Ich stieß Christine einen Ellbogen in die Rippen. »Sieh dir das an.«

»Was?«

»Die Blumen da drüben am Fenster.«

Sie folgte erstaunt meinem Blick.

»Hier habe ich noch nie Blumen gesehen«, flüsterte sie.

Etwas stimmte nicht, definitiv.

Als nach dem Essen der Tisch abgeräumt war, hörte man ein Auto vorfahren. Alle drehten sich auf ihren Stühlen und schauten aus dem Fenster. Draußen stellte Dr. Milner seinen Wagen auf dem üblichen Parkplatz ab. Ich wusste, dass er nicht wegen der Behandlung gekommen sein konnte, denn wir hatten gerade gegessen, und wenn er jemanden behandeln wollte, durfte der vorher nichts gegessen haben.

»Warum kommt er an einem Feiertag?«, flüsterte ein Mädchen.

Niemand wusste es.

Alle wurden ein bisschen nervös. Fünf Minuten später tauchten zwei große schwarze Luxuslimousinen auf, die neben Dr. Milners Auto parkten. Alle reckten die Hälse, um zu sehen, wer aussteigen würde. Fünf Männer und zwei Frauen.

»Was glaubt ihr, wer das ist?«, fragte mich jemand, doch ich antwortete nicht, da ich aus dem Augenwinkel die Schwestern sah. Sie rückten ihre Hauben zurecht und strichen die Kittel glatt, um einen möglichst guten Eindruck zu machen.

Ich beobachtete, wie die Gäste das Krankenhaus durch den Haupteingang betraten. Sie sahen bedeutend aus. Einige Augenblicke später öffnete eine Schwester mit einem freundlichen Lächeln die Tür und hieß die Neuankömmlinge willkommen.

Wer sind diese Leute, und weshalb sind sie hier?

Dr. Milner trat als Erster ein, dicht gefolgt von den anderen. Wir blickten Milner entsetzt an, weil er sonst nie den Gemeinschaftsraum betrat. Er blickte immer nur durch das Fenster des Schwesternzimmers, um sich seine Opfer auszusuchen.

»Lasst euch nicht stören, Mädels«, sagte er lächelnd und mit einer jovialen Geste, als wäre alles völlig alltäglich.

Er blieb im Türrahmen stehen und unterhielt sich mit den Gästen, die tatsächlich bedeutende Leute zu sein schienen. Die beiden Frauen trugen teure Klamotten mit dazu passenden Handtaschen und Schuhen und Diamantbroschen an den Revers ihrer Blazer. Das waren keine gewöhnlichen Besucher, sondern bedeutsame Personen des öffentlichen Lebens. Wie auch immer, Dr. Milner schien sich alle Mühe zu geben, sie zu beeindrucken. Ich konnte nicht verstehen, was er sagte, aber er warf hin und wieder den Kopf in den Nacken und lachte laut, als hätte jemand einen guten Witz gemacht. Uns jagte er aber schon durch seine bloße Anwesenheit innerhalb des Raumes Angst ein. Mir war es egal, ob es draußen ein sonniger Tag war oder ob die Tür des Notausgangs offen stand, mich interessierte nur, dass Milner hier in *unserem* Raum war und lachte und Witze riss. Er plauderte mit den Gästen, als wären wir hier alle eine glückliche Familie. Alle standen wie erstarrt da und warteten nur darauf, dass er wieder verschwand. Als es so weit war, winkte er uns zum Abschied fröhlich zu.

»Einen schönen Tag noch, Mädels«, sagte er mit einem freundlichen Lächeln, als wäre er ein guter, vertrauenswürdiger Schuldirektor.

Niemand lächelte oder erwiderte das Winken. Wir sahen die Gäste in den Korridor treten, und Milner bedeutete einer der Schwestern, sie solle die Tür schließen. Sofort verschwand sein Lächeln, und er wirkte wieder so wie sonst. Als die Tür hinter ihm ins Schloss fiel und er verschwunden war, atmeten alle erleichtert auf.

Am nächsten Tag war wieder alles wieder so wie sonst, die übliche Routine kehrte zurück. Das Besteck wurde gezählt, Jane tanzte und sang. Obwohl der 10. Mai 1971 ein Tag wie jeder andere zu sein schien, hatte ich ein ungutes Gefühl, ohne zu wissen warum. Ich glaubte, dass etwas in der Luft lag.

Wie üblich brachte mich Frank am Morgen zur Schule, doch als wir nachmittags zurückkamen und ich das Fenster des Behandlungszimmer sah, wusste ich, dass ich wieder an der Reihe sein würde. In der Tat wurde mein Name schon aufgerufen, als Milner noch gar nicht da war. Fast schien es, als hätte er ausdrücklich nach mir verlangt. Mein Herz klopfte heftig, als eine Schwester mich ins Badezimmer begleitete, wo ich gewaschen, gewogen und in den entsetzlichen grauen Kittel gezwängt wurde. Dann wurde ich zu dem Nebenzimmer gebracht.

»Wir warten noch auf Dr. Milner«, sagte die Schwester. Damit schloss sie die Tür und ließ mich allein in dem dunklen Zimmer zurück. Ich spürte die kalte Gummimatratze unter meinen nackten Hinterbacken. Dann hörte ich ein Geräusch. Ich dachte an meinen Freund, die kleine Maus, die hinter der Fußleiste wohnte. Ich hatte ihr schon einen Namen gegeben – Marmaduke.

»Bist du da, Marmaduke?«, rief ich in die Dunkelheit. Ich spitzte die Ohren.

»Marmaduke, bist du da?«

Stille.

»Bitte sei für mich da, Marmaduke«, flüsterte ich. Ich hatte Angst davor, allein zu sein.

Ich legte mich auf die Matratze und zog die Beine an, damit die Haut nicht das kühle Gummi berührte. Ich verfluchte die Schwester dafür, dass sie die Fensterläden geschlossen gelassen hatte. Wenn sie sie nur ein Stück weit geöffnet hätte, wäre ich vielleicht nicht so ängstlich gewesen. Mit aufs Äußerste angespannten Sinnen lauschte ich, ob Milner auf dem Weg war oder ob ich das Quietschen des Wagens der Schwester hörte.

»Bist du da, Marmaduke?«, flüsterte ich erneut in der Hoffnung, dass mir die Maus ein Zeichen geben würde.

Ich lauschte so angestrengt, dass ich keinen Schlaf fand. In dem Raum war es kalt, und ich schob die Arme unter den Kittel und drückte sie an meine Brust, um sie warm zu halten. Eine Decke hatte ich nicht. Kurz darauf hörte ich dann das Quietschen der Reifen des Wagens.

Vor meinem inneren Auge sah ich die Schwester mit den harten Gesichtszügen und dem kalten Herzen, wie sie den Wagen vor sich herschob. Ich hasste sie und betete, dass nicht sie mir die Spritze geben würde. Der Schlüssel drehte sich im Schloss, die Tür öffnete sich. Und da war sie, diese entsetzliche Frau, ihre Silhouette zeichnete sich vor dem Hintergrund des Lichts im Flur ab. Ich verachtete sie und hatte einen Plan. Ihre Bemerkungen über meine Mutter hatten mich so abgestoßen, dass ich mich rächen wollte. Ich setzte mich auf und sah auf dem Wagen den nierenförmigen Teller mit der Spritze darauf. Ich wollte ihr die Nadel in den Körper bohren, um zu sehen, ob es ihr gefiel. Aber die Angst vor der Elektroschockbehandlung war stärker. Sie griff nach dem Verband, um mir einmal mehr die Hände zu fesseln.

»Ach, du bist das«, sagte sie, als wäre die Situation völlig normal. »Wir kennen uns ja schon. Wie war noch mal dein Name?« Sie blickte auf ein auf ihrem Wagen liegendes Blatt Papier. »Stimmt, du heißt Barbara. Gut, du weißt ja, wie's jetzt weitergeht. Leg die Handgelenke übereinander.«

Ich gehorchte und atmete tief durch, als sie mich zu fesseln begann. Jetzt sah ich sie ganz aus der Nähe. Sie sah älter aus, als ich es in Erinnerung hatte. Es lag an der Verbitterung, die ihr ins Gesicht geschrieben stand. Ich hasste sie und wollte, dass sie es wusste. Ich räusperte mich. Sie blickte auf

»Haben Sie eine Tochter?«, fragte ich.

»Das geht dich nichts an«, antwortete sie aggressiv.

»Ich habe eine Mutter, und alle sagen, sie sei schlecht, doch ich kenne sie nicht.«

Die Schwester schaute auf und schien sich zu fragen, was als Nächstes kommen würde.

»Ja, ich kenne sie nicht, doch ich weiß mit Sicherheit, dass sie nie so schlecht sein würde wie Sie und Kindern so etwas nie antun würde.«

Sie zog den Verband brutal zusammen und starrte mich wütend an. Ich wollte aufschreien, gönnte ihr die Genugtuung aber nicht.

»Ziehen Sie ihn so fest zusammen, wie es Ihnen gefällt«, sagte ich trotzig.

Sie grinste mich an. »Jetzt kommen die Fußgelenke an die Reihe.«

Ich wollte keine Schwäche zeigen. »Von mir aus. Tun Sie, was Sie nicht lassen können. Mittlerweile ist es mir egal.«

Sie zog spöttisch die Augenbrauen hoch. »Tatsächlich?«

»Ja.«

Sie befahl mir, mich hinzulegen und eine Hand zur Faust zu ballen, damit eine Vene hervortrat, aber ich fragte mich, warum sie darauf verzichtet hatte, mir die Fußknöchel zu fesseln.

Hat sie ihre Meinung geändert?

Sie bereitete die Injektion vor und vermischte das Puder aus einem Tütchen mit einer Salzlösung. Dann zog sie die Spritze auf und tippte ein paar Mal mit dem Finger darauf, damit die Luftblasen verschwanden. Sie legte die Spritze auf den Teller und rieb mit einem Finger über die Vene meines Arms. Als die Nadel in meine Haut stach, übte sie mehr Druck als nötig aus, um mir wehzutun. Innerhalb einiger Augenblicke war ich paralysiert, konnte mich nicht mehr bewegen. Mein Blick folgte ihr, als sie mit dem Wagen den Raum verließ. Unmittelbar darauf tauchte Milner auf und legte seine drei Kissen neben der Matratze auf den Boden. Er drückte mir die Drahtmaske aufs Gesicht und mir stieg der vertraute Geruch in die Nase.

Tröpfel, tröpfel, tröpfel …

Ich versank in Finsternis. Ich weiß nicht, wie lange ich bewusstlos war, denn ich hatte keine Erinnerung daran, durch Milners Fragen aufgeweckt worden zu sein. Ich glaubte nicht, dass es möglich war, in einem solchen Zustand zu träumen, aber ich war mir dessen bewusst, was mit mir passierte, wenn auch nur bruchstückhaft. Ich war weggetreten, und mein Geist schien sich vom Körper gelöst zu haben. Als ich schließlich wieder zu Bewusstsein kam, hob mich jemand von der Matratze und trug mich aus dem Raum.

Endlich, es ist vorbei. Gleich liege ich in meinem Bett.

Ich hatte mich geirrt, denn ich wurde offenbar nach draußen gebracht. Ich spürte etwas auf meinem Gesicht, und als ich die Augen öffnete, schien es mir ein weißes Laken zu sein.

Guter Gott, das weiße Laken, der schwarze Kastenwagen!

Ich geriet in Panik, konnte aber nichts tun.

Ich bin nicht tot, denn ich spüre unter dem Laken meinen heißen Atem auf den Wangen inmitten der kalten Nachtluft.

Ich beschloss, mich tot zu stellen. Da war das Geräusch einer aufgerissenen Wagentür.

Es ist der schwarze Kastenwagen!

Ich lag auf einer gepolsterten Lederbank in einem Fahrzeug, konnte aber nichts sehen. Aber ich hörte Milners Stimme.

Wohin bringen sie mich? Was hat Milner mit mir vor?

Plötzlich wurde das Laken zurückgezogen, und jemand drückte mir die Drahtmaske aufs Gesicht.

Tröpfel, tröpfel, tröpfel…

Wieder wurde alles schwarz, doch als ich einmal kurz aus der Bewusstlosigkeit aufwachte, bemerkte ich, dass der Wagen fuhr.

Wo ist Milner? Sitzt er am Steuer? Ist das sein Wagen?

Tröpfel, tröpfel, tröpfel…

Ich verlor das Zeitgefühl, war weggetreten von den Medikamenten. Schemenhaft erinnerte ich mich an ein Landhaus, wir waren daran vorbeigefahren, als ich nach Aston Hall gebracht wurde.

Jemand hat mich zu diesem Landhaus gebracht, aber warum? Und was haben sie dort mit mir gemacht, was sie in dem Krankenhaus nicht tun konnten?

Ich setzte mich in dem finsteren Raum auf und sog tief die frische Luft ein, die nicht nach diesem chemischen Geruch stank.

Also bin ich nicht in dem Behandlungszimmer, sondern woanders.

In dem Landhaus, flüsterte eine Stimme in meinem Kopf.

Doch da war immer noch die Maske.

Tröpfel, tröpfel, tröpfel…

Milners Stimme, er begann wieder mit den Fragen.

»Hast du jetzt deine Tage bekommen?«

Normalerweise konnte ich nicht lügen, doch jetzt schaffte ich es.

»Ja«, flüsterte ich.

Es war eine Lüge – und auch mein letztes Gespräch mit Dr. Milner.

Als ich aufwachte, lag ich wieder in meinem Bett im Schlafsaal des Krankenhauses. Wie immer nach der Behandlung war ich allein. Ich blickte auf das Laken und seufzte. Erneut lag ich in meinem Blut, und es war Milners Schuld, denn ich bekam immer noch nicht meine Periode. Ich wusste nicht, was er mit mir gemacht hatte, aber ich blutete.

Viele Jahre später entdeckte ich, dass mich am 12. Mai eine Sozialarbeiterin besucht hatte, doch obwohl ich am 10. und 11. Mai behandelt worden war, stand davon nichts in ihrem Bericht. Stattdessen hielt sie später fest, ich hätte »krank im Bett« gelegen und sie hätte mich auf der Station besucht. Obwohl sie nicht nachgefragt hatte, was mit mir nicht stimmte, schrieb sie, ich hätte »ruhiger und kontrollierter« gewirkt. Ich war weder das eine noch das andere. Achtundvierzig Stunden lang hatte mich Milner mit Medikamenten vollgepumpt. Wenn diese Sozialarbeiterin ein bisschen nachgehakt hätte, dann wären mir und Hunderten anderer Jungen und Mädchen diese Leiden womöglich erspart geblieben.

19

Darüber reden

Die nächsten zwei Monate schleppten sich träge dahin, doch dann, im August, teilte man mir mit, mein Vater werde vorbeikommen und mich übers Wochenende mit zu sich nach Hause zu nehmen. Ich konnte es kaum fassen – ein ganzes Wochenende außerhalb des Krankenhauses. Ich wartete am Fenster und sah draußen den Lieferwagen meines Vaters vorfahren. Diesmal kam er nicht zu spät.

Ich nahm Christine zum Abschied in den Arm. »Also, bis dann. Ich bringe dir die neueste Ausgabe von *Bunty* mit.«

»Versprochen?«

»Versprochen.«

Das war das Mindeste, was ich tun konnte nach der Freundschaft, die sie mir erwiesen hatte.

Aufgeregt kletterte ich in den Lieferwagen und winkte Christine noch einmal zu.

Mein Vater setzte zurück, wendete und fuhr langsam die asphaltierte Zufahrtsstraße hinab. Da sah ich die Schwester aus dem Behandlungszimmer auf uns zukommen.

»Bitte halt an, Dad.«

»Warum?«

»Ich möchte mich von der Schwester da verabschieden.«

Dad lächelte, weil er glaubte, ich wäre befreundet mit ihr. Er bremste am Bordstein. Die Schwester blieb wie angewurzelt stehen, als ich das Seitenfenster hinabkurbelte.

»Bye-bye, Schwester«, rief ich hektisch winkend. »Ich verbringe das Wochenende bei meinem *Vater*!«

Der wirkte irritiert, weil ich das Wort so betonte, und wusste offenbar nicht, was er sagen sollte.

»Dad, das ist die Schwester, die mir die Spritzen gibt und mir Hand- und Fußgelenke fesselt.«

Mein Vater wirkte geschockt, als er zwischen mir und der Schwester hin und her blickte. Die sagte nichts – es war überflüssig –, denn ihr stand ins Gesicht geschrieben, dass meine Worte wahr waren. Sie wandte sich umgehend ab und ging weiter. Ich erwartete, dass mein Vater mir Fragen stellen würde, aber seine Stimmung verfinsterte sich.

»Sag nichts. Ich will nichts davon hören.«

Er schaltete das Autoradio ein, und wir fuhren schweigend weiter. Mein Vater war verärgert über mich, aber ich hatte doch nur die Wahrheit gesagt. Ich war entschlossen, ihn im Verlauf des Wochenendes von meiner Aufrichtigkeit zu überzeugen. Davon, dass es stimmte, wenn ich aussprach, was in Aston Hall vor sich ging.

Dad setzte den Blinker und hielt vor einem Café am Straßenrand.

»Ich brauche eine Tasse Tee«, erklärte er.

Er ging zur Theke und kam mit dem Tee für sich und einem großen Eis für mich zurück. Ich steckte den langen silberfarbenen Löffel hinein und begann zu essen. Es schmeckte himmlisch. Ich war so sehr mit dem Eis beschäftigt, dass ich kaum bemerkte, dass mein Vater unruhig auf seinem Stuhl hin und her rutschte.

»Hör zu, Barbara …«

Ich legte den Löffel nieder, weil er so ernst wirkte.

»Ich will nicht, dass du irgendjemandem etwas über das Krankenhaus erzählst. Erwähne es gegenüber niemandem, kapiert?«

Ich schwieg.

»Wenn du es doch tust, hole ich dich nie mehr für das Wochenende ab.«

Ich nickte bedrückt. »Aber warum?«, fragte ich. »Christine ist meine Freundin, darf ich über sie auch nichts erzählen?«

Er schüttelte den Kopf.

»Hör zu, wenn dich irgendjemand fragt, sagst du einfach, du wärst in einem Internat. Ja, genau, das ist es, in einem Internat. Haben wir uns verstanden?«

Ich schlug den Blick nieder. Mir war klar, dass er sich für mich schämte. Und dafür, dass ich in der Psychiatrie war.

»Wenn du nicht parierst, kann ich dich jederzeit zurückbringen.«

Seine Worte jagten mir eine Heidenangst ein.

»Ich sage niemandem etwas«, versprach ich. Aber ich konnte mir nicht helfen, und kurz darauf legte ich wieder los. »Aber sie haben mir Spritzen gegeben … In einem Raum, der wie eine Zelle ist …«

Er seufzte und schüttelte entnervt den Kopf.

»Aber ich habe jetzt keinen Grund mehr, von dort wegzulaufen. Bitte glaub mir, Dad.«

Er schien jede Geduld mit mir zu verlieren.

»Komm mit«, sagte er. »Wir verschwinden.«

Ich löffelte hastig den Rest meiner Eiscreme. Ich hatte so lange keine mehr bekommen und wollte nichts stehen lassen.

Als wir wieder in dem Lieferwagen saßen, starrte mein Vater düster auf das Lenkrad und umklammerte es krampfhaft. Zuerst sagte er nichts, doch dann schaute er mich an.

»Du bist eine Lügnerin. Und willst du wissen, woher ich weiß, dass du lügst? Ich habe nie ein Formular unterschrieben, in dem ich solchen Dingen zugestimmt hätte. Also hör auf zu lügen, verstanden?«

Ich nickte, war aber erst zwölf und hatte keine Ahnung, von was für einem Formular er redete.

Ich fragte ihn danach, weil ich es wirklich wissen wollte.

»Das ist ein grünes Formular, und ich habe es nie unterschrieben. Also Schluss jetzt mit den Lügen.«

»Ich lüge nicht«, flüsterte ich, doch es war zu spät. Ich wusste, dass er mir nicht glaubte.

»Erwähne diesen Ort einfach nie wieder.«

»In Ordnung.«

»Eine Zigeunerin, das ist schon schlimm genug, und dann auch noch in einer Klapsmühle?« Er seufzte und drehte den Schlüssel im Zündschloss. »Mit dir kann man sich nirgends blicken lassen.«

Der Motor sprang stotternd an, und wir fuhren weiter. Ich wollte ihn nicht weiter verärgern, denn schließlich wollte ich nicht nach Aston Hall zurückgebracht werden.

Mein Vater wechselte das Thema. »Zu Hause wartet Janice auf uns. Sie kocht ein leckeres Essen für uns, aber auch ihr gegenüber darfst du nichts sagen.«

»Ja, Dad.«

»Ab jetzt ist sie deine neue Mum, also verhalte dich ihr gegenüber respektvoll.«

»Ja, Dad.«

Ich schaute aus dem Fenster, denn ich wollte nicht, dass er mein enttäuschtes Gesicht war. Ich wollte keine neue Mum, sondern meine richtige finden.

Mein Vater war in eine Siedlung mit Hochhäusern gezogen. Ich konnte nicht fassen, wie ordentlich seine Wohnung war. Janice hat einen guten Einfluss auf ihn, dachte ich, während er mir meine Jacke abnahm und sie auf einen Bügel hängte.

»Komm mit.« Er zog mich den Flur hinab. »Janice ist in der Küche.«

Als wir eintraten, setzte sie gerade Kartoffeln auf.

»Hallo, Barbara«, sagte sie lächelnd.

»Hallo, Janice.«

Ich mochte Janice, weil ich tief in meinem Inneren wusste, dass sie ein guter Mensch war, doch wir lebten in völlig verschiedenen Welten. Sie hatte einen Sohn, Martin, der auf einem Internat war. Wahrscheinlich hatte das Dad darauf gebracht, dass ich behaupten sollte, auch auf einem zu sein.

»Wie läuft's in der Schule?«, fragte sie, während sie zwei Schüsseln in das vordere Zimmer brachte.

Ich blickte meinen Vater ängstlich an.

»Gut«, antwortete ich schließlich.

Als wir kurz darauf zu essen begannen, glaubte ich in meinem Kopf die Schwester zu hören, die in Aston Hall das Besteck zählte.

Nach dem Essen verschwand Janice in der Küche, um sich um ihre Frisur zu kümmern, denn sie wollte am Abend mit meinem Vater ausgehen. Ich setzte mich neben sie und reichte ihr die Lockenwickler, mit denen sie hin und wieder Probleme hatte, weil sie nur in einen kleinen Taschenspiegel auf ihrem Schoß schaute. Im Vorderzimmer lief der Fernseher. Jeder Außenstehende hätte uns für eine ganz normale Familie gehalten, obwohl wir tatsächlich wie Fremde waren. Janice nahm eine Zigarette aus einem silbernen Etui, steckte sie zwischen ihre angemalten Lippen und zündete sie an. Dad hatte Raucher immer gehasst, und ich fragte mich, wie er über Janice' Angewohnheit dachte.

»Wenn du Lust hast, kannst du Schallplatten auflegen«, sagte sie.

Ich blickte zu meinem Vater hinüber, der vor einem Spiegel stand und sich kämmte. Er nickte, um mir zu bedeuten, dass er nichts dagegen hatte. Als ich zum Plattenspieler ging und ihn einschaltete, befürchtete ich, eine Schwester könnte mich wie im Gemeinschaftsraum zurückziehen, doch nichts geschah. Ich atmete erleichtert auf. Kurz darauf ertönte die Stimme von Elvis Presley, und ich begann zu steppen und Pirouetten zu drehen, wie Jane es mir beigebracht hatte.

»Was machst du da?«, fragte mein Vater irritiert.

»Ich tanze, wie Jane es mir gezeigt hat«, antwortete ich, ohne weiter nachzudenken.

»Wer ist Jane?«, fragte Janice.

»Eine Tänzerin. Sie ist überall im Land aufgetreten, sogar in der Royal Albert Hall.«

Mein Vater wirkte gar nicht glücklich. »Gut, das reicht jetzt«, sagte er. »Ich ziehe mich um, wir sind gleich zu einer Party eingeladen.« Er gab Janice ein Küsschen auf die Wange. »Barbara, du deckst den Tisch ab und spülst.«

Ich gehorchte. Er hatte das nur gesagt, damit ich das Zimmer verließ.

Ich habe Aston Hall nicht erwähnt, dachte ich beim Spülen. *Nur eine Mitpatientin.*

Janice legte eine andere LP von Elvis auf, und kurz darauf erklang »Are You Lonesome Tonight«. Ich war ganz in Gedanken verloren, als mein Vater hinter mir auftauchte.

»Ich will nie wieder etwas von dieser Klapsmühle und den Geisteskranken hören, verstanden?«, flüsterte er.

»Ja, Dad.«

»Ich bringe dich am Sonntag zurück, kann es aber auch schon vorher tun, wenn du nicht parierst.«

Das wollte ich bestimmt nicht. Kurz darauf verschwanden sie, und ich war allein. Ich war erschöpft, legte mich aufs Sofa und schlief ein. Ich wachte erst am nächsten Morgen wieder auf. Jemand hatte eine Decke über mich gebreitet. Dad und Janice schliefen noch. Ich stand auf und schaltete den Fernseher ein. Kurz danach trat mein Vater ins Zimmer und kratzte sich am Kopf.

»Wir machen einen Einkaufsbummel in der Stadt«, verkündete er.

Ich eilte mit meiner Reisetasche ins Bad, um mich umzuziehen. Als ich es wieder verließ, stieß ich mit Janice zusammen, die ein dünnes Nachthemd trug.

»Morgen, Barbara. Freust du dich darauf, mit uns in die Stadt zu fahren?«

»Ja«, antwortete ich lächelnd.

Tatsächlich konnte ich es kaum fassen. Ich würde einen ganz normalen Sonntag verbringen, wie andere Mädchen auch. Dad und ich warteten darauf, dass Janice sich angezogen hatte.

»Magst du sie?«, fragte Dad.

Ich nickte.

»Gut, dann behandle sie respektvoll.«

Kurz darauf saßen wir in dem Lieferwagen und fuhren in die Stadt, wo Dad mit Geldbündeln herumfuchtelte, um seiner neuen Freundin zu imponieren. Ich konnte ihn dazu bringen, mir alle möglichen neuen Dinge zu kaufen. Er schenkte mir etliche neue Klamotten, und Janice spielte theatralisch die Rolle meiner Mutter. Am Nachmittag machten sie sich fertig, um erneut auszugehen. Es machte mir nichts aus, denn ich hatte den Fernseher und den Plattenspieler, um mich zu unterhalten. Als sie verschwunden waren, probierte ich nacheinander die neuen Kleidungsstücke an und benutzte Janice' Make-up. Ich fühlte mich gut, wie im Urlaub. Ich genoss die Freiheit, die andere Kinder als gegeben hinnahmen. Ich konnte fernsehen und Schallplatten hören. In dem Vorderzimmer gab es einen elektrischen Ofen mit zwei Heizstäben. Das gab mir zu denken. Nicht mehr lange, dann würde ich wieder in Aston Hall sein, und da war es besser, vorbereitet zu sein. Dad hatte mich gebeten, Ordnung zu machen, und so sammelte ich dreckige Becher ein und leerte Janice' Aschenbecher. Dabei fiel mir das Silberpapier aus den Zigarettenschachteln auf, und das brachte mich auf eine geniale Idee. Ich ging zu dem elektrischen Ofen, schaltete ihn ein, wartete, bis die Heizstäbe rot zu glühen begannen und schaltete ihn wieder aus. Ich nahm das Silberpapier aus einer Zigarettenschachtel, wickelte es um einen Finger und steckte ihn durch das Gitter, bis er den Heizstab berührte. Ich wollte herausfinden, wie sich die Elektroschockbehandlung anfühlen würde.

Ich muss darauf vorbereitet sein.

Das Silberpapier begann Funken zu sprühen und zu versengen, als es den Heizstab berührte, und ließ braune

Brandspuren zurück. Ich war enttäuscht, weil ich nichts gespürt hatte.

Beim nächsten Versuch muss ich den elektrischen Heizofen länger anlassen.

Ich schaltete ihn wieder ein, zählte bis zwanzig, schaltete aus und wiederholte den Versuch. Diesmal spürte ich einen winzigen elektrischen Schlag, doch das war's.

Noch ein Versuch.

Ich suchte nach weiteren leeren Zigarettenschachteln, zog das Silberpapier heraus, wickelte es dicker um den Finger und legte ihn auf den Heizstab. Eine Reihe von Stromschlägen schoss meinen Arm hinauf. Ich hielt so lange wie möglich durch und zog dann meine Hand zurück.

Aua! Ich zuckte zusammen. Das tat weh.

Elvis hatte aufgehört zu singen, und ich ging zum Plattenspieler, um die LP umzudrehen. Dann kehrte ich zu dem elektrischen Heizofen zurück und machte mich an den nächsten Versuch, als ich die Stimme meines Vaters hörte.

»Was zum Teufel machst du da?«

Ich drehte mich um. Neben ihm stand Janice, die geschockt eine Hand vor den Mund geschlagen hatte.

»Antworte!«

Ich brachte vor Angst kein Wort heraus.

»Willst du die ganze Bude in Brand stecken, du Geistesgestörte?«

Seine Worte trafen mich bis ins Mark.

»Steh auf!«, schrie er.

Ich gehorchte und ließ das Silberpapier fallen. Mein Vater war außer sich vor Wut und erklärte, wie viele Menschen bei einem Brand wegen mir hätten sterben können. Ich begann zu schluchzen, weil ich Angst hatte, dass er im Krankenhaus etwas davon erzählen würde. Dann wartete mit Sicherheit die Elektroschockbehandlung auf mich. Ich weinte so heftig, dass seine Miene nachsichtiger wurde. Er ließ sich in einen Sessel fallen.

»Gott allein weiß, was sie dir da beibringen.«

Janice bewahrte die Ruhe. »Komm schon, Barbara, erzähl uns, was du da gemacht hast. Und warum?«

Ich blickte zwischen ihr und meinem Vater hin und her. Ich hatte zu große Angst, es ihnen zu sagen, denn dann hätte ich von Aston Hall reden müssen, und mein Vater wollte nichts davon hören.

»Beantworte ihre Frage!«, befahl mein Vater. »Sag uns, was das sollte.«

Ich atmete tief durch. Mir drehte sich der Magen um, ich war total nervös.

Jetzt oder nie.

Ich blickte auf. Die beiden schauten mich erwartungsvoll an.

Das ist deine Chance, es ihnen zu erklären. Damit sie es einfach ein für alle Mal begreifen.

Aber ich war so verängstigt, dass ich glaubte, kein Wort herauszubekommen.

Janice legte einen Arm um meine Schultern. »Komm schon, schon gut. Erzähl es uns einfach.«

Ich schaute meinen Vater an, und dann platzte es aus mir heraus.

»Ich habe es getan, weil sie mich mit einer Elektroschocktherapie behandeln werden.«

»Was zum Teufel …« Er sprang auf und lief rot an. Er schämte sich für mich, obwohl ich Wort gehalten hatte und das Krankenhaus nicht einmal erwähnt hatte. Dad stürzte auf mich zu und wollte mich packen, doch ich war schnell.

»Hör auf.« Janice versuchte, ihn zu beruhigen. »Lass sie in Ruhe.«

Mein Vater trat zurück und rang um Fassung, während Janice sich bemühte, seine Rolle zu übernehmen. »Lass uns ihr zuhören, was sie sonst noch zu erzählen hat. Es ist nicht normal für ein Kind, so etwas zu sagen. Also, noch einmal, Barbara … Wovor hast du Angst?«

Dad blickte mich wütend an und nahm seine Autoschlüssel vom Sideboard.

»Pack deinen Kram zusammen. Ich bringe dich sofort zurück. Und ich werde dich nicht noch einmal fürs Wochenende abholen. Ist dir bewusst, wie viele Menschen durch dich fast ihr Leben verloren hätten?«

Janice nahm ihm die Schlüssel aus der Hand. »Mit dem ganzen Alkohol im Blut fährst du nirgendwo mehr hin«, fuhr sie ihn an.

Er wusste, dass er verloren hatte, und ließ sich erneut schwerfällig in den Sessel sinken. Jetzt war klar, dass Janice auf meiner Seite stand.

»Also gut, lass uns der Sache auf den Grund gehen«, sagte sie. »Heraus mit der Wahrheit, Barbara. Was sollte das mit dem elektrischen Heizofen?«

»Ich wollte wissen, wie die Elektroschockbehandlung ist«, flüsterte ich.

Janice ließ sich geschockt auf das Sofa fallen. Sie schüttelte ungläubig den Kopf, während mein Vater finster auf den Boden starrte.

»Wo ist dein Internat, Barbara?«

Jetzt ist es heraus. Sie weiß es nicht. Ich muss es ihr erzählen. Ich muss ihnen sagen, was Milner mir und den anderen antut.

Ich atmete tief durch, nahm meinen Mut zusammen und legte los. »Ich bin nicht in einem Internat, sondern in einem Krankenhaus, wo ich Spritzen bekomme und behandelt werde ... Man drückt mir eine Drahtmaske aufs Gesicht, und durch eine komisch riechende Flüssigkeit verliere ich das Bewusstsein ... Aber niemand glaubt mir ... Und ich muss ständig Medikamente nehmen ... Sie ziehen mich nackt aus, stecken mich in einen grauenhaften Kittel und sperren mich in einem Raum ein ... Dann legt sich Dr. Milner neben mich ... Nach der Behandlung blute ich immer ... Und sie tun das allen an, außer Jane ...« ich schnappte nach Luft und konnte nicht weiterreden.

Ich setzte mich neben Janice auf das Sofa, zog die Knie an meine Brust und begann hemmungslos zu schluchzen. Trotzdem war ich erleichtert, und es kam mir so vor, als wäre ein schweres Gewicht von meinen Schultern genommen worden. Das Schweigen in dem Zimmer schien ewig anzuhalten, und ich hatte Angst davor, was passieren würde, wenn Milner herausfand, was ich meinem Vater erzählt hatte. Es war ein schöner Sommerabend, und durch die offene Balkontür kam eine kühle Brise ins Zimmer. Für einen Augenblick dachte ich daran, auf den Balkon zu stürmen und mich in die Tiefe zu stürzen. Selbst der Tod war besser als die Rückkehr nach Aston Hall.

Janice legte mir eine Hand auf die Schulter. Dann nahm sie mich in den Arm und drückte mich. »Alles wird gut.«

Ich wagte es kaum, meinen Vater anzublicken, weil ich glaubte, dass er immer noch wütend war auf mich, doch er wirkte wie ein gebrochener Mann.

Janice zündete sich eine Zigarette an. »Worum geht's bei alldem, Barbara? Und erzähl mir alles über die Elektroschocktherapie.«

Plötzlich verlor ich die Nerven. Ich wollte nicht nach Aston Hall zurück, und da ich die Dinge nicht schlimmer machen wollte, hielt ich lieber den Mund.

»Hab keine Angst«, sagte sie. »Dein Dad ist nicht wütend auf dich.«

Ich blickte zu ihm hinüber und war geschockt, weil ich ihn zum ersten Mal in meinem Leben weinen sah.

20

Dem Schrecken entkommen

»Sie unterziehen mich dieser grauenvollen Behandlung«, flüsterte ich kaum hörbar. Ich schaute Janice an.

Die runzelte die Stirn. »Wiederhol das alles noch mal, Barbara.«

Ich tat es, bis hin zu den Blutungen nach der Behandlung.

»Sie ist eine Lügnerin«, sagte mein Vater. »Sie lügt ständig.«

Janice wirkte nicht überzeugt. Sie lehnte sich zurück, inhalierte tief den Rauch ihrer Zigarette und schaute mich an. »Wenn mein Kind mir so was erzählen würde, hielte ich es für angebracht, der Sache auf den Grund zu gehen.«

»Ich habe nie ein Formular unterschrieben, durch das ich so etwas erlaubt hätte. Sie muss lügen.«

Aber aus irgendeinem Grund glaubte Janice nicht ihm, sondern mir. »Aus welchem Grund sollte ein Kind ihres Alters sonst etwas wissen über Äther und Injektionen?«

Mein Vater dachte einen Moment nach. »Vielleicht hat sie in einem Buch etwas darüber gelesen.«

Janice blies den Rauch aus. »Red keinen Unsinn! Ich an deiner Stelle würde sie nicht zurückbringen, bevor ich das alles überprüft hätte.« Ihre Miene war todernst. Sie griff nach ihrer Handtasche, zog ihr Portemonnaie hervor und gab mir etwas Geld. »Sei ein gutes Mädchen, Barbara, und geh zum Laden an der Ecke und hol mir ein paar Kippen. Da ist noch etwas Trinkgeld für dich dabei.«

Das musste sie nicht zweimal sagen. Ich konnte mir von dem Geld etwas kaufen und mir Zeit lassen. Mir war kalt, und ich zog eine Strickjacke über, bevor ich die Wohnung verließ. Wenn ich zurückkam, so hoffte ich, würde Janice meinen Vater davon überzeugt haben, dass ich die Wahrheit gesagt hatte. Falls ja, würde ich vielleicht nie wieder in dieses grauenhafte Krankenhaus zurückkehren müssen. Ich drückte auf den Knopf und wartete auf den Lift. Es ging mir nicht gut. Meine Hände begannen zu zittern, kalter Schweiß stand mir auf der Stirn. Es bimmelte, und ich trat in den Aufzug und drückte auf den Knopf fürs Erdgeschoss. In meinem Kopf ging alles durcheinander, mein Herz schlug heftig.

Liegt es an der Angst?

Ich trat aus dem Aufzug, verließ das Haus und setzte mich draußen auf eine Mauer. Es kam mir so vor, als würde ich die paar Meter zu dem Laden an der Ecke nicht schaffen. Ich hoffte, dass die frische Luft mir guttun würde, denn ich hatte das Gefühl, jeden Moment ohnmächtig werden zu können. Und ich traute mich nicht aufzustehen, weil ich befürchtete, meine Beine könnten nachgeben. Eine alte Frau mit einem Einkaufswagen voller Zeitungen kam vorbei. Ich erkannte sie sofort, es war Mrs Watson.

»Hallo, Barbara«, sagte sie lächelnd.

Ich hatte nicht einmal die Kraft, den Gruß zu erwidern.

Mrs Watson trat zu mir. »Alles in Ordnung, Barbara? Ich frage, weil du nicht besonders gut aussiehst.«

»Ich … Ich … Ich fühle mich nur ein bisschen …« Als ich aufstand, konnte ich mich nicht auf den Beinen halten, und Mrs Watson musste mich auffangen.

»Komm, ich bringe dich nach Hause.«

Wir fuhren mit dem Aufzug nach oben, wo sie energisch an die halb offen stehende Tür der Wohnung meines Vaters klopfte.

»Jemand zu Hause? Ich habe Barbara bei mir … Es geht ihr nicht gut.«

Ich stieß die Tür ganz auf und wäre fast in die Wohnung gefallen. Janice kam herbeigerannt.

»Es geht ihr nicht gut«, wiederholte Mrs Watson.

Janice half mir ins Wohnzimmer, legte mich aufs Sofa und betastete meine Stirn. »Mein Gott, sie hat Fieber.«

»Dieses Kind braucht einen Arzt«, sagte Mrs Watson.

Schon das Wort »Arzt« ließ mich zusammenzucken.

Mein Vater trat ins Zimmer und schaute mich besorgt an. »Was ist mit dir, Barbara?«

Mittlerweile zitterte ich am ganzen Leib, und ich hatte entsetzliche Magenschmerzen.

Janice verschwand in der Küche, kam mit einem Glas Orangensaft zurück und stellte es auf den Beistelltisch neben dem Sofa.

Mittlerweile hatte ich so hohes Fieber, dass ich fror, und das Zittern wurde schlimmer.

»Vielleicht hat sie Grippe?«, sagte Janice. »Sie ist leichenblass.«

Ich weiß nicht, ob ich ohnmächtig geworden oder eingeschlafen war, doch als ich Stunden später aufwachte, fühlte ich mich elend. Ich wollte nach dem Saftglas greifen, doch meine Sicht war verschwommen und das Zittern so heftig, dass ich es nicht an die Lippen führen konnte. Ich gab es auf.

»Geht es dir besser, Barbara?«, hörte ich meinen Vater fragen.

Ich hatte Kopfschmerzen wie nach der Behandlung in Aston Hall. Da fiel mir ein, dass ich zwei Tage lang die Medikamente nicht genommen hatte. Ich hörte die Stimmen von Janice und meinem Dad wie von weither, und sie klangen verzerrt. Ich öffnete die Lider, doch das Licht war so grell, dass ich sie sofort wieder schloss. Damals wusste ich es nicht, aber es war mein erster Migräneanfall – ein Übel, woran ich danach mein Leben lang leiden sollte.

Die Erinnerung an diesen Sonntag war völlig verschwommen, und als ich wirklich wieder zu mir kam, war es Montag. Ich war immer noch ziemlich groggy, doch es ging mir besser als zuvor. Mein Vater saß in seinem Lieblingssessel, aber er hatte sich umgezogen. Er arbeitete jetzt nicht mehr auf den Ölbohrinseln, sondern als Lastwagenfahrer. Offenbar musste er gleich los.

»Wie geht es dir?«, fragte er. »Besser?«

Ich nickte, wollte aber noch nicht aufstehen, weil ich so schwach war.

Dann hörte ich von draußen das Klirren der Flaschen des Milchmanns. Es war acht Uhr. Ich blickte zu meinem Vater hinüber und fragte mich, wann er mich in das Krankenhaus zurückbringen würde. Wieder versuchte ich nach dem Glas zu greifen, doch meine Hand zitterte immer noch zu stark. Mein Vater bemerkte es und führte es mir vorsichtig an die Lippen. Dann half er mir, mich aufzusetzen. Ich würgte, und er befürchtete, ich könnte mich übergeben. Er rannte in die Küche, um einen Eimer zu holen. Dann öffnete er die Balkontür, um frische Luft ins Zimmer zu lassen.

Es half nicht, ich musste mich heftig erbrechen. Als es vorbei war, verschwand er mit dem Eimer, und kurz darauf war er wieder bei mir.

»Leg dich wieder hin«, sagte er mitfühlend.

Ich gehorchte. Durch die frische Luft ging es mir etwas besser. Ich schlief wieder ein, und als ich aufwachte, war mein Vater verschwunden, doch Janice saß da und telefonierte. Als sie sah, dass ich die Augen geöffnet hatte, legte sie auf.

»Fühlst du dich besser?«

Ich nickte. »Wo ist Dad?«

»Wird gleich wieder hier sein. Er ist zum Sozialamt gefahren. Nun komm, Barbara, steh auf. Du liegst seit Ewigkeiten auf dem Sofa. Wasch dich und zieh dich an. Glaubst du, du schaffst das?«

Ich war mir nicht sicher, wollte sie aber nicht enttäuschen, weil sie so gut gewesen war zu mir. Ich ging ins Bad, wusch mich und kleidete mich an.

»Jetzt besser?«, fragte sie, als ich in den Flur trat.

Ich hatte keine Lust zu reden und beließ es bei einem Nicken. Janice brachte mir Toast und eine Tasse Tee, verschwand aber nicht wieder, sondern setzte sich zu mir und hielt meine Hand.

»Barbara, ich habe sehr lange in einem Krankenhaus gearbeitet. Haben sie dir in Aston Hall Tabletten gegeben?«

»Ja, jede Menge«, flüsterte ich.

Ich ergriff die Tasse mit beiden Händen, um sie halbwegs ruhig halten zu können. Ich zitterte immer noch ein bisschen und wollte sie nicht verärgern, weil ich Tee verschüttete. Aber sie war nicht sauer auf mich, überhaupt nicht. Kurz darauf hörte ich, wie die Wohnungstür sich öffnete, und mein Vater betrat das Zimmer.

»Du siehst besser aus«, sagte er lächelnd.

Als ich ihn sah, ging es mir auch sofort besser. Er zog einen Zettel aus der Innentasche seiner Jacke, setzte sich, griff zum Telefon und wählte.

»Komm, wir kümmern uns um deine Haare«, sagte Janice, doch mich interessierte nur, was mein Dad am Telefon sagte.

Sie redete weiter und übertönte die Stimme meines Vaters.

Schließlich legte er auf. »Hast du deine Sachen gepackt?«

Sie waren immer gepackt. Meine dürftige Habe steckte in einer Plastiktüte.

»Ja, Dad«, antwortete ich leise.

Vor meinem inneren Auge sah ich die lange, asphaltierte Auffahrt von Aston Hall. Ich war benommen vor Angst. Ich wollte sterben.

»Gut.« Er stand auf. »Aber ich werde dich nicht in dieses Krankenhaus zurückbringen.«

Mein Herzschlag setzte einen Moment aus.

Hat er das wirklich gesagt? Habe ich richtig gehört?

Ich war mir sicher und begann hemmungslos zu schluchzen.

»Warum weinst du?«, fragte er etwas verwirrt. »Warum, du willst doch nicht dorthin zurück, oder?«

»Nein! Nein! Nein! Danke, Dad!« Ich sprang auf und warf mich ihm in die Arme. »Danke, dass du mich da rausgeholt hast.«

Plötzlich fühlte ich mich ganz unbeschwert. Ich würde nicht mehr in Aston Hall eingesperrt sein, auch nicht in dem Behandlungszimmer mit der hartherzigen Schwester. Und am Besten war, dass ich Dr. Milner nie wiedersehen musste.

21

Die Erziehungsanstalt

»Also gut.« Mein Vater griff nach seinen Autoschlüsseln. »Ich muss jetzt zur Arbeit. Du bleibst bei Janice und bist schön artig. Wenn ich zurück bin, werden wir sehen, wie es für dich weitergeht.« Er kam zu mir und strich mir liebevoll durchs Haar. »Alles wird gut«, sagte er lächelnd. Dann gab er Janice einen Abschiedskuss. »Bis dann, ihr beiden.«

»Ich liebe dich, Dad«, rief ich ihm nach.

Ich blieb noch eine Woche in der Wohnung und litt weiter an Entzugserscheinungen, weil ich die Medikamente nicht mehr nahm. Janice war sehr nett zu mir. Sie kaufte mir Illustrierte, plauderte mit mir über Mode und Make-up. Aber ich war traurig, weil ich mich nicht richtig von Christine verabschieden und ihr die Nummer von *Bunty* geben konnte, die ich ihr versprochen hatte.

Ein paar Tage später rief eine Frau vom Sozialamt an.

Janice meldete sich und gab kurz darauf mir den Hörer. »Sie will dir etwas sagen.«

»Hallo?«

»Spreche ich mit Barbara?«, fragte die Frau am anderen Ende.

»Ja.«

»Ich rufe an, um dir zu sagen, dass dein neues Zuhause ab jetzt das Blackbrook House in St. Helens sein wird.«

»Neues Zuhause?«

»Ja. Das ist eine Erziehungsanstalt für katholische Mädchen. Morgen früh wird jemand vorbeikommen, um dich abzuholen.«

Ich war entmutigt. Wieder ein Heim.

»Muss ich dahin?«, fragte ich Janice, nachdem ich den Hörer aufgelegt hatte.

»Ja. Dein Vater hat große Mühen auf sich genommen, um das zu arrangieren. Er wäre bestimmt nicht glücklich, wenn du ablehnen würdest.«

Mir war klar, dass ich nicht für immer hier in der Wohnung bleiben konnte, und schlimmer als Aston Hall konnte dieses Blackbrook House nicht sein.

Alles ist besser als Aston Hall.

Am nächsten Morgen lief alles nach Plan. Als ich abgeholt wurde, konnte ich mich nicht von meinem Vater verabschieden, weil er schon zur Arbeit war. Aber ich wusste, dass er kommen würde, um sich mein neues Zuhause anzusehen. Eine Sozialarbeiterin brachte mich nach St. Helens in Lancashire. Die Fahrt dauerte ewig, und ich schlief ein.

Die Frau weckte mich. »Barbara, wir sind da.«

Wir bogen auf eine lange Zufahrtsstraße ab. Ich drückte mir die Nase an der Fensterscheibe platt, während wir uns dem größten Haus näherten, das ich jemals gesehen hatte. Es war aus rotem Backstein und hatte einen Säulenvorbau.

Eine Nonne trat heraus und kam zum Auto, um uns zu begrüßen. »Hallo, ich bin Schwester Genevieve.«

Sie führte uns durch eine große Holztür in eine imposante Halle, von der links und rechts Türen abgingen. Wir betraten durch die erste Tür rechts ihr Büro, wo sie sich an einen großen Mahagonischreibtisch setzte und uns mit einer Geste bat, Platz zu nehmen. Aber es gab nur einen Besucherstuhl, und so blieb ich stehen.

»Also gut, Barbara«, begann Schwester Genevieve. »Ich habe einiges über dich gehört. Versprichst du mir, dass du nicht von hier weglaufen wirst?«

Ich schaute sie an. Sie war eine Nonne, und als Katholikin wagte ich es nicht, eine Ordensschwester anzulügen. Ich dachte über ihre Frage nach und versuchte, mir eine Antwort einfallen zu lassen. Tief in meinem Inneren wusste ich, dass ich die erste Chance nutzen würde, um die Flucht zu ergreifen und meine Mutter zu finden.

Ich räusperte mich. »Schwester, ich kann nur sagen, dass ich mich bemühen werde, nicht wegzulaufen, doch versprechen kann ich es nicht. Aber ich werde mich bemühen.«

Ihre Mundwinkel zuckten, und ich hatte den Eindruck, dass sie ein Lachen unterdrücken musste. Ich verstand nicht, was an meinen Worten so komisch war.

»Ich weiß deine Aufrichtigkeit zu schätzen, Barbara«, sagte sie schmunzelnd. »Glaubst du, dass wir es lernen können, einander zu vertrauen? Wenn ich dir vertraue, wirst du es dann bei mir auch tun?«

»Ich werde es versuchen, Schwester.«

»Warum hast du so offen geantwortet?«

»Weil Sie eine Nonne sind, und ich kann Sie nicht anlügen. Wenn ich es tue, habe ich für immer einen Makel auf der Seele und komme nicht in den Himmel.«

In dem Moment trat eine andere Schwester ein, die mich herumführen sollte.

»Bemüh dich einfach so gut wie möglich«, sagte Schwester Genevieve lächelnd. »Ich bin sicher, dass wir sehr gut miteinander auskommen werden.«

Mein Zimmer ging rechts von einem langen Korridor ab und war spartanisch eingerichtet, doch ich hatte es ganz für mich allein. Schnell merkte ich, dass das Blackbrook House mir sehr viel mehr zu bieten hatte als Aston Hall. Neben dem normalen Schulunterricht lernten wir kochen, nähen und tippen. Vor allem aber musste ich keine Tabletten schlucken, mir nicht das entnervende Zählen des Bestecks anhören und vor allem Milner nicht sehen. Bald hatte ich mich eingewöhnt und neue Freundinnen gefunden. Selbst wenn ich auch hier eingesperrt war, hatte ich doch sehr viel mehr Freiheit. Statt mit Pillen wurden wir mit Religion »behandelt«. Dreimal pro Tag wurde gebetet. Messen, heilige Kommunion, Beichte. Ich hasste diese religiöse Bevormundung leidenschaftlich, doch alles war besser als Aston Hall. Am meisten liebte ich den Nähunterricht, und bald konnte ich meine eigenen Schnittmuster anfertigen. Alles gefiel mir so gut, dass ich versuchen wollte, die Nonnen nicht zu verärgern. Da war immer noch die Angst im Hinterkopf, man könnte mich in das Krankenhaus zurückschicken. Ich durfte kein Risiko eingehen. Zur Essenszeit waren die Tische anständig gedeckt, und niemand kam auf die Idee, das Besteck zu zählen.

Ich war so glücklich, dass ich bald als die Spaßmacherin der Schule bekannt war, und ich taufte Schwester Genevieve auf den Namen »Sister Jelly Feet« um. Der Name blieb hängen, und alle Mädchen nannten sie so. Mein Vater rief jeden Mittwoch an, und ich freute mich immer darauf. Die Wochenenden durften wir zu Hause mit unseren Eltern verbringen, doch ich blieb im Blackbrook House, weil mein Vater oft arbeiten musste. Aber es machte mir nichts aus, weil ein gütiger Priester namens Father Jones sich um die Dagebliebenen kümmerte. Er nahm uns mit zum Strand von Southport oder in den Park von St. Helens, wo wir kleine Ruderboote mieteten. Bei einem der Strandbesuche zog Father Jones eine Kamera hervor und machte Fotos von mir im Badeanzug. Es waren völlig unschuldige Schnappschüsse, und doch gab es großen Ärger. Nicht lange darauf sprach Father Jones in dem Kloster mit einer Frau, von der sich später herausstellte, dass sie Sozialarbeiterin war.

»Hallo, Barbara«, rief er fröhlich, als ich auf dem Weg zum Unterricht an ihm vorbeirannte.

»Hallo, Father«, sagte ich lächelnd und winkend. Und dann platzte etwas aus mir heraus, ohne dass ich weiter darüber nachgedacht hätte. »Haben Sie schon die Abzüge der Fotos, die Sie am Strand von mir geschossen haben?«

Die Gesichtszüge der Frau entgleisten, als sie zwischen mir und dem Geistlichen hin und her blickte. Sofort wusste ich, dass ich etwas Falsches gesagt hatte. Die Frau winkte mich zu sich und nahm mich beiseite.

»Father Jones hat Fotos von dir gemacht?«, fragte sie.

Ich antwortete nicht, denn in dem Krankenhaus hatte ich gelernt, dass es immer besser war, möglichst wenig zu sagen. Zwanzig Minuten später bestellte mich Schwester Jelly Feet in ihr Büro. Ich hatte Angst, nach Aston Hall zurückgeschickt zu werden. Mir traten Tränen in die Augen, während ich darauf wartete, hereingebeten zu werden. Dann trat ich mit einem heftig klopfenden Herzen ein. Schwester Jelly Feet saß in ihrem schwarzen Habit hinter ihrem Schreibtisch.

»Hallo, Barbara.«

Ich blickte zu dem Besucherstuhl hinüber, auf dem die Frau saß, die mich nach Father Jones gefragt hatte.

»Ist das das Mädchen?«, fragte Schwester Jelly Feet.

Die Besucherin nickte.

Jetzt habe ich richtigen Ärger, dachte ich und geriet in Panik.

Bilder schossen mir durch den Kopf: das Behandlungszimmer, die Matratze, die Spritze mit der langen Nadel. Ich hörte das Zählen des Bestecks, das Quietschen der Gummireifen des Wagens, Janes Steppen. Vor meinem inneren Auge sah ich das entschlossene Gesicht der sadistischen Schwester. Mir wurde schwindelig. Meine Beine gaben nach, und ich fiel zu Boden. Als ich aus der Ohnmacht aufwachte, wurde ich auf einer Bahre getragen. Wieder wurde alles schwarz. Als ich schließlich aufwachte, war ich in meinem Zimmer, und vor meinen Augen drehte sich alles. Trotz meiner Schwäche quälte ich mich aus dem Bett und drückte die Türklinke nieder. Verschlossen. Wieder überkam mich Panik, als ich zum Fenster ging und es erfolglos zu öffnen versuchte. Nackte Angst überkam mich, weil ich mir sicher war, dass man mich wieder »behandeln« würde.

Kämpfen oder den Schwanz einziehen.

Ich wollte die Tür eintreten, doch es war sinnlos. So packte ich den Nachttisch und hämmerte damit gegen die Tür.

Ich sitze in der Falle. Ich bin ganz allein, und Milner wird kommen ... Ich muss von hier verschwinden.

Die Nonnen hörten den Lärm und kamen herbeigerannt, konnten aber nicht hereinkommen, weil das zertrümmerte Mobiliar die Tür blockierte. Es gab ein kleines Seitenfenster neben der Tür, doch das war vergittert. Ich blickte hindurch und fragte mich, welche Nonne mir die Spritze verpassen würde.

»Beruhige dich, Barbara«, rief eine der Ordensschwestern aus dem Korridor. »Beruhige dich, wir können über alles reden.«

Aber ich wollte nicht reden, sondern fliehen. Ich machte damit weiter, alles zu zertrümmern.

»Du machst alles nur schlimmer. Beruhige dich jetzt, sonst verbinden wir dich am nächsten Mittwoch nicht mit deinem Vater, wenn er anruft.«

Die Drohung ließ mich innehalten, und ich warf mich erschöpft aufs Bett. Die Schwestern baten mich, die Trümmer vor der Tür wegzuräumen.

»Wenn du nicht gehorchst, müssen wir die Polizei anrufen, damit sie dich nach Aston Hall zurückbringt.«

Ich schnappte nach Luft und griff nach einem scharfkantigen Holzstück. »Wenn Milner mir zu nahe kommt, bringe ich ihn um. Ich bohre ihm dieses Ding hier in die Kehle und höre erst auf, wenn er tot ist. Und ich lasse mir von Ihnen keine Spritze geben. Wenn es jemand versucht, bringe ich ihn auch um.«

Plötzlich verstummten die Stimmen vor der Tür. Schweigen, und schließlich stellte eine der Nonnen eine Frage.

»Wer ist Milner, Barbara? Und warum glaubst du, dass wir dir eine Spritze geben wollen?«

Ich antwortete nicht.

Ist das ein Trick?

»Warum sollten wir das tun? Wir dürfen das gar nicht. Was für Geschichten haben dir die Mädchen sonst noch erzählt?«

»Das sind keine Geschichten«, schrie ich, vor Wut heulend. »Genau so läuft es. Geben Sie keine Spritze vor der Elektroschockbehandlung?«

Die Nonnen starrten mich verstört durch das kleine Fenster an.

»Bei uns gibt es keine Elektroschockbehandlung.«

»Ich wette, dass Milner irgendwo da draußen schon wartet mit seiner Drahtmaske. Ich bin nicht dumm.«

Die Nonnen wirkten völlig konsterniert.

»Leg dich hin, danach reden wir.«

Ihre Stimme war so ruhig, dass mir klar war, dass sie die Wahrheit sagte. Nonnen logen schließlich nicht. Sie baten mich noch einmal, die Trümmer vor der Tür wegzuräumen, doch ich war auf einmal völlig erschöpft und legte mich aufs Bett. Als ich aufwachte, machte ich den Eingang frei, doch im Flur war jetzt alles still. Ich wartete, und irgendwann kam Schwester Mary, eine junge Nonne. Sie fragte mich, warum ich alles kurz und klein geschlagen hätte, schließlich sei es ein Privileg, ein Zimmer ganz für sich zu haben. Ein paar Minuten später betraten vier andere Nonnen das Zimmer. Sie packten meine Arme und Beine und trugen mich in einen Raum mit gepolsterten Wänden.

Wie in dem Behandlungszimmer.

Mit einem heftig klopfenden Herzen sah ich die Matratze auf dem Boden. Sie zogen mich bis auf die Unterwäsche aus und suchten nach Haarklammern oder –nadeln, mit denen ich mich hätte selbst verletzen können. Dann verschwanden die Nonnen und verschlossen die Tür. Der Raum wurde nur durch eine einzige Glühbirne an der Decke beleuchtet.

Das war's, dachte ich. *Gleich wird Milner kommen. Lieber Gott, bitte nicht.*

Mir war kalt, und ich begann zu zittern, weil ich keine Decke hatte. Aber kurz darauf öffnete sich die Tür, und Schwester Mary brachte mir eine.

»In einer Stunde bringe ich dir etwas zu essen«, sagte sie.

Das klang gut, denn ich war halb verhungert.

Wenn Milner unterwegs wäre, würden sie mir nichts zu essen geben. Und auch keine Decke.

Kurz darauf gestattete man es mir, auf die Toilette zu gehen. Ich wollte sehen, ob irgendwo meine Maus war, doch es ging nicht, weil die Schwester darauf bestand, dass die Tür offen blieb. Dann wurde ich in die Gummizelle zurückgebracht.

»Wie lange muss ich hierbleiben?«, fragte ich Schwester Mary, als die mir einen Pullover reichte.

Schwester Bridget antwortete für sie. »So lange, bist du vorhast, dich wieder anständig zu benehmen.«

Auch wenn sie Nonnen waren, ich konnte keiner Menschenseele trauen, solange sie mich in dieser Gummizelle einsperrten. Ich vermisste Christine so sehr und fragte mich, wie es ihr ging. Kurz darauf kam Schwester Mary mit Tee und Toast zurück.

»Wer wartet draußen?«, fragte ich sie mit einem misstrauischen Blick.

»Niemand«, sagte sie. »Gut, Schwester Margaret war da, aber die kümmert sich jetzt um die anderen.«

»Darf ich Sie bitte etwas fragen, Schwester Mary?«

»Kommt drauf an.«

Ich hatte solche Kopfschmerzen, dass ich mich nach einer Betäubung sehnte. »Können Sie nicht eine Drahtmaske holen und diese Flüssigkeit drauftröpfeln? Ich möchte nur noch das Bewusstsein verlieren, um den Kopfschmerz nicht mehr zu spüren.«

Schwester Mary wirkte entsetzt. »Was weiß ein Mädchen wie du über Äther?«

Äther? Ist das der Name dieser seltsam riechenden Flüssigkeit?

Ich antwortete nicht, weil ich befürchtete, alles nur schlimmer zu machen. Und sie fragte nicht noch einmal nach.

Schwester Mary stand auf und sagte, sie wolle ein Buch für mich holen. Kurz darauf kam sie mit *Die Eisenbahnkinder* von Edith Nesbit zurück, das ich sofort verschlang und das zu einem meiner Lieblingsbücher wurde.

Nachdem ich mich am nächsten Morgen gewaschen und angekleidet hatte, durfte ich mit den anderen frühstücken und danach wieder in mein Zimmer, in dem es nun keinen Nachttisch mehr gab, weil ich ihn zertrümmert hatte.

Ich musste fast zwei Monate im Blackbrook House verbringen, bevor mir klar wurde, dass Dr. Milner keine Macht mehr über mich hatte.

Christine habe ich nie vergessen. Ich schrieb ihr sogar einen Brief, hörte aber nie etwas von ihr. Ich konnte mir nicht sicher sein, ob der Brief sie erreicht hatte. In der Schule kam ich glänzend klar, und auch sonst lief alles gut, bis mich eines Tages während des Geschichtsunterrichts Schwester Jelly Feet aus dem Klassenzimmer holte. Sofort geriet ich in Panik.

Was habe ich falsch gemacht? Ist Milner hier?

Während ich ihr folgte, hatten die anderen Mädchen ihren Spaß.

»Was hat sie jetzt wieder ausgefressen?«

Ich hatte ein schlechtes Gefühl. Man wurde allenfalls dann aus dem Unterricht herausgeholt, wenn man anderswohin gebracht werden sollte. Ich war mit den Nerven am Ende, und Schwester Jelly Feet bemerkte es.

»Kein Grund zur Sorge. Du hast Besuch von deinem Vater. Er wartet auf dich.«

Ich konnte es kaum glauben. Ich lächelte, und meine Laune verbesserte sich schlagartig. Es war der erste Besuch meines Vaters im Blackbrook House, und das auch noch an einem ganz normalen Schultag!

Ich folgte der Schwester den langen Flur hinab in einen Raum mit einem großen Fenster und ein paar Stühlen. Hier war ich noch nie gewesen. Es war niemand da, aber die Schwester sagte, ich solle mich setzen, sie werde meinen Vater holen. Ich zog meine Strümpfe hoch, strich den Rock glatt und versuchte, mit den Fingern meine Frisur in Ordnung zu bringen. Ich wollte so gut wie möglich aussehen für ihn. Lächelnd sah ich, wie die Tür sich öffnete, und ich wollte mich nur noch meinem Dad in die Arme werfen. Aber da war jemand bei ihm – ein junges Mädchen. Es war eine kleine, schlanke und sehr hübsche Blondine, die ungefähr in meinem Alter zu sein schien. Mein Vater blickte zwischen uns beiden hin und her.

»Das ist deine Schwester Karen, Barbara.«

Ich schnappte nach Luft. »Schwester? Ich habe eine Schwester?«

Dad nickte, und die beiden setzten sich mir gegenüber. Ich war völlig durcheinander, geradezu geschockt. Ich hatte eine Schwester, und bisher war niemand auf die Idee gekommen, es mir zu erzählen? Ich musterte sie von Kopf bis Fuß. Sie schien ein gutes Stück kleiner zu sein als ich.

»Wie alt bist du?«, fragte ich.

»Vierzehn.«

Ich war entmutigt. Sie war zwei Jahre älter als ich und saß neben *meinem* Dad.

Mein Vater unterbrach. »Hör zu, Barbara. Sie ist gekommen, um dich zu sehen, doch da sie schon sehr lange nach dir sucht, habe ich sie hergebracht. Sie ist wirklich deine Schwester. Ich habe mir extra einen Tag freigenommen, damit ihr euch kennenlernen könnt.«

Ich war wütend und völlig durcheinander. Es war ein Schock, und ich wurde zunehmend eifersüchtig auf sie.

»Wer ist deine Mutter?«, wiederholte ich.

»Sie hat dieselbe Mutter wie du«, sagte mein Vater.

Nein! Nein! Nein!, schrie eine Stimme in meinem Kopf. *Ich bin ein Einzelkind!*

Aber offensichtlich hatte ich mich da getäuscht. Meine Kopfschmerzen waren so schlimm, dass ich glaubte, mein Schädel müsste explodieren. Ich war wütend auf meinen

Vater. Er war nicht wegen mir hier, sondern nur, weil meine Schwester mich kennenlernen wollte.

»Wo ist Janice?«, fragte ich.

Er ließ den Kopf hängen.

»Sie hat dich verlassen, stimmt's?«

Ich wusste es: Janice hatte ihn verlassen, wie all die anderen. Es war alles so vorhersehbar.

Ich wandte mich dem Mädchen zu. »Wo ist meine Mutter? Sag's mir sofort, wo ist sie?«

»In Irland«, antwortete sie. »Und sie will dich nicht, hat dich nie gewollt.«

Ich wollte ihr ins Gesicht schlagen, wollte ihr wehtun, weil sie mich um die Zuneigung meines Vaters gebracht hatte. In Gedanken zählte ich zwei und zwei zusammen.

Wenn Mum mich als Baby zurückgelassen hat, muss sie Karen mitgenommen haben, und ich bin allein zurückgeblieben.

»Und du willst meine sogenannte Schwester sein«, schrie ich. »Ist sie auch so eine dreckige, verkommene und verlogene Zigeunertochter wie ich, Dad?«

In diesem Moment öffnete sich die Tür, und Schwester Jelly Feet trat ein. »Ich glaube, laute Stimmen gehört zu haben«, sagte sie. »Aber wir sind hier in einem Kloster, also muss ich mich wohl getäuscht haben.« Sie blickte meinen Vater an. »Nun, ich glaube, die Besuchszeit ist vorbei. Barbara muss weiter am Unterricht teilnehmen. Bitte verabschieden Sie sich jetzt von Ihrer Tochter.«

Mit einem gebrochenen Herzen blickte ich meinem Dad und diesem seltsamen Mädchen nach, als sie den Raum verließen.

Ich sollte an seiner Seite sein, dachte ich verbittert.

Meine Träume waren geplatzt, die Hoffnung erloschen. Dieses Mädchen hatte meinen Vater, ich hatte niemanden mehr.

Schwester Jelly Feet brachte die Besucher zum Ausgang, während Schwester Mary kam, um mich auf mein Zimmer zu bringen.

»Schwester Genevieve hat gesagt, dass du für heute vom Unterricht befreit bist.«

Ich rannte los. »Dad!«, schrie ich aus vollem Hals. »Warte, Dad.«

Die drei drehten sich überrascht zu mir ums, als ich sie eingeholt hatte.

»Ich will dich hier nie wieder sehen«, sagte ich zu meinem Vater.

Schwester Jelly Feet verschlug es den Atem.

Ich wandte mich meiner sogenannten Schwester zu. »Und du brauchst auch nicht wiederzukommen. Du bist nicht meine Schwester. Ich habe nur einen Bruder.«

Das Mädchen blickte mir direkt in die Augen. »Doch, du hast eine Schwester, ob es dir gefällt oder nicht.«

»Geh mir aus den Augen«, knurrte ich.

Schwester Jelly Feet schaute mich entsetzt an. »Was ist denn in dich gefahren, Barbara? Wo bleiben deine Manieren? Entschuldige dich jetzt bei deinem Vater. Er hat eine lange Fahrt auf sich genommen, um dich zu besuchen, und wir haben hinsichtlich unserer Regeln eine Auge zugedrückt, damit er dich mit deiner Schwester sehen kann.«

Aber ich konnte mich nicht länger beherrschen. »Dreckige, verlogene Zigeunergören haben keine Manieren, oder, Dad?«

Jetzt hatte Schwester Jelly Feet genug. Sie wandte sich meinem Vater zu. »Wenn ich gewusst hätte, dass Sie gekommen sind, um dieses Kind völlig durcheinanderzubringen, hätte ich dem Besuch nie zugestimmt. Bitte kommen Sie nicht wieder ohne eine vorherige Absprache, besonders dann nicht, wenn Sie aufwühlende Neuigkeiten für dieses Kind haben. Bitte, Schwester Mary, begleiten Sie die Besucher jetzt nach draußen. Ich kümmere mich um Barbara.«

Sie packte meine Hand und zog mich wie eine Fünfjährige ins Esszimmer.

»Setz dich. Wir gönnen uns eine Tasse Tee und ein leckeres Stück Kuchen.«

Ich wusste, dass sie es gut meinte, doch ich begann hemmungslos zu schluchzen.

Schwester Jelly Feet legte mir eine Hand auf die Schulter. »Es ist in Ordnung, weine nur.«

Ich ließ den Kopf auf die Unterarme sinken und heulte mir die Seele aus dem Leib.

»Komm mit«, sagte Schwester Jelly Feet schließlich. »Wir müssen hier Platz machen, weil die anderen essen wollen.«

22

Eskalation

In meinem Zimmer setzte ich mich aufs Bett.

»Du bist ein wundervolles Mädchen, Barbara«, sagte Schwester Jelly Feet. »Du hast ein gutes Herz und bist immer hilfsbereit. Ich möchte dich nicht in einem solchen Zustand sehen. Wenn du mit jemandem reden möchtest, kannst du dich jederzeit an mich wenden. Dann werden wir sehen, ob ich dir helfen kann.«

Ich tupfte mir die Tränen ab. Schwester Jelly Feet war so ein gütiger Mensch.

»Du bist anders als die übrigen Mädchen hier, weil du keine Mutter hast. Die anderen haben eine, respektieren sie aber nicht. Mädchen wie dich haben wir hier normalerweise nicht. Alle mögen dich, auch die Angestellten. Du bist eine fleißige Schülerin, und ein Problem hat es nur einmal gegeben, als du dich in deinem Zimmer verbarrikadiert hast, doch das können wir jetzt vergessen.«

Sie redete weiter, doch ich war in Gedanken woanders. Ich dachte an meinen Vater und dieses seltsame Mädchen, das jetzt neben ihm in seinem Lieferwagen saß.

Sie hat meinen Platz eingenommen.

In mir stieg Zorn auf.

Warum hat er sie bei sich und mich hier zurückgelassen? Wenn sie meine Schwester ist, warum haben sie mich dann nicht mitgenommen? Müssen Schwestern nicht zusammenhalten?

»… also bleib einfach so, wie du bist, Barbara«, hörte ich die Nonne sagen. »Die meisten Mädchen, die hierherkommen, enden in einem Borstal, doch das wird dir nicht passieren.«

Das Wort Borstal kannte ich nicht. »Ist das ein Gefängnis?«

Sie seufzte. »Etwas Ähnliches. Eine Strafanstalt für die Altersgruppe zwischen fünfzehn und einundzwanzig, doch dich muss das nicht interessieren. Bleib ein gutes Mädchen und lerne weiter fleißig, dann kommst du gut klar im Leben.«

»Ich habe schlimme Kopfschmerzen«, murmelte ich.

»Also gut.« Sie stand auf. »Es war ein langer Tag für dich. Ich werde Schwester Mary bitten, dir Tee auf dein Zimmer zu bringen.«

Als ich allein war, heulte ich so lange, bis ich schließlich irgendwann einschlief. Als ich aufwachte, war es stockfinster. Ich blickte auf die Uhr – Viertel vor sechs, und ich trug immer noch die Klamotten vom Vortag. Ich ließ noch einmal alle Ereignisse dieses Tages Revue passieren. Ich hätte schreien können, denn ich hatte alles verloren, auch das vollkommene Wunschbild meiner Mutter. Der Traum von ihr hatte mich so lange über Wasser gehalten, und nun war er geplatzt. Das Mädchen hatte gesagt, meine Mutter wolle mich nicht, und dann war sie mit meinem Vater verschwunden.

Ich habe niemanden.

Durch das Fenster sah ich, dass es draußen allmählich Tag wurde. Ich fragte mich, was ich tun sollte.

Vielleicht sollte ich mir das Leben nehmen?

In Aston Hall hatte ich ein paar Mädchen über Selbstmord reden gehört. Oben an dem hohen Fenster sah ich einen Messingring. Die Nonnen schoben einen Stab hindurch, um das Oberlicht aufzuziehen. Mir schien der Ring perfekt dafür geeignet, eine Schlinge daran zu befestigen. Ich fabrizierte eine aus dem Bettlaken und versuchte, den Stoff durch den Ring zu schieben, doch der war zu klein. Nachdem ich es fast eine Stunde erfolglos versucht hatte, gab ich auf. Ich zog das Laken wieder über die Matratze und machte Ordnung in dem Zimmer. Aber ich hatte an allem das Interesse verloren. Ich war immer die Spaßmacherin gewesen, doch in den folgenden Tagen und Wochen zog ich es vor, für mich zu bleiben.

Eines Tages erzählte mir Schwester Mary im Flur, ein neues Mädchen werde in das Zimmer neben mir einziehen.

»Dann hast du jemanden, mit dem du plaudern kannst.«

Kurz darauf bimmelte die Schulglocke, und ich packte meine Bücher zusammen und ging zu meinem Klassenzimmer. Auf dem Weg stolperte ich erneut über Schwester Mary, und bei ihr war das neue Mädchen, das Susan hieß.

»Ihr beide werdet Zimmernachbarinnen sein«, sagte die Nonne. »Barbara wird dir zeigen, wie es bei uns läuft.«

Nach dem Unterricht und dem Essen ging ich auf mein Zimmer, und ich hatte mich gerade hingesetzt, als es an der Tür klopfte. Bevor ich »Herein!« sagen konnte, stand schon Susan im Zimmer. Sie blickte sich um und inspizierte meine Sachen.

»Wie lange bist du schon hier?«, fragte sie.

»Etwa fünf Monate.«

Sie hörte gar nicht hin und wühlte in meinen Büchern. Dann griff sie nach meiner Bürste, brachte ihre Frisur in Ordnung und steckte sich einige meiner Klammern ins Haar. Ich war völlig perplex. Als ich gerade etwas sagen wollte, griff sie nach einer Flasche mit Talkumpuder, schüttete den Inhalt auf den Boden und verteilte ihn mit ihren Schuhen.

»Von allen Mädchen höre ich, dass sie dich nicht mögen. Sie sagen, dass du ein Spitzel bist und den Nonnen in den Arsch kriechst.«

Ich schüttelte den Kopf, weil es nicht stimmte, aber Susan war noch nicht fertig.

»Ich weiß, wie man mit Fotzen wie dir umgehen muss«, sagte sie. »Ich war nicht umsonst in einem Borstal, und ich hasse Spitzel.«

Ich schluckte. So etwas hatte ich noch nie erlebt.

»Wenn du den Dreck hier aufgewischt hast, kannst du in meinem Zimmer sauber machen. Falls du es tust, wirst du heute vielleicht nicht verprügelt.«

Ich fühlte mich so schon sehr verletzlich und nahm die Drohung ernst. Susan war groß, und ich hatte Angst vor ihr. Sie verschwand, und ich begann auf allen vieren, den Boden zu säubern. Ein paar Augenblicke später stand sie wieder in der Tür.

»Komm schon. Jetzt mein Zimmer. An die Arbeit.«

Ich gehorchte und hoffte, dass sie mich nicht schlagen oder ohrfeigen würde. Als ich in ihr Zimmer trat, wollte ich meinen Augen nicht trauen. Das Bett war abgezogen, und alle Schubladen waren herausgezogen worden. Überall lagen Klamotten, und sie hatte sogar die Fensterscheibe mit Zahnpasta verschmiert.

»An die Arbeit«, fuhr sie mich erneut an und verschwand.

Ich beeilte mich, denn die Schule begann gleich, und ich wusste, dass die Nonnen während des Unterrichts unsere Zimmer inspizierten. Wenn man es nicht sauber hielt, bekam man einen Eintrag ins Klassenbuch. Bei drei Einträgen gab es Hausarrest, kam man auf sechs, verlor man alle Privilegien und durfte seine Eltern nicht besuchen. Als ich es geschafft hatte, kehrte ich in mein eigenes Zimmer zurück und stellte fest, dass Susan es schon wieder verwüstet hatte. Von Panik gepackt schaute ich auf die Uhr. Mir blieben keine fünf Minuten mehr. Ich war gerade fertig, als die Schulglocke ertönte. Ich schnappte mir meine Bücher und wurde im Flur von Susan erwartet, die mir auf dem Weg zum Klassenzimmer die Faust schmerzhaft in den Rücken bohrte. Aber es sollte noch schlimmer kommen, sie ließ nicht davon ab, mich zu quälen. Während des Unterrichts bewarf sie mich mit Bleistiften und Papierkügelchen. Beim Essen tauchte Schwester Mary auf, um mit uns zu reden.

»Hast du dich gut eingewöhnt, Susan?«

»Ja«, antwortete sie mit einem unschuldigen Lächeln. »Und Barbara und ich sind schon jetzt die besten Freundinnen.«

Mit einem flehenden Blick bat ich Schwester Mary, mich aus den Fängen dieses Ungeheuers zu befreien, doch die lächelte nur zufrieden und verschwand. Beim Abendessen klaute Susan meinen Nachtisch.

»Das alles kann dir nicht gefallen, oder?«

Nach dem Essen standen draußen Gymnastikübungen auf dem Programm. Schwester Mary rief mich zu sich.

»Du gehst sofort auf dein Zimmer. Was ist los mit dir? Ich war gerade dort, es ist der reinste Saustall. Zwei Einträge ins Klassenbuch!«

Ich warf Susan einen hasserfüllten Blick zu, weil ich wusste, dass einmal mehr sie dahintersteckte. Sie lachte nur.

Bald wurde klar, dass sie es geschafft hatte, alle anderen auf ihre Seite zu ziehen. Alle Mädchen kicherten und machten Witze über mich. Susan drückte mir einen Zettel in die Hand.

Wir wissen alle, dass du ein Spitzel bist.

Jetzt hatte ich endgültig genug und schrie sie an. »Du bist der Spitzel, und du solltest mich endlich in Ruhe lassen. Es ist mir egal, in wie vielen Borstals du warst. Ich bin kein Spitzel.«

»Barbara O'Hare, komm sofort her.«

Mr Jones, der Lehrer. Er war ein großer Mann von Ende vierzig, mit einem Bart und einem ungebärdigen braunen Haarschopf.

»Komm her«, brüllte er noch einmal.

Er schob seinen Stuhl zurück, legte mich übers Knie und versohlte mir den Hintern. Das tat weh, aber nicht so sehr wie die Demütigung.

So ging es zwei Monate weiter. Eines Tages machten Susan und ihre Verbündeten vor der Morgenandacht beleidigende Bemerkungen über mich. Jetzt hatte ich endgültig genug. Ich stürzte mich auf sie und packte ihr Haar, doch sie war schneller und versetzte mir einen so harten Schlag, dass ich ohnmächtig wurde. Als ich wieder zu mir kam, wurde ich auf einer Bahre fortgetragen. Eine Schwester untersuchte mich, und ich bekam drei weitere Einträge ins Klassenbuch. Jetzt waren es fünf. Obwohl ich eine dicke rote Beule auf der Stirn hatte, wurde ich nach draußen geschickt, um an den Leibesübungen teilzunehmen. Sobald ich Susan sah, ging ich zu ihr.

»Sieht gut aus«, sagte sie grinsend. »Was willst du gegen die Beule tun?«

Ich packte ihren Kopf und stieß ihr brutal das Knie ins Gesicht, nicht einmal, sondern viermal, bis Blut aus ihrer Nase spritzte. Dann begann ich mit den Fäusten auf sie einzuschlagen. Als ich genug hatte, lag Susan blutüberströmt am Boden. Nonnen kamen herbeigerannt und steckten mich in die Gummizelle, wo ich drei Tage blieb. Während dieser Zeit machte ich die Bekanntschaft einer neuen Nonne, einer Irin namens Kathleen mit unheimlichen dunklen Augen.

»Ich möchte Schwester Genevieve sprechen«, sagte ich.

Sie antwortete, es sei nicht möglich.

»In Irland würden solche Dinge nicht passieren, und wenn doch, wüsste ich, was zu tun wäre. Nur ein schlechtes Mädchen kann eine Mitschülerin so zurichten. Ich schlage vor, dass du die Zeit hier nutzt, um um Vergebung zu beten.«

Was für eine Schlampe.

Schwester Mary tauchte auf.

»Kann ich bitte Schwester Genevieve sprechen?«, fragte ich noch einmal, denn ich wusste, dass sie auf meiner Seite stand.

Aber Schwester Mary schüttelte traurig den Kopf. »Nein, Schwester Genevieve ist nicht mehr bei uns. Sie ist jetzt im Ruhestand.«

Es brach mir das Herz. Außer Schwester Mary war Schwester Genevieve hier meine einzige Freundin gewesen.

Am nächsten Tag kam Schwester Kathleen zurück. »Bete, Mädchen, bete, weil du so bösartig und teuflisch bist. Bitte um Vergebung.« Damit knallte sie die Tür zu und schloss ab.

Später kam Schwester Mary, um nach mir zu sehen.

»Wie geht's Susan?«, fragte ich.

»Nicht gut«, antwortete sie. »Wie's aussieht, wirst du vielleicht wegen schwerer Körperverletzung festgenommen.«

Sie gab mir einige meiner Kleidungsstücke und schickte mich ins Bad, damit ich mich wusch. Auf dem Weg dorthin warf ich einen Blick in Susans Zimmer, dessen Tür offen stand. Es war leer.

Für drei Tage bekam ich nur Brot und Wasser, doch dann wurde ich aus der Gummizelle entlassen. Schwester Mary hatte eine andere neue Nonne bei sich, die sie mir als Schwester Elizabeth vorstellte. Die beiden verließen mich gemeinsam, doch ein paar Augenblicke später steckte Schwester Elizabeth den Kopf durch die Tür.

»Pst!« Sie legte einen Finger auf die Lippen. »Hör gut zu: Erzähl deiner Sozialarbeiterin, dass sie dich hier eingesperrt haben. Sie dürfen dich nicht so behandeln. Sag niemandem, dass ich mit dir gesprochen habe. Sag der Sozialarbeiterin, sie soll es deinen Eltern erzählen.«

Ich nickte.

»Aber du musst mir versprechen, dass du nicht erzählen wirst, was ich gesagt habe.«

»Versprochen.«

Sie ging. Bis auf den heutigen Tag frage ich mich, wer sie war, denn nach nicht einmal einer Woche hatte sie das Blackbrook House für immer verlassen.

Was aus Susan geworden ist, habe ich nie erfahren, aber ich wurde nicht angeklagt wegen schwerer Körperverletzung, und als ich aus der Einzelhaft entlassen wurde, war sie nicht mehr da. Und so normalisierte sich mein Leben wieder. Eines Tages tauschte ich mein Bett mit dem eines Mädchens, das bis jetzt in einem der beiden Schlafsäle mit jeweils zehn Betten übernachtet hatte. Obwohl ich dankbar gewesen war dafür, ein eigenes Zimmer zu haben, fehlte mir die Kameradschaft eines Schlafsaals. Als ein Mädchen namens Sarah mich fragte, ob ich tauschen wolle, sagte ich sofort zu. Noch an demselben Abend gab es in dem Schlafsaal eine grandiose Kissenschlacht. Überall lagen Federn herum, und Schwester Kathleen drehte durch, doch es störte uns nicht, weil alles ein Riesenvergnügen gewesen war.

»Ich frage mich, warum Schwester Kathleen gekommen ist und nicht Schwester Jelly Feet«, sagte ich zu einer der anderen.

»Hast du es nicht gehört? Schwester Genevieve ist an einem Herzinfarkt gestorben. Deshalb ist sie nicht mehr da.«

Es brach mir das Herz. Ich hatte Schwester Genevieve geliebt, denn sie hatte Mitgefühl mit mir gezeigt und auf meiner Seite gestanden. Noch wochenlang weinte ich nachts um sie. Und nach Schwester Genevieves Tod würde Schwester Kathleen mehr Macht bekommen.

In dem Waschraum gab es vier Kabinen mit Badewannen. Sie hatten nur Schwingtüren, über welche die

Schwestern hineinblicken konnten. Man zog sich in seinem Zimmer oder Schlafsaal aus, hüllte sich in ein Badetuch, ging zum Waschraum, stellte sich an und wartete, bis man an der Reihe war. Jedes Mädchen hatte nur fünf Minuten, inklusive Haarwäsche. Eines Tages beaufsichtigte Schwester Kathleen das Geschehen. Als ich in die Wanne steigen wollte, forderte sie mich auf, beide Arme zu heben. Ich hatte keine Ahnung, was das sollte, wollte mich aber nicht mit ihr anlegen. Sie zog eine Tube aus der Tasche und rieb mir eine weiße Salbe in die Achselhöhlen. Innerhalb einiger Augenblicke begann meine Haut höllisch zu brennen von der beißenden Haarentfernungscreme.

»Hör auf zu flennen«, fuhr sie mich an, als ich mich wimmernd in einer Ecke verkroch.

Ich hielt meinen Waschlappen unter kaltes Wasser und drückte ihn unter die Achseln, um den Schmerz zu lindern, aber meine Haut war total gerötet und wund. Ich stieg in die Badewanne in der Hoffnung, dass es dann besser werden würde, doch es wurde schlimmer. Am folgenden Sonntag stand ich erneut in der Warteschlange. Ich war froh, das mit der Haarentfernung bereits überstanden zu haben. Vor mir wartete ein schüchternes Mädchen namens Jean, das niemandem etwas zuleide tun konnte. Schwester Kathleen ließ Badewasser für sie ein, und mir fiel auf, dass sie neben den Wasserhähnen ein Glas auf den Wannenrand stellte, was mir merkwürdig vorkam. Als die Badewanne halb voll war, winkte

Schwester Kathleen Jean herein und schloss die Tür. Eine Minute hörte ich einen grauenvollen Schrei. Die Tür öffnete sich. Schwester Kathleen kam heraus, und ich sah die arme Jean in der Badewanne knien. Sie heulte vor Schmerzen, und ihr Hintern blutete. Das Blut lief an ihren Beinen herab und färbte das Badewasser rot.

»Mach schon, steh auf und komm raus aus der Wanne«, sagte Schwester Kathleen ohne eine Spur von Mitgefühl.

Schwester Mary kam herbeigerannt. Ein Krankenwagen wurde gerufen, um Jean in die Notaufnahme zu bringen. Ich wusste, was ich gesehen hatte. Es war kein Versehen gewesen. Schwester Kathleen bereitete es ein perverses Vergnügen, anderen wehzutun, insbesondere kleinen Mädchen. Die bemitleidenswerte Jean sahen wir nie wieder.

23

Marmaduke

Kurz darauf tauchten jede Menge Offizielle im Blackbrook House auf. Ich wusste nicht, ob es etwas mit der Geschichte mit Jean zu tun hatte oder ob es Zufall war. Auf jeden Fall bekam bald jedes Mädchen Besuch von seiner Sozialarbeiterin. Ich erinnerte mich daran, was Schwester Elizabeth gesagt hatte, und erzählte meiner Betreuerin von der Gummizelle.

»Kannst du sie mir zeigen?«, fragte sie.

Ich führte sie den Flur hinab, doch die Nonnen hatten einen riesigen Stahlschrank vor die Tür des Raums geschoben.

»Dahinter ist sie, ich schwöre es.«

Ich war sicher, dass sie mir nicht glaubte, doch immerhin fragte sie eine der Nonnen, was sich hinter dem Schrank verberge.

»Ach, das alte Ding«, antwortete sie mit einer wegwerfenden Handbewegung. »Keine Ahnung, was dahinter ist, der Schrank ist viel zu schwer, um ihn zu bewegen. Wir haben es nie versucht. Sie erzählt nur Geschichten.«

Ich war verblüfft. Ich wusste, dass die Nonne log, doch die Sozialarbeiterin glaubte nicht mir, sondern ihr. Keine Ahnung, ob es Zufall war oder ob sie mich zum Schweigen bringen wollten, aber am nächsten Wochenende fuhr eine Nonne mit mir nach Liverpool und kaufte mir dort bei C&A ein paar neue Klamotten. Die Leute in dem Kaufhaus sahen die Nonne und schauten mich mitleidig an. Ich schämte mich.

»Ach, die arme Kleine. Bestimmt ist sie eine Waise.«

Die Worte trafen mich bis ins Mark, denn ich war keine Waise. Ich hatte einen Vater und eine Mutter, nur wollten die mich nicht.

Am nächsten Freitag erlaubte man mir, allein meinen Vater zu besuchen. Ich konnte es kaum abwarten. Eine Nonne setzte mich am Bahnhof ab und gab mir einen Zettel mit der Abfahrtszeit des Zuges und Informationen darüber, wo ich umsteigen musste.

»Hier ist die Telefonnummer deines Vaters. Ruf ihn vom Bahnhof aus an, wenn du da bist.«

Mein Vater sagte mir, welchen Bus ich nehmen musste, doch als ich bei ihm eintraf, machte er sich gerade zum Ausgehen bereit. Es war mir egal, denn ich hatte die Wohnung für mich und konnte fernsehen.

»Hier, für dich.« Er legte vier Pfundnoten auf den Kaminsims. »Für den Fall, dass du etwas brauchst.«

Aber ich gab es nicht aus, sondern machte es mir auf dem Sofa bequem und sah fern. Als ich am nächsten Morgen aufgestanden war, schlief mein Vater noch, und ich steckte das Geld ein und verließ die Wohnung. Kurz darauf fiel mir ein Geschäft für Haustiere auf, und ich sah im Schaufenster eine Maus in einem roten Plastikrad.

Das war Marmaduke, die Maus, die mich in dem Behandlungszimmer von Aston Hall gerettet hatte. Sie sah genauso aus, wie ich sie mir vorgestellt hatte, rosa Schnauze, braunes Fell, ein langer dünner Schwanz. Ich trat ein und fragte den Verkäufer, ob ich die Maus kaufen könne.

»Welche? Da sind Dutzende.«

Ich suchte nach Marmaduke und erkannte meine Maus in dem Käfig.

»Die da, die kleine braune!«

Ich war so aufgeregt, als der Verkäufer die Maus in eine Schachtel packte und sie mir gab. Ich kaufte etwas zu essen für das Tier und eilte zur Wohnung meines Vaters. Da bemerkte ich, dass ich keinen Schlüssel hatte. Ich klingelte, und nach einer Weile hörte ich seine müde, mürrische Stimme über die Gegensprechanlage.

»Ich bin's, Dad.«

»Spiel draußen.«

»Aber ich muss aufs Klo«, log ich.

Stöhnend drückte er auf den Türöffner. Ich nahm nicht den Lift, sondern die Treppe und steckte die Maus und ein paar Sägespäne in die Tasche meines Dufflecoats.

»Danke«, sagte ich, während ich mit dem Finger über das weiche Fell der Maus strich. »Du hast mich im Krankenhaus gerettet, jetzt rette ich dich.«

Als ich die Wohnung betrat, roch ich sofort das Parfüm und wusste, dass einmal mehr eine »neue Mutter« auf mich wartete.

Mein Vater steckte den Kopf durch die Wohnzimmertür. »Alles in Ordnung?«

Ich nickte lächelnd.

Er schloss die Tür, und kurz darauf hörte ich das Klackern hoher Absätze, als er mit seiner Freundin die Wohnung verließ. Es war mir egal, denn ich hatte Marmaduke und würde nie wieder allein sein. Ich suchte nach etwas, worin ich mein neues Haustier unterbringen konnte. Als ich eine alte Blechdose für Konfekt gefunden hatte, hämmerte ich mit einem Nagel ein paar Luftlöcher in den Deckel. Dann stopfte ich etwas Klopapier hinein, damit die Maus bequem lag. Diesmal konnte es mir gar nicht schnell genug gehen, bis das Wochenende vorbei war, denn ich wollte mit der Maus allein in meinem Zimmer im Blackbrook House sein, in das ich nach dem ganzen Ärger zurückgezogen war. Meinen Vater sah ich erst am nächsten Morgen wieder, doch da musste ich schon los, weil mein Zug um zehn Uhr abfuhr. Ich stopfte meine Sachen in eine Plastiktüte, verabschiedete mich und ging zur Bushaltestelle. Sobald ich im Zug saß, setzte ich mich an einen kleinen Tisch und holte die Konfektdose hervor, um mit Marmaduke zu spielen. Als der Zug im Bahnhof St. Helen's einlief, konnte ich es nicht abwarten, wieder auf meinem Zimmer zu sein und die Tür zu schließen. Nachdem ich die anderen Mädchen kurz begrüßt hatte, verzog ich mich unter dem Vorwand, ich müsse Hausaufgaben machen. Ich leerte die Schublade meines Nachttischs und richtete dort ein Heim ein für die Maus.

»Du warst da, stimmt's?«, flüsterte ich, nachdem die Maus mit den kleinen Pfoten ihr Gesicht gesäubert hatte. »Ich weiß, dass du dort warst und alles gesehen hast, was dieser Arzt mir angetan hat. Nur du hast mir geglaubt, weißt du das? Alle anderen halten mich für eine Lügnerin, aber ich bin keine. Du kennst die Wahrheit, Marmaduke.«

Die Maus blickte mich mit großen Augen an, und ich wusste, dass sie mich verstanden hatte. Im Gegensatz zu allen anderen hatte sie mir zugehört und mir einen Grund zum Weiterleben gegeben, als mein Leben keinen Sinn mehr zu haben schien.

Mein neuer Schulrock hatte links und rechts zwei tiefe Taschen mit Reißverschluss. In eine steckte ich die Maus, in die andere etwas Futter. Ich nahm Marmaduke mit ins Klassenzimmer. Manchmal hob ich die Hand und bat darum, auf die Toilette gehen zu dürfen, doch es war nur ein Vorwand, weil ich für ein paar kostbare Minuten allein sein wollte mit meinem neuen Freund. Wenn ich mitten in der Nacht aus einem Albtraum aufwachte, war Marmaduke da, um mich zu trösten. Ich war nicht mehr in dem Krankenhaus, doch es verfolgte mich noch immer, bis in den Schlaf hinein.

Im Blackbrook House änderte sich einiges, als weitere Nonnen aus Irland eintrafen. Sie waren extrem streng, und eines Tages beschloss ich, dass ich genug hatte und wegrennen wollte. Aber als ich gerade über die Mauer kletterte, packte der Hausmeister meinen Fuß und zog mich zurück. Er brachte mich zu Schwester Barbara, einer furchterregenden Nonne, welche die gleiche sadistische Ader hatte wie Schwester Kathleen.

»Dann wolltest du also abhauen?«, fuhr sie mich an, während sie mich zu der Mauer zurückbrachte. »Dann werde ich dir beibringen zu rennen. Zieh Schuhe und Strümpfe aus.«

Ich blickte sie völlig verwirrt an.

»Mach schon, sonst stecke ich dich für drei Tage in die Gummizelle.«

Sie marschierte mit ihrem Spazierstock vor mir auf und ab.

»Also, ich zähle jetzt bis zehn, und wenn du nicht rennst, kriegst du den Stock zu spüren.«

Sie begann zu zählen, und ich zog Schuhe und Strümpfe aus.

»Acht!«, schrie sie und schlug mit dem Stock auf den Boden. Ich zuckte zusammen, kletterte über die Mauer und rannte über eine Wiese voller Brennnesseln. Meine Füße und Beine brannten höllisch, doch ich rannte weiter, weil ich mich zu sehr davor fürchtete, was sie mit mir machen würde, wenn ich stehen blieb.

Aber meine Füße waren auch aufgescheuert, und ich machte kehrt und kletterte zurück über die Mauer. Ich wollte nur noch den weichen Rasen unter meinen Fußsohlen spüren. Die Nonne wartete am Haupteingang auf mich.

»Na, willst du immer noch wegrennen?«, fragte sie grinsend.

Ich humpelte ins Haus, wo man mir eine Salbe und Mullbinden gab, um meine Füße zu verarzten. Als Strafe bekam ich Hausarrest und durfte mein Zimmer nicht verlassen, doch wenigstens hatte ich die Maus bei mir. Am Abend dieses Tages hörte ich Schritte im Flur, und ich steckte Marmaduke schnell in die Schublade des Nachttischs. Es klopfte.

»Barbara?«

Schwester Mary. Sie kam herein und setzte sich an das Fußende des Bettes.

»Was ist heute passiert?«

Ich erzählte ihr alles über den Zwischenfall mit Schwester Bernadette, von dem Stock und den Brennnesseln.

»Ich wollte wegrennen wegen dieser entsetzlichen neuen Nonnen aus Irland«, jammerte ich.

Sie blickte mich traurig an, und ich wusste, dass sie mir etwas zu sagen hatte.

Sie ergriff meine Hand. »Es tut mir leid, Barbara, aber ich gehe nach London.«

»Und was wird aus mir? Was werde ich ohne Sie tun?«

Sie erklärte, die meisten Nonnen würden das Blackbrook House nach einem Jahr verlassen, und nun sei sie an der Reihe.

»Hör zu, wenn dein Vater das nächste Mal anruft, sorge ich sofort dafür, dass du mit ihm reden darfst. Was sagst du dazu?«

Die Einträge ins Klassenbuch sprachen dagegen, doch ich wusste, dass auf Schwester Marys Wort Verlass war.

Und noch am selben Abend rief mein Vater tatsächlich an.

»Wie geht es dir?«, fragte er, nachdem ich mich gemeldet hatte.

»Bitte, bitte, Dad, sag meiner Sozialarbeiterin, dass sie herkommen soll, weil ich mit ihr reden muss.«

Ich muss hier rauskommen.

»Noch etwas, Dad …«

»Ja?«

»Du fehlst mir, aber ich kann mich kaum noch erinnern, wie du aussiehst. Kannst du mir nicht ein Foto von dir schicken?«

Betroffenes Schweigen am anderen Ende.

»Bist du noch dran, Dad?«

»Ja.«

»Es ist etwas passiert. Ich muss es dir erzählen.«

»Aber nicht am Telefon«, warnte er. »Die Nonnen hören mit.«

Nach meinen Erfahrungen in Aston Hall traute mein Vater niemandem mehr.

»Ich sage deiner Sozialarbeiterin, dass sie dich besuchen soll.«

Dann wechselte er das Thema und sagte, er habe etwas für mich gekauft und es auf die Post gegeben.

»Eine neue LP von Elvis?«

Dad lachte. »Nein, die neue Single von Michael Jackson.«

Wie alle liebte ich Michael Jackson und konnte es kaum abwarten, die Platte hören zu können. Nach dem

Telefongespräch brachte mich Schwester Mary auf mein Zimmer, und ich erzählte ihr von der Schallplatte.

»Der Song stammt aus einem Film über einen Jungen, der eine Ratte als Haustier hält. Ich habe in einer Illustrierten davon gelesen. Ich suche sie und bringe sie dir.«

Ich konnte es nicht fassen. Fast glaubte ich, mein Vater habe hellseherische Fähigkeiten.

Wusste er von Marmaduke? Nein, mach dich nicht lächerlich, niemand weiß etwas von der Maus.

Schwester Mary hielt Wort und brachte mir die Illustrierte, in welcher der Text des Songs »Ben« abgedruckt war.

»Es muss wundervoll sein, einen Freund wie Ben zu haben«, sagte Schwester Mary augenzwinkernd, als sie das Zimmer verließ.

Weiß sie es?

Ich sah nach der Maus, die schlafend in der Blechdose lag. Danach lernte ich den Text des Songs auswendig, damit ich sofort mitsingen konnte, wenn die Schallplatte eintraf. Als es so weit war, spielte ich sie wieder und wieder ab. Das war 1972. Ich war vierzehn und über ein Jahr im Blackbrook House.

Mein Vater hatte Wort gehalten, und am nächsten Montag kam meine Sozialarbeiterin

»Du wirst das Blackbrook House verlassen und kommst in ein Wohnheim für Mädchen.«

»Aber nicht in ein Borstal?«

»Nein, beruhige dich. Pack deine Sachen, ich nehme dich gleich mit.«

Nach dem Gespräch eilte ich zu Schwester Mary, um ihr die Neuigkeiten mitzuteilen.

»Freust du dich?«, fragte sie.

Ich nickte, umarmte sie und eilte auf mein Zimmer, um zu packen. Nach ein paar Minuten war ich fertig. Marmaduke steckte in meiner Jackentasche. Als ich gerade gehen wollte, rief Schwester Mary nach mir.

»Hast du nicht etwas vergessen?« Sie hielt eine durchsichtige Plastiktüte mit Marmadukes Futter hoch. »Ich glaube, in deinem Zimmer hat es nach einer Maus gerochen«, sagte sie lächelnd. »Außerdem fallen dir immer Sägespäne aus der Tasche.« Sie nahm mich in den Arm und drückte mich fest an sich. »Du ist eine ganz besondere kleine Lady«, sagte sie mit Tränen in den Augen.

»Auf Wiedersehen, Schwester Mary. Und danke für alles.«

»Wofür?«

»Dafür, dass Sie so nett und gütig zu mir waren.«

Plötzlich tauchte die Sozialarbeiterin auf.

»Bist du so weit? Wir müssen uns beeilen.«

Ich winkte Schwester Mary zu. »Bye-bye.«

»Bye-bye, Barbara.«

Die anderen Mädchen verabschiedeten sich alle mit einer Umarmung von mir, und ich verließ das Blackbrook House glücklich und mit Marmaduke in der Tasche.

24

Der Brief

Während der Fahrt zu dem Wohnheim war die Sozialarbeiterin sehr nett zu mir.

Wir waren auf einer schmalen Landstraße unterwegs. »Wie ist es dort?«, fragte ich.

»In dem Wohnheim? Ganz anders als im Blackbrook House. Von außen sieht es ganz wie ein normales Haus aus, und du wirst dort mit nur drei anderen Mädchen zusammenwohnen. Die Atmosphäre ist sehr entspannt.«

»Nicht wie in Aston Hall?«

Sie schaute mich kurz an. »An deiner Stelle würde ich Aston Hall nicht erwähnen.«

»Warum?«

»Einen guten Eindruck macht das nicht.«

Bestimmt befürchtete sie, dass das Urteil anderer über mich feststehen würde, wenn sie erfuhren, dass ich in einer psychiatrischen Klinik gewesen war.

Schließlich waren wir da. Ich schnappte mir meine Tasche und ging mit der Sozialarbeiterin zur Haustür, wo uns eine junge Frau lächelnd erwartete.

»Die Küche ist dahinten«, sagte sie.

Die Sozialarbeiterin hatte recht, hier herrschte wirklich eine sehr entspannte Atmosphäre. In der Küche lief die

Waschmaschine, und davor lag ein großer Haufen schmutziger Wäsche. Im Radio liefen die aktuellen Hits.

Im Flur klingelte das Telefon.

»Kann mal jemand drangehen?«, rief ein Mädchen aus dem ersten Stock.

Mir gefiel es hier vom ersten Augenblick an. Auf einen Außenstehenden hätte alles völlig normal gewirkt.

»Komm mit«, sagte die Frau und führte mich in ein Schlafzimmer mit ein paar Betten. An den Wänden hingen Poster, auf dem Boden lagen Schuhe herum, die Betten waren nicht gemacht, was in Aston Hall oder im Blackbrook House undenkbar gewesen wäre. So hatte ich mir ein Zimmer ganz normaler Teenager vorgestellt. Ich wurde den anderen Mädchen und den Angestellten vorgestellt, und alle hießen mich freundlich willkommen.

Hier bist du am richtigen Platz, Barbara, dachte ich.

Doch etwas machte mir Sorge – Marmaduke.

Wie kann ich das mit der Maus geheim halten, wenn ich mir das Zimmer mit den anderen Mädchen teile? Ich war jetzt frei, und vielleicht war es auch an der Zeit, Marmaduke freizulassen?

Ich packte meine Sachen aus und ging nach unten ins Büro, wo eine Frau von Anfang zwanzig auf mich wartete.

»Lass uns über die Hausordnung und die Regeln reden«, begann sie.

Es geht wieder los, dachte ich, während ich mich auf eine lange Liste von Verboten einstellte. Aber es gab eigentlich keine.

»Also kann ich kommen und gehen, wann es mir gefällt?«, fragte ich fassungslos.

»Ja, zumindest zwischen sieben Uhr morgens und elf Uhr abends. Noch Fragen?«

Ich dachte an Marmaduke.

Ich muss es ihr sagen.

»Ich habe da ein kleines Geheimnis und brauche Rat.«

Sie beugte sich interessiert vor. »Worum geht's?«

»Ich habe eine Maus«, antwortete ich und zog sie aus der Tasche.

Die Frau lachte erleichtert. »Normalerweise sind hier keine Haustiere erlaubt, doch ich denke, in diesem Fall können wir eine Ausnahme machen. Aber wir müssen einen Käfig besorgen, damit die Maus ein Zuhause hat.«

Ich ging mit einem der anderen Mädchen zum Einkaufen in die Stadt. Nachdem ich fast zweieinhalb Jahre eingesperrt gewesen war, konnte ich mich an die neue Freiheit noch nicht recht gewöhnen. Vor mir lag ein neues Leben, und ich wollte es in vollen Zügen genießen.

Am Montag gingen die anderen Mädchen auf eine höhere Schule, denn sie waren alle sechzehn oder älter. Ich blieb in dem Wohnheim, wusch meine Klamotten und spielte mit Marmaduke. Am nächsten Tag plauderte ich mit den anderen in der Küche, als ein Angestellter hereinkam, um die Post zu verteilen. Da ich noch nicht lange hier war, rechnete ich nicht damit, dass für mich etwas dabei sein könnte, doch der Mann wandte sich mir zu.

»Oh, fast hätte ich es vergessen, Barbara. Hier ist ein Brief für dich.« Er reichte mir einen blassblauen Umschlag.

»Aber von wem?«, fragte ich.

»Geht mich nichts an. Lies ihn, dann weißt du es.«

Während der letzten zweieinhalb Jahre hatte ich praktisch nie Post bekommen, vielleicht mal ein Päckchen von meinem Vater. Ich starrte auf den Umschlag in meinen Händen. Die ursprüngliche Adresse war durchgestrichen, der Brief war mir vom Blackbrook House nachgesendet worden. Er war ziemlich dick.

Ist er vielleicht von Christine? Vielleicht hat sie meinen Brief doch noch bekommen?

Ich hielt es nicht mehr aus, riss das Kuvert auf und überflog die erste Seite.

Hallo, Barbara.

Ich hoffe, es geht dir gut.

Ich blickte auf die Adresse des Absenders. *Walsall, West Midlands.*

Aber ich kenne niemanden in Walsall.

Und dann hätte ich den Brief fast fallen lassen.

Der Brief ist von meiner Mutter, sie lebt! Und nicht nur das, sie sucht mich. Ich wusste, dass Karen gelogen hat. Meine Mutter wollte mich doch, und nun hatte sie mir geschrieben. Dieser Brief beweist, dass ich von Anfang an recht hatte.

Ich drückte den Brief an meine Brust und konnte es nicht fassen, etwas in der Hand zu halten, das zuvor meine Mutter in ihrer gehalten hatte. So nah war ich ihr noch nie gewesen.

»Wo ist Walsall?«, fragte ich einen der Angestellten.

»Etwa dreißig Meilen entfernt von hier.«

Ich fasse es nicht. Nur dreißig Meilen trennen mich von meiner Mutter, und ich habe ihre Adresse – ein Postamt in Walsall. Wow, meine Mutter ist die Chefin eines Postamts!

Ich sagte den Angestellten, dass ich meine Mom in Walsall besuchen würde. Sie versuchten nicht, mich aufzuhalten, sondern gaben mir noch Geld. Aber sie baten mich anzurufen, falls ich Probleme bekommen sollte.

»Ich verspreche es.«

Ich zog meinen neuen braunen Rock an, eine hellblaue Bluse und eine pinkfarbene Strickjacke. Dann steckte ich sorgfältig mein Haar hoch. Vor mir lag der größte Moment meines Lebens, endlich würde ich sie kennenlernen. Ich fragte den Busfahrer, wo das Postamt sei und zeigte ihm den Brief.

»Keine Sorge, ich setze dich direkt vor der Tür ab«, sagte er.

»Danke. Ich besuche meine Mutter.« Ich lächelte. »Sie ist die Vorsteherin des Postamts.«

Die Busfahrt schien ewig zu dauern, aber mit jeder Meile kam ich ihr näher. Ich stieg aus dem Bus und betrat das Postamt, wo ich mich an der Warteschlange anstellte. Ich reckte den Kopf, und da sah ich sie. Die Frau hinter dem Schalter hatte leuchtend rotes Haar. Mein Herzschlag beschleunigte sich, als ich an die Reihe kam und den Brief auf die Theke legte. Ich rechnete damit, dass sie hinter dem Schalter hervorkommen und mich in den Arm nehmen würde, doch sie schaute mich nur mit einem leeren Blick an.

»Was kann ich für dich tun?«

»Ich suche nach meiner Mutter.« Ich schaute sie genau an, um zu sehen, ob sie Ähnlichkeit hatte mit mir.

»Wo wohnt sie denn?«

Ich zeigte auf den Briefumschlag.

»Hier, glaube ich.«

Die Frau wirkte irritiert und runzelte die Stirn. In diesem Augenblick wusste ich, dass sie nicht meine Mutter war.

»Darf ich den Brief lesen?«, fragte sie.

Ich nickte, während mir schon die Tränen in die Augen stiegen.

Was soll ich tun? Was ist, wenn ich sie nicht finde?

Die Postamtsvorsteherin las den Brief und blickte mich dann an.

»Ah, verstehe. Überquere die Straße und folge ihr. An ihrem Ende wirst du sie alle finden.«

Ich wollte fragen, wen sie mit »sie alle« meinte, doch da trat schon der nächste Kunde vor.

Ich folgte der Wegbeschreibung der Postamtsvorsteherin, kam an einem halben Dutzend schöner Häuser auf der linken Seite vorbei und fragte mich, ob meine Mutter in einem davon wohnte. Am Ende der Straße sah ich Bäume, hinter denen sich eine Weide erstreckte. Als ich dort ankam, roch es nach brennendem Holz, und ich hörte Gelächter und fröhliche Stimmen. Ich überquerte eine kleine Kanalbrücke, und dann sah ich jenseits der Bäume ein großes Zigeunerlager. Zu beiden Seiten der Straße standen etwa hundert Wohnwagen. Wiehernde Pferde, jede Menge Hunde, die sofort zu bellen begannen, als sie mich sahen. Ich war extrem nervös, aber entschlossen, meine Mutter zu finden.

Ein schmutziges kleines Mädchen mit langen roten Haaren kam auf einem Pferd vorbeigeritten. Auch ihr Gesicht war dreckig, und es lief ihr etwas Schnodder aus einem Nasenloch.

Das Mädchen sprang von dem Pferd. Es war etwa acht, und ich konnte es nicht fassen, dass es ohne Sattel auf dem Pferd ritt.

»Wo willst du hin?«

»Ich suche meine Mutter.«

Ich ging weiter, doch das Mädchen folgte mir und sah den blauen Briefumschlag in meiner Hand.

»Wie heißt du?«

»Barbara, warum?«

Das Mädchen blieb wie angewurzelt stehen und schaute mir direkt in die Augen.

»Du bist meine Schwester.«

Ich stand mit offenem Mund da, doch bevor ich etwas sagen konnte, war ich von anderen Zigeunerkindern umringt. Die Hunde bellten wie verrückt, als das Mädchen mich zu den Wohnwagen führte. Eines der Kinder holte einen Erwachsenen, einen Bär von einem Mann, der mich eingehend musterte.

»Oh mein Gott!«, rief er aus und schlug eine Hand vor den Mund. »Ja, das muss sie sein. Das ist Barbara.«

Bevor ich etwas sagen konnte, schlang er die Arme um mich und drückte mich fest an sich. Die Neuigkeit verbreitete sich in Windeseile, und Frauen und Kinder kamen herbeigeeilt, um mich zu begrüßen und mir Geld, Modeschmuck und anderen Krimskrams in die Hände zu drücken. Ich war überwältigt von dem Empfang, doch der Mann zog mich weg von der Menge und führte mich zu einem der Wohnwagen.

»Ich bin dein Onkel John«, sagte er mit einem strahlenden Lächeln. Dann zeigte er auf eine alte Frau, die in einer Ecke des Caravans saß. »Und das ist deine Großmutter.«

Die alte Frau schaute mich an, packte den um ihren Hals baumelnden Rosenkranz und brach in Tränen aus. Sie senkte den Kopf und bekreuzigte sich, um Gott für meine sichere Heimkehr zu danken. Es wurde Wasser für Tee aufgesetzt, und als wir ihn tranken, sagte sie, sie habe immer dafür gebetet, dass sie mich eines Tages sehen würde.

»Ich kann es nicht fassen«, sagte sie, während sie mir sanft über die Wange strich. »Du machst dir keine Vorstellung davon, wie lange ich auf diesen Augenblick gewartet habe.«

In einer Ecke des Wohnwagens bullerte ein Ofen, und überall lagen Häkelkissen.

Sie hielt Hühner wegen der Eier und buk jeden Morgen frisches Brot, das sie an andere Familien in dem Lager verteilte. Da sie alles über Pflanzen wusste, war sie sozusagen auch die Ärztin in dem Lager, da sie Leiden mit alten Naturheilrezepten kurierte. Zweifellos war sie der wundervollste Mensch, dem ich bisher in meinem Leben begegnet war, und die Zuneigung beruhte offensichtlich auf Gegenseitigkeit. Die Kinder in dem Lager bewunderten sie, die Erwachsenen behandelten sie, die Matriarchin, mit großem Respekt. Ich blieb den ganzen Tag bei ihr, und sie erzählte mir alles. Ich war verblüfft zu erfahren, dass ich sechs Halbbrüder und Halbschwestern hatte.

»Und wo ist meine Mutter?«, fragte ich schließlich.

»Sie ist gerade nicht da, wird aber bald zurück sein«, antwortete Onkel John.

Ich konnte es kaum abwarten, sie zu sehen. Schon wurde es dunkel, und die Erwachsenen verschwanden. Die Männer gingen ins Pub, die Frauen spielten Bingo. Onkel John brachte mich zum Wohnwagen meiner Mutter, damit ich dort auf sie warten konnte. Es war ein wundervoller Caravan mit Spiegeln, funkelnden Chromleisten, Gaslampen und einem prächtigen Teeservice auf einem Tisch. Meine Schwestern und Brüder schliefen in dem Wohnwagen nebenan. Ich stellte fest, dass ich von den Geschwistern die Älteste war.

»Wo warst du die ganze Zeit?«, fragte eine meiner jüngeren Schwestern. »Wo hast du gelebt? Ich wette, du hast das Leben einer Prinzessin geführt.«

Wenn ihr wüsstet, dachte ich in Erinnerung an Aston Hall.

Doch das ist jetzt alles Schnee von gestern. Ich habe ein
neues Leben, mit meinen Geschwistern und meiner Mutter.

Um neun öffnete sich die Tür des Wohnwagens, und
eine Frau trat ein. Es war ziemlich dunkel, und doch
wusste ich sofort, dass es meine Mum war. Ich saß nervös
auf der Bettkante, als sie auf mich zukam und mich in
ihre Arme schloss.

»Oh, mein Baby«, seufzte sie pathetisch.

Auf diesen Moment hatte ich mein Leben lang gewartet, doch plötzlich fühlte ich mich sehr unbehaglich. Ihr
Gefühlsausbruch wirkte völlig gekünstelt.

»Komm mit«, sagte sie. »Wir gehen ins Pub.«

Kurz darauf saß ich verschüchtert in der Kneipe, umgeben von Fremden. Die Stunden vergingen, und irgendwann waren alle betrunken. Jemand begann zu singen,
die anderen fielen ein. Sie erzählten endlose Familienge-
schichten und vor allem von Irland. Eigentlich sollte ich
hierhin gehören, doch ich fühlte mich seltsam fremd.
Äußerlich sah meine Mutter so aus, wie ich es erwartet
hatte – groß, langes, lockiges rotes Haar. Ich hatte große
Ähnlichkeit mit ihr. In dem Pub lernte ich auch meinen
Stiefvater kennen, der mir vom ersten Augenblick an un-
sympathisch war. Ich konnte nicht genau sagen warum,
hatte aber sofort ein ganz schlechtes Gefühl.

»Los, komm«, sagte Mum. »Wir gehen zurück zum
Caravan.«

Ich folgte den beiden, und sie brachten mich zu dem
alten Wohnwagen, in dem die anderen Kinder schliefen.

»Möchtest du ein Nachthemd oder einen Pyjama?«, fragte Mum.

»Einen Pyjama.«

Sie lachte. »Leg dich in das Bett da. Du wirst glücklich sein bei uns.«

Aber sie war nicht so, wie ich sie mir vorgestellt hatte, sondern gefühllos, kalt – das völlige Gegenteil meiner Großmutter. Mit gebrochenem Herzen kroch ich ins Bett, umgeben von einem halben Dutzend seltsamer Kinder, meinen neuen Geschwistern.

Am nächsten Morgen trat meine Mutter in den Wohnwagen und begann Frühstück zu machen. Mir fiel auf, wie hart ihre Gesichtszüge wurden, wenn sie von Streitereien mit anderen Frauen sprach, die sie nicht mochte.

»Steig in das Auto da«, sagte sie nach dem Frühstück zu mir.

»Wohin wollen wir?«, fragte ich.

»Das siehst du dann schon.«

Während der Fahrt fragte sie mich, ob ich bei ihr bleiben wolle. Ich zögerte, denn ich kannte sie kaum.

»Wir werden eine großartige Zeit haben«, prophezeite sie. »Zur Schule musst du nicht mehr. Du kannst dich um die Pferde kümmern. Denk nur, wie frei du sein wirst, Barbara.«

Sie malte ein rosiges Zukunftsgemälde, das jeder Fünfzehnjährigen gefallen hätte.

Sie parkte vor dem Sozialamt, in dem meine Mutter verkündete, von nun an werde ich bei ihr leben.

»Ab jetzt werde ich mich um sie kümmern. Sie ist meine Tochter.«

Die Sozialarbeiterin war verwirrt und zog mich in einen Nebenraum.

»Bist du sicher, Barbara?«, fragte sie.

»Sie ist meine Mutter«, antwortete ich. »Alles wird gut werden.« Davon war ich allerdings nicht gänzlich überzeugt. Aber meine Sehnsucht, Teil einer Familie zu sein, war so stark, dass ich bereit war, das Risiko einzugehen.

Wir gingen zum Auto zurück und stiegen ein.

»Denen hab ich's gezeigt«, sagte Mum grinsend.

Sobald wir wieder im Lager waren, trug sie mir auf, mich um »die Babys« zu kümmern, womit sie alle meine Geschwister meinte. Aber ich hatte keine Ahnung, wie man das machte, ich konnte mich ja kaum um mich selber kümmern.

Mein Stiefvater mochte mich von Anfang an so wenig wie ich ihn. Er sagte, ich sei für nichts zu gebrauchen.

»Vielleicht kannst du mir ja wenigstens eine Tasse Tee kochen.«

Meine jüngere Schwester nahm mich unter ihre Fittiche und zeigte mir, wie wir den Wohnwagen zu putzen hatten.

»Alles muss hundertprozentig sauber sein und funkeln«, warnte sie mich. »Außerdem muss der Ofen bullern, wenn sie kommt, sonst gibt's Ärger.«

Es schien, als hätte mein Bauchgefühl mich nicht getäuscht. Als sie später zurückkam, um Abendessen zu machen, blickte sie sich um und rümpfte die Nase.

»Es ist dreckig«, sagte sie zu meiner jüngeren Schwester. »Komm her. Du weißt, was ich erwarte. So ist es mir nicht sauber genug. Du solltest es besser wissen.«

Sie bekam einen Wutanfall und schlug meine Schwester. Ich war völlig entsetzt.

Mum wandte sich mir zu. »Und du tust gut daran, schnell zu lernen, sonst beziehst du als nächste Prügel.«

Am nächsten Tag kamen die anderen Mädchen und plauderten mit uns, während wir den Caravan exakt nach Mums Vorgaben sauber machten. Alle Oberflächen waren so auf Hochglanz poliert, dass man sich darin spiegeln konnte. Aber sie inspizierte alles mit Adleraugen, und für den kleinsten Makel gab es Prügel.

»Hier, nimm«, sagte eines der Mädchen und gab mir ein paar Armreifen.

»Danke«, sagte ich, weil ich glaubte, sie wären ein Geschenk.

»Leg sie an«, bedrängte sie mich.

»Aber warum?«

Das Mädchen blickte zwischen mir und meiner Schwester hin und her.

»Damit könnt ihr euch vor der Prügel schützen. Haltet sie vor euer Gesicht.«

Ich schob die Reifen auf meine Arme und bedankte mich erneut. Ich fühlte mich so mies wie damals in dem Kinderheim. Jeden Tag musste ich putzen und immer wieder für meinen Stiefvater Tee kochen. In seiner Nähe fühlte ich mich unbehaglich, und ich vermied es, allein mit ihm zu sein. Zuflucht fand ich im Wohnwagen meiner Großmutter. Mein Stiefvater schlug mich nicht, quälte mich aber psychisch, und forderte besonders gern, dass ich ihm abends den Kopf kraulte, wenn meine Mutter nicht da war. Mir war das alles viel zu intim, diese Berührungen, die eigentlich nur zwischen Eheleuten angebracht waren.

Am nächsten Abend kam mein Stiefvater betrunken aus dem Pub und verlangte erneut, ich solle ihn am Kopf kraulen. Doch diesmal war ich vorbereitet. Bevor er zurückkam, hatte ich mir die Hände mit Enthaarungscreme eingeschmiert, mit dem ich jetzt sein Haar und die Kopfhaut traktierte. Am nächsten Morgen fand er die Hälfte seiner Haare ausgefallen auf dem Kopfkissen. Ich musste mir ein Lachen verkneifen, als er die kahlen Stellen betastete.

»Ich glaube, ich bin krank«, jammerte er. »Ich muss zum Arzt.«

Er wird das nie wieder von mir verlangen.

Kurz darauf stopfte ich meine Sachen in eine Tüte und rannte weg. Als ich am Straßenrand stand und versuchte, ein Auto anzuhalten, dachte ich, wie seltsam alles war. Mein Leben lang war ich weggelaufen, um meine Mutter zu finden, und jetzt, wo ich es geschafft hatte, nahm ich erneut Reißaus. Ich rief meinen Vater an, doch der wollte nicht in die Geschichte hineingezogen werden. Bestimmt war er wütend, weil er mich in dem angenehmen Wohnheim untergebracht und ich es fluchtartig verlassen hatte, um meine

Mutter zu finden. Ich trampte nach London, wo ich auf der Straße lebte. Einmal verbrachte ich eine Nacht in einem Heim im Stadtzentrum. Am nächsten Morgen kam ich mit einem gutmütigen Obdachlosen von Mitte zwanzig ins Gespräch. Er hieß Taffy. Wir hatten uns gerade vor dem Heim verabschiedet, als ein Chinese zu mir trat.

»Brauchst du Arbeit und Geld?«, fragte er. »Einen guten Job?«

Ich nickte. Genau das wollte ich. Er sagte, ich solle ihm zu einer Telefonzelle in der Nähe folgen, wo er auf Chinesisch ein Gespräch führte. Als er aufgelegt hatte, wandte er sich mir zu.

»Okay, du hast den Job, komm mit.«

Ich grinste, begeistert, weil alles so einfach war. Ich wollte gerade mit ihm verschwinden, als Taffy zurückkam und mir auf die Schulter tippte.

»Geh nicht mit ihm«, sagte er. »Jedes Mädchen, das dies tut, wird nie wieder gesehen.«

»Aber er besorgt mir einen Job«, protestierte ich.

»Bitte, geh nicht mit ihm. Ich kümmere mich um dich und helfe dir dabei, Arbeit zu finden. Ich verspreche es dir. Hör zu, dies ist kein Leben für ein junges Mädchen. Besorg dir etwas Anständiges zum Anziehen und such dir einen Job in einem Hotel. Die haben immer Verwendung für Mädchen wie dich.«

Ich dachte einen Moment nach.

»Du glaubst wirklich, dass ich da einen Job bekommen würde?«

»Ich glaube es nicht, ich weiß es.«

Und er hatte recht. Ich fand Arbeit in einem Hotel, wo ich auch übernachten konnte, was großartig war, denn ich brauchte ein Dach über dem Kopf. Und einen Ort, wo ich mich vor meiner Mutter verstecken konnte. Ich arbeitete hart und sparte etwas Geld zusammen. Als ich einige Erfahrung gesammelt hatte, wusste ich, dass ich auch woanders problemlos einen Job bekommen würde. Also verließ ich die Metropole, um mit meiner Groß-mutter zusammenzuleben. Ein paar Tage später tauchte meine Mutter auf, die nach mir gesucht hatte. Ich flüch-tete erneut nach London, wo ich Touristen anbettelte. Ich klaute hübsche Klamotten, die ich verkaufte oder selbst anzog, bis ich einen neuen Job gefunden hatte. Ich hatte noch genug Geld für eine Fahrkarte nach Liverpool, wo eine Freundin aus dem Blackbrook House lebte. Dort fand ich einen Job in einem Imbiss, danach einen besser bezahlten in einem griechischen Restaurant. Ich machte ihn drei lange Jahre. Endlich hatte ich Arbeit und eine anständige Wohnung. Es kam mir so vor, als hätte ich meinen Weg gefunden auf dieser Welt. Niemand konnte mir sagen, was ich zu tun oder zu lassen hatte. Ich war mein eigener Herr und für mich selbst verantwortlich. Ich war achtzehn, hatte das Leben vor mir und fühlte mich großartig.

25

Ein Blick zurück

Es ist das Jahr 1995. Oasis dröhnt aus den Boxen in meinem Auto, als ich in Allerton, Liverpool, an einer Feuerwache aus rotem Backstein vorbeikomme. Ich hatte nicht gedacht an das Krankenhaus, doch der Anblick des roten Backsteins und der großen weißen Fenster löst etwas aus in meinem Gehirn. Innerhalb eines Sekundenbruchteils bin ich wieder in Aston Hall. Dr. Milner liegt auf mir und vergewaltigt mich. Ich spüre seinen heißen Atem auf meinen Wangen. Ich stehe vor einer Ampel und kann mich plötzlich nicht mehr bewegen. Hinter mir beginnen die Autofahrer zu hupen, doch ich bin völlig paralysiert. Glücklicherweise sitzt eine Freundin auf dem Beifahrersitz, und sie hilft mir, den Wagen am Straßenrand zu parken. Es dauerte noch ein halbe Stunde, bevor das Zittern aufhörte, und als ich wieder zu Hause war, glaubten meine Kinder, ich hätte einen Verkehrsunfall gehabt, weil ich so unter Schock stand.

* * *

In den dazwischenliegenden Jahren hatte mich die Erinnerung an Aston Hall nie verlassen. Kurz nachdem ich als Achtzehnjährige die Arbeit in dem griechischen Restaurant aufgenommen hatte, verliebte ich mich in einen wundervollen Griechen, den ich dort kennenlernte und mit dem ich später die Welt umrundete – als blinder Passagier auf dem Schiff, auf dem er arbeitete. Ich wurde schwanger, doch seine Eltern, die dem griechisch-orthodoxen Glauben anhingen, missbilligten unsere Beziehung. So fand ich mich in Liverpool wieder, wo ich mich auf das Leben einer unverheirateten, alleinerziehenden Mutter vorbereitete, zu einer Zeit, als das noch ein gesellschaftliches Stigma war. Ich brachte eine bildhübsche Tochter zur Welt und heiratete einen Mann, der eine Aufenthaltsgenehmigung brauchte. Von ihm bekam ich zwei weitere Töchter und einen Sohn, und für viele andere Kinder war ich die Pflegemutter, weil ich ihnen ein Schicksal ersparen wollte, wie ich es erlitten hatte. Aber es wurde unübersehbar, dass meine Vernunftehe scheitern würde. Die Vergangenheit verfolgte mich noch immer. Aber bis zu dem Tag, als ich den Verkehr zum Stehen brachte, war mir nicht wirklich bewusst gewesen, wie mächtig diese Dämonen waren.

Ich ging zu meinem Hausarzt und erzählte ihm, was passiert war. Ich hatte mit einer mitfühlenden oder zumindest verständnisvollen Reaktion gerechnet, doch meine Worte hatten ihn absolut nicht überzeugt.

»Hier steht nichts davon, dass Sie im Aston Hall Hospital waren«, sagte er mit einem Blick in meine Krankenakte.

Er verschrieb mir Antidepressiva und Schlaftabletten. Da war mir klar, dass ich diese Geschichte nicht einfach auf sich beruhen lassen konnte. Ich musste kämpfen, Milner bloßstellen und publik machen, was damals in diesem Krankenhaus geschehen war. Ich suchte meinen Onkel auf, den Bruder meines Vaters, und erzählte ihm, ich sei als Kind in Aston Hall mit Medikamenten vollgepumpt worden. Ich wusste nicht, was ich tun oder wen ich um Rat bitten sollte, doch Onkel Paul war ein gebildeter Mann, und deshalb glaubte ich, bei ihm an der richtigen Adresse zu sein. Er rief in dem Krankenhaus an, und wir wurden beide zu einem Treffen eingeladen. Wir erfuhren, dass Dr. Milner 1976 gestorben war. Es war es nicht mehr möglich, ihn für seine Taten zur Rechenschaft zu ziehen, wonach ich mich so sehr gesehnt hatte. Aber ich war entschlossen, die Wahrheit herauszufinden und Antworten auf Fragen zu finden, die mich seit dreißig Jahren verfolgten. Ich musste stark sein, auch im Interesse der anderen Opfer, die still litten.

Als wir die lange, asphaltierte Auffahrt hinabfuhren, drehte sich mir der Magen um.

»Alles in Ordnung?«, fragte mich mein Onkel, der mir beruhigend die Hand auf den Arm legte.

Ich atmete tief durch und hoffte, dass sich mein Herzschlag beruhigen würde.

»Alles in Ordnung. Bringen wir's hinter uns.«

Wir klingelten, und als geöffnet wurde und ich in der Eingangshalle stand, war ich wieder das verängstigte zwölfjährige Mädchen von damals. Ein Mädchen, das sich vor seinem eigenen Schatten fürchtete. Und vor jedem Arzt und jeder Schwester, mit denen sie danach in Kontakt gekommen war.

Wir wurden in ein Büro gebeten, und eine Frau von der Krankenhausleitung fragte uns, was wir wissen wollten.

»Ich will wissen, warum ich als Patientin hier war, obwohl mein Vater nie ein Formular unterschrieben hat, durch das er seine Zustimmung gegeben hätte.«

Da sie nicht antwortete, stellte ich die nächste Frage.

»Warum habe ich mit nur zwölf Jahren ständig Spritzen bekommen?«

Wieder keine Antwort, aber sie hatte meine Krankenakte von damals mitgebracht. Ich warf einen Blick hinein und war enttäuscht, weil sie nur einige wenige Seiten enthielt. Ich konnte es nicht beweisen, glaubte aber, dass es weitere Unterlagen geben musste, die uns vorenthalten wurden.

»Kann ich die Akte mitnehmen?«

Sie schüttelte den Kopf. »Nein, ich darf sie Ihnen nur zeigen.«

Ich glaubte, dass jetzt andere Leute vertuschen wollten, was hier einst geschehen war. Wir standen angewidert auf und gingen, und da sah ich eine Schwester auf mich zukommen. Obwohl ihr Haar grau geworden war und sie deutlich älter aussah, erkannte ich sie sofort. Sie hatte schon zur Zeit Dr. Milners hier gearbeitet.

Ich sprach sie darauf an, und sie begann zu meiner Überraschung, ihn zu verteidigen.

»Dr. Milner war ein Pionier auf seinem Fachgebiet.«

Ich hatte genug. Ich war kein verängstigtes kleines Kind mehr, sondern eine erwachsene Frau, der weder vor dieser Schwester noch vor sonst jemandem Angst hatte. Wut stieg in mir auf, und ich zeigte mit dem Finger auf ihr Gesicht.

»Ein Pionier, sagen Sie? Ein Pionier bei was? Der Typ wusste genau, was er tat.«

Mir war bewusst, dass es besser war, zu gehen, bevor ich etwas sagte, was ich später vielleicht bereuen würde. Aber die Schwester wollte unbedingt das letzte Wort haben.

»Sollen wir Ihre Akten vernichten?«, rief sie mir nach. *Soll das eine Drohung sein?*

Ich drehte mich um und blickte ihr direkt in die Augen. »Glauben Sie, dass ich Ihnen die Genugtuung gönnen werde?«, fuhr ich sie an. »Nein, bewahren Sie die Unterlagen schön auf, denn ich komme wieder.«

Ich ging Richtung Ausgang, drehte mich aber noch einmal um.

»Und vergessen Sie nicht, dass auch Kinder ein Gedächtnis haben. Ich erinnere mich an Sie und werde nie vergessen, was Sie uns allen angetan haben.« Ich zeigte auf meinen Kopf. »Na los, reißen Sie doch an meinen Haaren wie damals …«

»Nicht so, Barbara …«

Mein Onkel zog mich nach draußen und versuchte, mich zu beruhigen. Ich wusste, dass er recht hatte. So eine Sache musste man gut durchdacht angehen. Am 20. März 1995 setzte er einen offiziellen Brief auf, in dem er fragte, mit welchen Medikamenten ich seinerzeit behandelt worden sei. Aber wir bekamen keine wirkliche Antwort. Das spornte mich nur noch mehr an. Ich musste publik machen, was mir und Hunderten anderer unschuldiger Kinder in jenem Krankenhaus angetan worden war. Der Kampf hatte gerade erst begonnen.

26

Der Kampf meines Lebens

Ich nahm den Kampf auf, redete mit Ärzten und allen anderen, die bereit waren, sich von mir erzählen zu lassen, was in Aston Hall passiert war. Aber ich stieß auf eine Mauer des Schweigens. In meiner Krankenakte fand sich keinerlei Hinweis auf einen Aufenthalt in der psychiatrischen Klinik. Ich konnte mir keinen Reim darauf machen und begann an meinem Verstand zu zweifeln.

Warum gibt es nicht die geringste Aktennotiz? Bin ich vielleicht verrückt?

Aber ich wusste, was ich durchgemacht, was Milner mir in der geschlossenen Anstalt angetan hatte. Ich schwor allen, die Wahrheit zu sagen, doch niemand schien einer Frau Glauben schenken zu wollen, die einst Insassin einer psychiatrischen Klinik gewesen war. Die Leute hatten sich von Anfang an ihre Meinung gebildet über mich.

Gegen Ende des Jahres 1997 wurde die Nutzung des Internets allgemein üblich, wenn auch noch mit einer zuweilen wackeligen Modemverbindung. Rechtschreibung war noch nie meine Stärke gewesen, und ich gab »Ashton« statt »Aston« ein und fand nichts. Die Erinnerungen verfolgten mich weiter, und ich wurde von Albträumen gequält, aber ich kannte mich nicht aus mit Computern und Online-Recherchen und wusste nicht, wie ich an Informationen herankommen sollte.

In der Zwischenzeit verschlechterte sich das Verhältnis zu meinem Ehemann so sehr, dass wir wie zwei Fremde nebeneinander her lebten. Ich wollte nur noch, dass er verschwand, doch er weigerte sich zu gehen. Schließlich wurde ich zu einer starken Trinkerin. Trinken und schlafen, das war jetzt mein Leben. Der Alkohol half mir, die Angst und die Erinnerungen an meine Zeit in Aston Hall zu unterdrücken. Ich wusste, dass ich mein Leben in Ordnung bringen musste und buchte einen Urlaub in Kalifornien, wo Verwandte von mir lebten. Ich blieb fast zwei Monate. Sonne, frische Luft, Zeit zum Nachdenken. Ich bekam wieder einen klaren Kopf und fand die Stärke zu tun, was ich schon längst hätte tun sollen. Ich würde meinen Mann definitiv auffordern zu verschwinden. Als die Maschine in Manchester landete, war ich eine andere Frau. Mein Mann stand auf und ging in die Küche, um mir eine Tasse Kaffee zu kochen, doch bevor er sie mir gab, hielt er mir noch eine Predigt, wie immer.

»Lass mich in Frieden«, sagte ich kalt.

Ich hatte die Nase voll, und er wusste es. Er stand auf und ging. Als ich die Tür ins Schloss fallen hörte, rannte ich hinter ihm her.

»Goodbye, und komm bloß nicht zurück.«

Es war das Jahr 1998, und er war für immer gegangen. Unser Sohn war erst dreizehn, doch ich wusste, dass wir von diesem Augenblick an ein besseres Leben haben würden. Mein Mann hatte versucht, andere gegen mich aufzubringen, selbst unsere Kinder, gegenüber denen er mich als »verrückt« bezeichnete.

Im Lauf der folgenden Jahre war ich für etwa zehn Kinder deren Pflegemutter, offiziell und inoffiziell, und ich war stolz darauf. Wenn ein Kind Hilfe brauchte, versuchte ich ihm beizustehen. Es wäre die Mühe schon wert gewesen, wenn es mir nur gelang, ein Kind davor zu bewahren, ins Heim zu kommen.

Anfang 2000 bekam ich gynäkologische Probleme. Nach einer Untersuchung teilte mir der Arzt mit, ich hätte Polypen.

»Wir müssen uns darum kümmern, sonst könnte Krebs daraus werden.«

Aber der bloße Gedanke, ins Krankenhaus zu gehen, erfüllte mich mit Entsetzen, und so schob ich alles hinaus in der Hoffnung, das Problem würde von selbst verschwinden, wenn ich in die Wechseljahre kam.

Bei den Nachforschungen hinsichtlich meiner Zeit in Aston Hall stieß ich weiter auf eine Mauer des Schweigens. Ich hatte das Gefühl, als hätten die Mediziner die Reihen geschlossen, und fühlte mich hilflos.

Wie soll ich, eine kranke Frau in mittleren Jahren, diesen Kampf gewinnen?

An gutem Willen fehlte es mir nicht, dafür aber an Geld und einem juristischen Beistand. Ein guter Rechtsanwalt war so teuer, dass ich ihn mir nicht leisten konnte.

Trotzdem verließ mich nie der Wunsch, die Wahrheit herauszufinden.

Doch dann sah ich mich einer neuen Herausforderung gegenüber, aus der sich der Kampf meines Lebens entwickeln sollte. Im Jahr 2011 waren meine Kinder bereits erwachsen und ausgezogen. Die Erinnerungen an Aston Hall waren im Hintergrund immer präsent, und ich begann an einer Depression zu leiden. Dazu kamen körperliche Probleme, starke Blutungen und unerträgliche Unterleibsschmerzen. Etwas stimmte nicht, doch ich war zu verängstigt, um mir Hilfe zu suchen, denn das hätte mit Sicherheit Krankenhaus bedeutet, ein Gedanke, der mich seit den Erfahrungen mit Milner mit Entsetzen erfüllte. Aber die Symptome wurden schlimmer, und ich wusste, dass ich mich jemandem anvertrauen musste. Ich besuchte meinen Onkel John in seinem Haus in den West Midlands. Onkel John ist ein Bär von einem Mann, aber mit einem goldenen Herzen, was ich seit meiner Zeit in Mums Zigeunerlager wusste. An ihn konnte man sich jederzeit wenden, wenn man Probleme hatte.

Er öffnete die Tür und lächelte mich an. »Hallo, Barbara.«

Seine Partnerin Mandy war zu Hause, und ich erzählte den beiden, weshalb ich gekommen war.

»Ich bin sehr, sehr krank ...«

John wirkte geschockt.

»Es geht mir dreckig«, fuhr ich fort. »Ich glaube, ich habe Krebs. Ich bin des Kampfes müde. Ich habe mein Leben lang kämpfen müssen.«

»Dir wird auch jetzt nichts anderes übrig bleiben«, sagte John. Er packte meine Schultern. »Du bist eine starke Frau, und ich weiß, dass du diesen Kampf bestehen kannst.«

Dann schlang er die Arme um mich und begann zu weinen.

»Keine Tränen«, bettelte ich, denn ich konnte es nicht ertragen. Ich liebte ihn so sehr.

»Hör zu«, sagte er, als er sich wieder gefangen hatte. »Wenn du nicht freiwillig ins Krankenhaus gehst, schleifen wir dich gewaltsam hin.«

Die Tränen und Worte dieses wundervollen Mannes machten mir trotz meiner Depression klar, dass mein Leben einen Wert hatte. Es gab noch jemanden, der mich liebte und dem ich wichtig war.

Mein Onkel war schon immer eine Kämpfernatur gewesen und hatte niemals aufgegeben. Und er hatte recht, auch ich durfte nicht resignieren. Aber ich benötigte seine Hilfe bei meinem Kampf gegen den Krebs.

»Du musst mir helfen«, sagte ich.

»Ich werde die ganze Zeit an deiner Seite sein«, versicherte er.

Zum ersten Mal in meinem Leben sah ich meine Lage auf einmal völlig klar.

Ich muss kämpfen, um weiterzuleben, damit ich die Wahrheit über das publik machen kann, was mir vor all diesen Jahren widerfahren ist. Die Wahrheit muss ans Licht kommen, nicht nur in meinem Interesse, sondern auch für

Hunderte anderer Kinder, die damals gelitten haben. Das wird der Kampf deines Lebens, aber du musst gesund werden, um ihn bestehen zu können.

Ich fuhr nach Hause und schlief dort auf dem Sofa ein, wachte aber schon bald durch entsetzliche Unterleibsschmerzen auf und sah große Blutklumpen auf dem beigefarbenen Sofabezug. Der extreme Blutverlust versetzte mich in Angst und Schrecken. Der Gedanke an das Krankenhaus ängstigte mich noch mehr, doch es war klar, dass ich etwas tun musste, wenn ich nicht verbluten wollte.

Du hast alles so lange vor dir hergeschoben, dass vermutlich sowieso nichts mehr zu machen ist, sagte eine höhnische Stimme in meinem Kopf, während ich zum Krankenhaus fuhr.

Als ich die Frauenklinik von Liverpool betrat, beschleunigte sich mein Herzschlag. Ein Arzt kam mir entgegen. Er war in mittleren Jahren, hatte graues Haar und trug eine Brille. Ich blieb wie angewurzelt stehen und konnte nicht weitergehen, weil ich glaubte, es sei Milner.

Beruhige dich, Barbara. Milner kann nicht hier sein. Er ist schon vor langer Zeit gestorben und kann dir nichts mehr tun.

Der Arzt würdigte mich keines Blickes und bog in einen anderen Flur ab.

Die Panik ließ nach, mein Herzschlag beruhigte sich.

Bring es hinter dich. Du musst es jemandem erzählen. Etwas stimmt nicht, und wenn du nicht um Hilfe bittest, wirst du sterben.

Ich zwang mich, einen Fuß vor den anderen zu setzen, ging zur Anmeldung und erzählte von meinen Symptomen – elf lange Jahre mit Blutungen und unerträglichen Unterleibsschmerzen. Eine Schwester führte mich in ein Behandlungszimmer, und kurz darauf erschien eine Ärztin, die mich untersuchte und mich noch an diesem Tag aufnahm. Zwei Tage später wurde eine Biopsie gemacht. Ich wusste, dass es Krebs war, und drei Wochen nach der Biopsie hatte ich den positiven Befund: Gebärmutterhalskrebs im fortgeschrittenen Stadium. Ein Arzt informierte mich über den Befund. Ich bat darum, dass eine Ärztin kommen möge, doch er sagte, er sei zuständig, ich sei seine Patientin. Aber ich bestand darauf, dass immer zwei Krankenschwestern zugegen sein mussten.

»Wir wissen nicht, was daraus wird«, sagte er offen. »Der Krebs ist inoperabel. Cervixtumor, die Geschwulst umschließt den ganzen Gebärmutterhals.«

»Werde ich sterben?«, fragte ich benommen.

»Ich hoffe nicht. Ich schlage vor, dass wir es mit Chemotherapie versuchen, damit der Tumor nicht größer wird. Dann versuchen wir mittels Radiotherapie, ihn schrumpfen zu lassen.«

Eine Krebsdiagnose ist eine ernüchternde Erfahrung. Alle kleinen Probleme des Lebens verschwinden plötzlich, weil sie so irrelevant sind. Wichtig ist nur noch das Überleben. Unter Schock kehrte ich zu meinem Auto zurück. Mit Tränen in den Augen schaltete ich mein Mobiltelefon ab. Dann schob ich meine Lieblings-CD in den

Player, schnallte mich an und fuhr los, ohne ein Ziel zu haben. Ich fuhr einfach immer weiter, stundenlang. Ich war am Ende und hatte niemanden, an den ich mich wenden konnte. Dann dachte ich an Onkel John und daran, wie sehr er Anteil genommen hatte. Ich dachte an Milner, daran, was er mir und all diesen anderen Kindern in Aston Hall angetan hatte. Und dieser Gedanke gab mir eine innere Stärke, von der ich nicht gewusst hatte, dass ich sie besaß. Ich musste gegen den Krebs kämpfen, um weiterzuleben und dafür zu kämpfen, dass all diesen stummen Opfern Gerechtigkeit widerfuhr.

27

Überleben

Es folgten vier lange Jahre voll zermürbender Kranken-
hausaufenthalte, Behandlungen und Nachuntersuchun-
gen, doch schließlich wurde mir mitgeteilt, ich hätte die
Krebserkrankung überwunden. Irgendwie hatte ich überlebt. Das gab mir einen neuen Antrieb, die Wahrheit ans
Licht zu bringen über das Schicksal all der Kinder, die in
Aston Hall in Derbyshire diesen Experimenten ausge-
setzt gewesen waren. Ich suchte meinen Arzt auf und erzählte ihm, ich sei als Kind in jenem Krankenhaus missbraucht worden. Außerdem wollte ich wissen, warum in
meiner Krankenakte nichts über meine Einweisung dort
stand. Ich wartete vergebens auf eine Antwort.

Im Juni 2015 googelte ich Bilder von Aston Hall. Als
starke Frau, die eine Krebserkrankung überlebt hatte,
traute ich mir das nun zu. Auch wenn nichts davon im
meiner Krankenakte stand, wusste ich, dass ich mir nichts
davon nur eingebildet hatte, und die Bilder halfen meiner Erinnerung auf die Sprünge. Nicht nur ich hatte das
durchlitten, sondern auch zahllose andere – ich musste es
nur beweisen. Nach einigen erfolglosen Versuchen hatte
ich diese Website namens Urban Mayhem gefunden, wo
Bilder des verfallenden Krankenhauskomplexes zu sehen

waren. Für acht lange Monate war das mein Gefängnis gewesen. Es lief mir kalt den Rücken hinab, als ich ein Foto nach dem anderen betrachtete – jedes entsprach exakt meiner Erinnerung. Das alles war keine Einbildung, wie es mir alle einzureden versucht hatten. Hier war ich gegen meinen Willen festgehalten, gefesselt, mit Medikamenten vollgepumpt und missbraucht worden. Am unteren Rand der Website fand ich einen Kommentar. Zum ersten Mal nach sechsundvierzig Jahren, wo mir niemand geglaubt hatte, wusste ich, dass ich nicht allein war. Ein anderer Mensch hatte dasselbe durchlitten wie ich. Ich hinterließ eine Nachricht, in der stand, auch ich sei ein Opfer gewesen. Die Frau suchte mich in den sozialen Medien und kontaktierte mich über Facebook. Wir wurden Freundinnen, und sie erzählte, sie stehe in Verbindung mit einem weiteren von Milners Opfern, das unser Schicksal teilte. Jetzt waren wir schon zu dritt.

»Es muss noch mehr geben, die genau wie wir nach Antworten suchen«, sagte ich.

Und ich wusste, was zu tun war.

»Ich werde eine Facebook-Gruppe für ehemalige Insassen von Aston Hall gründen«, fuhr ich fort. »Nur so werden sich weitere Opfer melden.«

Dann besprachen wir das weitere Vorgehen. Wenn wir alles beweisen wollten, so viel war mir klar, mussten wir die Unterlagen von Aston Hall in die Finger bekommen. Ich musste dort anrufen. Ich nahm meinen Mut zusammen und wählte. Eine Frau meldete sich.

»Guten Tag«, sagte ich zur Begrüßung und stellte mich vor. »Ich war früher Patientin im Aston Hall Hospital. Können Sie mir sagen, wie ich meine Krankenakte einsehen kann? In den Unterlagen meines Hausarztes steht nichts davon, dass ich dort war.«

Schweigen am anderen Ende.

»Einige Akten haben wir hier«, antwortete die Frau schließlich. »Aber viele andere sind vor Jahren bei einem Hochwasser vernichtet worden.«

Ich wurde bleich. »Bei einem Hochwasser?«

»Ja, genau.«

»Aber wie kann ich in Erfahrung bringen, ob meine Akte noch da ist?«

Die Frau notierte sich meinen Namen und meine Telefonnummer und versprach, sich darum zu kümmern. Wie durch ein Wunder war nicht nur meine Akte, sondern auch die meiner beiden Schicksalsgenossinnen noch vorhanden, und kurz darauf hatten wir die Unterlagen. Endlich hielten wir den Beweis in den Händen, dass wir als Kinder in einer psychiatrischen Klinik festgehalten worden waren. Aber ich war beunruhigt.

Wie sollen wir beweisen, was Dr. Milner mit uns gemacht hat?

Ich riss den braunen Umschlag auf und zog die Fotokopie meiner Krankenakte heraus. Die Handschrift war grauenvoll und teilweise verblichen, aber ich hielt den konkreten Beweis dafür in Händen, dass mir neben anderen Medikamenten eine Substanz namens Amobarbital gespritzt worden war. Ich schnappte mir meinen Laptop, gab das Wort in die Suchmaschine ein und wartete gespannt auf die Resultate. Zu meinem Entsetzen erfuhr ich, dass diese Substanz auch als »Wahrheitsserum« bezeichnet wurde und nach dem Zweiten Weltkrieg an der Front traumatisierten Soldaten verabreicht worden war. Sie war ein starkes Barbiturat, mit dem einst Schlaflosigkeit behandelt worden war. Dann erfuhr ich, dass die empfohlene maximale Dosis für einen Erwachsenen ein Gramm betrug, weil das Mittel sehr schnell abhängig macht und bei einer Überdosis tödlich sein kann. Mir waren bei verschiedenen Gelegenheiten hundertzwanzig Milligramm injiziert worden.

Aber wenn das ein Wahrheitsserum ist, warum hat Milner uns dann noch mit Äther ausgeknockt, besonders angesichts der Tatsache, dass uns vorher schon ein Sedativum gespritzt worden war?

Das ergab keinen Sinn. Doch dann dämmerte es mir, und ich begann zu zittern. Natürlich, die Substanz sollte uns gefügig machen, auch wenn wir durch den Äther schon bewusstlos waren. Es war unfassbar. Kein Wunder, dass mein Vater und alle anderen mir nicht geglaubt hatten. Niemand wusste, was hinter diesen geschlossenen Türen vorgegangen war. Wir waren menschliche Spielzeuge, bloß ein Stück Fleisch, mit dem jemand spielen konnte.

Unterdessen hatte unsere Gruppe dreißig Mitglieder. Ich kontaktierte erst den National Health Service in

Derby, dann die Polizei von Derbyshire, die mich um eine Video-Aussage bat. Zum ersten Mal war ich enthusiastisch. Endlich gerieten die Dinge in Bewegung. Doch dann ging wieder alles schief. Ich versuchte die Presse davon zu überzeugen, die Story zu bringen, weil ich hoffte, dass sich weitere Opfer melden würden, aber leider ohne Erfolg. Und dann beschloss die Polizei, die Ermittlungen einzustellen. Es brach mir das Herz, doch dann kam Hilfe aus einer Richtung, wo ich keine erwartet hätte. Ich hatte von einer Facebook-Gruppe namens CSA Nottingham gehört, deren Mitglieder einst in Kinderheimen missbraucht worden waren. Diese Gruppe wollte sich mit dem Polizeichef von Nottingham treffen, und sie erzählten ihm von unserem Kampf für Gerechtigkeit für die Opfer aus Aston Hall. Erstaunlicherweise wurde beschlossen, sich erneut mit unserem Fall zu befassen. Wir übergaben unsere Krankenakten – uns allen war als Kindern dieses Wahrheitsserum gespritzt worden.

Unsere Gruppe wuchs weiter, und wir halfen den neuen Mitgliedern, in den Besitz ihrer Krankenakten zu kommen, und richteten sie psychisch auf. Wie ich hatten auch viele der anderen Opfer an Depressionen gelitten – und an unerträglichen Kopfschmerzen, vermutlich eine direkte Folge jener Medikamente, mit denen Milner uns vollgepumpt hatte.

Während die Ermittlungen der Polizei Fahrt aufnahmen, beschäftigte ich mich mit eigenen Nachforschungen und fand bestätigt, dass Milner seine Patienten für medizinische Experimente benutzt hatte, was ich anhand der offiziellen Forschungsunterlagen belegen kann. Außerdem glaube ich, dass er es auch anderen gestattet hat, mit den Kindern in Aston Hall zu experimentieren. Ob Milner es für Geld tat oder für sein wissenschaftliches Renommee innerhalb der Medizinerzunft, werden wir nie erfahren, weil er seine Geheimnisse mit ins Grab genommen hat. Obwohl das Aston Hall Hospital dem National Health Service gehörte, schien es, dass die beiden Abteilungen Cherry Ward und Laburnum Ward (wo ich war) dem Innenministerium unterstanden, was immer das zu bedeuten hatte. Ich weiß nicht, wer Milners Gehalt bezahlte. Auch erfuhr ich, seine Aufzeichnungen seien nach seinem Tod verbrannt worden, und außerdem soll sein Leichenzug direkt an dem Grundstück von Aston Hall vorbeigeführt haben, wo er tagtäglich die armen verängstigten Kinder misshandelt hatte.

Was für ein Mann würde so etwas veranlassen? Es scheint, als habe er noch im Tod versucht, das letzte Wort zu behalten.

Erneut versuchte ich, einen Journalisten dazu zu bewegen, die Story zu bringen, doch es war schwierig, weil Milner tot war und nicht mehr zur Rechenschaft gezogen werden konnte. Dann rief mich eines Tages ein Journalist vom *Derby Evening Telegraph* an. Er hieß Isaac Crowson, und im Gegensatz zu seinen Kollegen hörte er nicht nur zu, sondern glaubte mir auch und schrieb den Artikel noch am selben Tag. Nachdem er erschienen war, meldete sich ein BBC-Reporter namens Simon Hare bei mir. Durch einen Zufall stellte sich heraus, dass Simon meinen Onkel kannte, der vor all diesen Jahren für mich den Brief an das Krankenhaus geschrieben hatte. Simons Beitrag lief noch am selben Tag im Fernsehen, und der Artikel im *Derby Evening Telegraph* bescherte unserer Gruppe knapp fünfzig weitere Mitglieder. Andere meldeten sich direkt bei der Polizei oder beim National Health Service. Jetzt nahm unser Projekt richtig Fahrt auf.

Ich hatte immer noch keinen Rechtsbeistand, und jedes Mal, wenn ich einen Anwalt anrief, klang seine Stimme ungläubig, nachdem ich die Worte »Psychiatrische Klinik« ausgesprochen hatte. Doch dann geriet ich an einen Barrister, der am Telefon sagte, ich solle am nächsten Tag in seine Kanzlei kommen, denn er kenne einen Anwalt, der seiner Meinung nach in dem Fall hilfreich sein könnte. Als ich den beiden Juristen meine schockierende Geschichte erzählte, hörten sie mir zu, und Stephen Edwards, ein brillanter Anwalt, erklärte sich bereit, mich und die anderen Opfer zu vertreten. Das gab uns allen neue Kraft.

Eines Tages rief mich Isaac an, um mir mitzuteilen, dass unser Fall in der Prime Minister's Question Time im Unterhaus zur Sprache gekommen war. Die Parlamentsabgeordnete für Derby hatte direkt mit David Cameron, dem damaligen Premierminister, über die laufenden Ermittlungen gesprochen. Mr Cameron war der Meinung, unser Fall müsse gründlich untersucht werden. Wörtlich sagte er:

Ich bin sehr froh, der verehrten Abgeordneten versichern zu können, dass diese Sache untersucht werden wird. Sie hat völlig recht damit, dieses Thema offen anzusprechen. Das sind sehr schwerwiegende Anschuldigungen, und es ist von entscheidender Bedeutung, dass alle Fakten ans Licht kommen. Ich habe es so verstanden, dass die Polizei, die örtlichen Behörden und der National Health Service zusammenarbeiten, und auch das Derbyshire Safeguarding Children Board wird sich mit dem Fall befassen. Ich möchte jeden, der etwas weiß, ermutigen, sich zu melden und eine Aussage zu machen.

Auch heute ist die Untersuchung – Operation Hydrant – der Missbrauchsfälle im Aston Hall Hospital noch nicht abgeschlossen, da sich immer mehr Betroffene melden. Ich gehe von Tausenden von Opfern aus. Wir sind in die Houses of Parliament eingeladen worden, damit wir uns nach Jahren der Stille endlich Gehör verschaffen können.

Im Juli 2015 brachte BBC Radio 4 einen eingehend recherchierten Beitrag über Dr. Milners Aktivitäten im Aston Hall Hospital. In ihm wurden viele Opfer interviewt, darunter auch ich. Kritiker haben darauf hingewiesen, die Substanz Amobarbital könne zu unzuverlässigen Erinnerungen führen. Doch wie sollten so viele unterschiedliche Menschen von ihrer Erinnerung im Stich gelassen werden, sich täuschen in der Erinnerung, dass sie von demselben Arzt mit Medikamenten vollgepumpt und missbraucht wurden?

Während dieser Zeit erfuhr ich viele Dinge, mit denen klarzukommen mir wirklich schwerfiel. Wieder war es mein geliebter Vater, der sich um mich kümmerte und mich rettete, wie er es während meines chaotischen Lebens immer wieder getan hatte. Mein Dad würde als Erster eingestehen, dass er nicht vollkommen ist, aber ich stehe trotz allem in seiner Schuld, denn er hat mich aus den Fängen von Dr. Milner befreit. Ich kann es ihm nicht verübeln, dass er mir anfangs nicht geglaubt hat. Viele andere haben es noch Jahre später auch nicht getan. Aber ich werde weiter für die Offenlegung der Wahrheit kämpfen.

Während die Ermittlungen liefen, las ich ein Buch von einer Autorin namens Teresa Cooper, die unter vergleichbaren Umständen missbraucht worden war. Ihre Geschichte hat mich dazu motiviert, dieses Buch zu schreiben. Wirklich traurig ist, dass es keine Fotos von mir als Kind gibt – außer jenen, die jener Fremde in dem Behandlungszimmer geschossen hat, als ich dort lag und auf Milner wartete, nackt und vollgepumpt mit Medikamenten. Ich erschaudere, wenn ich daran denke, wer diese Fotos gesehen hat und wo sie jetzt sein könnten.

Man sagt mir, ich sei stark, weil ich den Mut gehabt hätte, die Wahrheit über Milner und Aston Hall ans Licht zu bringen. Es war aufreibend, doch es hat mir auch geholfen, darüber zu reden, was ich dort erlitten habe. Durch die Gründung der Facebook-Gruppe und das Schreiben dieses Buches glaube ich endlich jenen Kindern eine Stimme gegeben zu haben, die still leiden mussten. Jetzt hört man ihnen zu, und wir werden nicht aufhören mit unseren Bemühungen, bis der Gerechtigkeit Genüge getan ist.

Danksagung

Es gibt so viele Menschen, bei denen ich mich bedanken möchte, dass ich gar nicht weiß, wo ich anfangen soll. Also beginne ich mit den Ärzten und der Belegschaft des Liverpool Women's Hospital, die mir das Leben gerettet haben. Mein besonderer Dank gilt Dr. Robert MacDonald, der auch meine Angst vor Ärzten nachvollziehen konnte.

Außerdem bedanke ich mich beim Personal des Chatterbridge Hospital, wobei ein Dankeschön nicht annähernd genug ist.

Ferner gilt mein Dank:
- Meinem Vater, der mich gerettet hat und für mich da war, als ich ihn brauchte. Er hat sich nie von mir abgewandt, und dafür werde ich ihm immer dankbar sein. Ich liebe dich, Dad.
- Meinen Kindern für ihre Liebe und Unterstützung und Güte. Ich liebe euch.
- Rachel Nally, meiner Pflegetochter (und Bücherwurm): Dank für deinen Beistand und dein Verständnis.
- Veronica Clark, meiner Ghostwriterin, die mich ebenfalls unterstützt und mir Verständnis entgegengebracht hat. Sie war ein Geschenk des Himmels und wurde zu meiner »Stimme«.

- Kitty Walker und Eve White, meinen Literaturagentinnen, die mir zugehört und hart für mich gearbeitet haben.
- Kelly Ellis von Blink Publishing, einer erstaunlichen Person, die mir mit ihrem Team ein offenes Ohr geschenkt und mir geglaubt hat.
- Meiner Freundin Mary, ebenfalls ein Opfer. Ich liebe dich, mein Mädchen. Du hast mich während der letzten vierzig Jahre immer unterstützt.
- Teresa Cooper, deren Buch mich inspiriert hat, auch eines zu schreiben, und die mir Kraft gegeben hat.
- Mickey Summers und Mandy Coupland, Gründer der Nottingham CSA Inquiry Action Group, und an Chairman MBE, der unser Anliegen engagiert vertreten hat. Wenn er nicht auf unserer Seite gewesen wäre, hätte man nie auf uns gehört.
- Irish Community Care in Liverpool.
- Ruth Evans von BBC Radio 4, die unsere Geschichte im Rundfunk gebracht hat, und an Simon Hare, BBC North East.
- Isaac Crawson, der den Ball ins Rollen gebracht hat.
- Meinem Onkel in Derby (du weißt, wen ich meine) und an John Bowey, der nicht nur mein Onkel, sondern auch mein bester Freund ist. Außerdem danke ich »Mandy« für ihren Beistand.
- Gertrude Fitzgerald in Limerick, Irland – wir sind verwandt, aber auch für immer Freundinnen.
- Taffy, einen obdachlosen Waliser, der mir an jenem Tag in London das Leben gerettet hat.

- Stephen Edwards »beenletdown in Liverpool, unserem Anwalt.« Wir sind ihm und seinen Mitarbeitern zu großem Dank verpflichtet für ihre harte Arbeit.
- Marie McCourt, einer wirklich bemerkenswerten Frau, die noch immer kämpft, damit ihrer Tochter Helen Gerechtigkeit widerfährt. Gott stehe dir bei, Mary. Wir werden gewinnen.
- Meinen Lesern. Ich hoffe, mein Buch wird Ihnen oder anderen helfen.
- Und schließlich Philip Lafferty, CSA Group:

»Die Zukunft hat für deine Vergangenheit keine Bedeutung, die Vergangenheit für deine Zukunft sehr wohl.«